D1232945

DISIDENCIAS

JUAN GOYTISOLO

DISIDENCIAS

BIBLIOTECA BREVE
EDITORIAL SEIX BARRAL, S. A.
BARCELONA - CARACAS - MÉXICO

Cubierta: △TRIANGLE

Primera edición: septiembre de 1977
1.ª reimpresión: marzo de 1978

© 1977 y 1978: Juan Goytisolo

Derechos exclusivos de edición
reservados para todos los países de habla española:
© 1977 y 1978: Editorial Seix Barral, S. A.
Provenza, 219 - Barcelona

ISBN: 84 322 0325 4
Depósito legal: B. 7.964 - 1978

Printed in Spain

NOTA INTRODUCTORIA

Los trabajos reunidos en este volumen fueron escritos entre 1970 y 1976 y recogen la mayor parte de mi obra ensayística de dicho período, con excepción de la "Presentación crítica de José María Blanco White" que sirvió de introducción a mi antología de la Obra inglesa de este autor (Formentor, Buenos Aires, 1972; 2.ª ed., Seix Barral, Barcelona, 1974).

Los ensayos de la primera sección giran en torno a las nociones de erotismo y tabú en los escritos de varios autores españoles de los siglos XV, XVI y XVII así como a la influencia del pensamiento de Américo Castro en nuestra mejor comprensión de aquella época. "La España de Fernando de Rojas" fue publicado en el semanario Triunfo (30 agosto 1975) y en él aparecieron igualmente "Notas sobre La Lozana andaluza" (marzo 1976) y "Quevedo: la obsesión excremental" (4 septiembre 1976); "El mundo erótico de María de Zayas" salió en Cuadernos de Ruedo Ibérico, n.º 39-40 (octubre 1972); el "Homenaje a Américo Castro" figura, con el título cernudiano de "Supervivencias tribales en el medio intelectual español", en el volumen de Estudios sobre la obra de A. C., junto a otros trabajos de Bataillon, Lapesa, Marichal, Zamora Vicente, Márquez Villanueva, etc. (Taurus, Madrid, 1971).

La segunda parte abarca la época actual, centrándose principalmente en la obra de algunos escritores latinoamericanos leída a través de sus múltiples vinculaciones con autores del período analizado en la primera sección, en especial con Quevedo, Góngora y Cervantes. "La novela española contemporánea" es el título de una conferencia que pronuncié en Columbia University en noviembre de 1970 y que se imprimió después en la desaparecida revista Libre, n.º 2 (diciembre 1971); "El lenguaje del cuerpo" y "Lectura cervantina de Tres tristes tigres" aparecieron en la

7

Revista Iberoamericana *de la Universidad de Pittsburgh, n.º 92 y 94 (1975 y 1976);* "Terra nostra" *fue publicado en Ozono, XIII y XIV (octubre y noviembre 1976), y "La metáfora erótica: Góngora, Joaquín Belda y Lezama", en* Espiral, I *(1976).*

*La tercera sección incluye una extensa entrevista, dividida en tres partes, en la que respondía por escrito, en 1972 y 1973, a las preguntas formuladas por el poeta y ensayista peruano Julio Ortega. Dichas respuestas fueron impresas, por separado, en diferentes publicaciones de lengua castellana (*Eco, Revista de Occidente, Diorama de la Cultura, *etc.) y aparecieron reunidas, en inglés, en el* Texas Quarterly, XVIII, n.º 1 *(primavera 1975). En cuanto a la "Noticia personal", fue redactada, en forma de cronología, para el volumen dedicado a mi novelística por la editorial* Fundamentos *(col. Espiral, selección de Julián Ríos, Madrid, 1975).*

Para la mayor comprensión y armonía del conjunto me he permitido introducir algunos cortes y modificaciones en los originales, acompañándolos asimismo de nuevos comentarios y notas.

Agregaré tan sólo que los trabajos recogidos en Disidencias *han sido a la vez resultado de mis seminarios y cursillos en Nueva York y Pittsburgh acerca de "Erotismo y represión", "Teoría de la novela en Cervantes" y "Vanguardia literaria cubana", y campo de maniobras sobre el que he armado o razonado —a menudo a posteriori— la fábrica de mi novela* Juan sin Tierra *(Seix Barral, Barcelona, 1975) —lo que explica el interés preferente por ciertos autores y obras y la apropiación desvergonzada que hago de ellos en mi propio y personal beneficio, de lo que humildemente me excuso con los amables lectores de estas páginas.*

J. G.

A MONIQUE

LA ESPAÑA DE FERNANDO DE ROJAS

LA RECIENTE PUBLICACIÓN del extenso trabajo de Stephen Gilman, *The Spain of Fernando de Rojas*,[1] es sin duda alguna uno de los acontecimientos más destacados de la moderna bibliografía hispánica. Su "paisaje intelectual y social de *La Celestina*" significa en verdad una contribución valiosa, quizá decisiva, al conocimiento del autor de una obra que ha fascinado, fascina y, con toda probabilidad, seguirá fascinando a las sucesivas generaciones de sus lectores, una obra que, como dijo acertadamente en otra ocasión el propio Gilman, es "un triunfo del descubrimiento literario, tan sorprendente y, a su manera, tan importante como cualquier descubrimiento geográfico o tecnológico" —una auténtica "expedición literaria a lo desconocido". Pues poco o muy poco sabíamos de él: lejano, borroso, enigmático, como aquel vago, casi quimérico Lautréamont que tanto intrigara y sedujera a los surrealistas. Pese al reconocimiento universal de una creación comparable tan sólo en importancia a la de las otras dos obras maestras de nuestra literatura —el *Libro de Buen Amor* y el *Quijote*—, de un modo a primera vista sorprendente la gloria de aquélla no ha recaído sobre su autor. Importa en efecto subrayar de nuevo el caso insólito de que Rojas no ha disfrutado hasta hoy del reconocimiento oficial que acompaña a docenas, por no decir centenares, de escritores de un orden inconmensurablemente inferior al suyo: su nombre no ha presidido la inauguración de estatuas, monumentos, centros oficiales o avenidas; los programadores culturales han eludido con unanimidad sospechosa la tarea de ocuparse en él; y, contra toda evidencia documental, algunos se obstinan todavía en negarle la paternidad de su extraña y siempre inquietante criatura.

Si va a decir verdad, los datos biográficos de que sobre él disponemos son más bien escasos. Conocemos la fecha aproximada de su nacimiento y, con exactitud, la de su muerte, así como algunas indicaciones relativas a su estado civil y familia que figuran en los pocos documentos que han llegado a nuestras manos. Pero estos datos, por útiles que sean para enmarcar el cuadro en el que se desenvolvió su vida, no nos revelan nada concreto respecto a ésta y Gilman ha tenido razón en trastornar el procedimiento usual de los críticos biográficos. Así, en vez de explicar la obra de Rojas en términos del contexto vital de su autor, ha tratado de imaginar la vida de éste a partir de lo que nos sugiere el propio texto —como si el contexto formara parte del texto, y no al revés.

Aun cuando Gilman reivindica la perspectiva del vidente, su reconstrucción de la vida de Rojas no es meramente imaginaria. Repitámoslo: los testimonios documentales existen y el propio Gilman ha espulgado sin descanso los archivos de la época. Simplemente, ha procurado aderezar con ellos el esquema biográfico que nos insinúa *La Celestina*, estableciendo una complejísima red de relaciones entre el texto y una serie de hechos acaecidos antes y después de su creación (vgr.: el proceso de Alvaro de Montalbán, la probanza del árbol genealógico de los Francos, etc.), como si quisiera indicarnos que no sólo el contexto forma parte del texto, sino que ciertos rasgos de escritura del texto son elementos auténticos del contexto.[2]

Desde la publicación por Serrano y Sanz en 1902 de las actas del proceso del suegro de Fernando de Rojas, delatado al Santo Oficio por haber dicho, refiriéndose a la vida eterna, que "acá toviera yo bien, que allá no sé si ay nada", conocíamos que Rojas formaba parte de esa vasta comunidad de cristianos nuevos cuya situación conflictiva vemos reflejada en gran número de obras de la literatura de este período. No corresponde a nuestros propósitos trazar ahora un cuadro de lo que implicaba a fines del siglo XV o comienzos del XVI

—época en que fue escrita y publicada *La Celestina*— el hecho de pertenecer al linaje de los conversos. El clamor angustioso que se eleva a nuestros oídos desde el fondo de los archivos inquisitoriales proviene no sólo, como ha visto muy bien Gilman, de un vivo sentimiento de diferencia, sino también de la insoportable atmósfera de suspicacia que envolvía la vida de los descendientes de casta judía: "Recelosos unos de otros, sospechosos a todos los demás, los conversos vivían en un mundo en el que no podían confiar en ninguna relación humana, en la que una simple frase impremeditada podía acarrear indecible humillación e insoportable tortura. Era un mundo en el cual uno debía observarse a sí mismo desde un punto de vista ajeno, el de los observadores de fuera. Un mundo de disimulo y disfraz interrumpidos por estallidos de irreprimible autenticidad, de reiteración de lugares comunes rota por súbita 'originalidad', de máscaras neutrales que, al caer, descubrían rostros convulsos y ásperas voces de desacuerdo".

Un simple *lapsus linguae* de Alvaro de Montalbán en el ocio jovial de una merienda campestre había bastado para hundirle durante largo tiempo en las mazmorras del Santo Oficio. Años más tarde, otro pariente de Fernando de Rojas —Isabel López, prima hermana de su mujer— se había autodenunciado a los inquisidores por haberse expresado a solas en términos parecidos: por lo visto, temía que algún vecino pudiera haberla escuchado y, aterrorizada por la presencia ubicua de los malsines, había preferido adelantarse a una eventual delación para dar pruebas de su buena fe.[3] Pero si estos dos incidentes tan cercanos al ámbito familiar del autor de *La Celestina* arrojan una luz cruda sobre el agobio cotidiano del converso, la interminable relación de enemigos posibles redactada por un tal Pedro Serrano —paisano y coetáneo de Rojas y cristiano nuevo como él— con el propósito de identificar a sus acusadores anónimos —esa hidra invisible de infinitas cabezas que abastecía y sustentaba a los jueces del

Santo Oficio— supera en horror a todos los recientes testimonios de denuncia de las modernas sociedades monolíticas. Pillado en el engranaje de aquel organismo omnímodo, Serrano hurga e indaga los incidentes más nimios de su vida ilustrando de modo dramático el célebre dicho sartriano de *l'enfer, c'est les autres*. Su defensa delirante, febril —producto, diríase, de la imaginación a la vez lógica y absurda de un Kafka—, nos permite vislumbrar con claridad verdaderamente excepcional el tormento interior del converso, su permanente sensación de acoso.

Rojas había vivido desde la infancia inmerso en este medio hostil y, a fin de explanar el contexto en que se produjo su asombrosa creación literaria, Gilman reproduce una lista de los autos de fe de la Inquisición toledana del año en que el jovencísimo bachiller completaba su redacción definitiva de *La Celestina*: docenas y docenas de personas relajadas al brazo secular, entre las que forzosamente debían figurar amigos o vecinos de su familia. Con todo, su dolorosa experiencia no se limitaba ya por esas fechas al conocimiento de los atropellos sufridos por su comunidad. En 1484, un año después del establecimiento de la Inquisición en Toledo, varios miembros de su familia habían tenido que someterse a una humillante ceremonia de penitencia pública, objeto del desprecio y escarnio de la regocijada multitud de sus paisanos. El estigma social que acarreaba tal condena se prolongaba más allá de la muerte de los interesados o sus deudos: cuando en 1606 —medio siglo después del fallecimiento del autor de la tragicomedia— un primo lejano de su familia tuvo la desdichada idea de solicitar una ejecutoria de limpieza de sangre, el fiscal sacó a relucir inmediatamente su parentesco con los Rojas de la Puebla de Montalbán, tildados aún por la opinión pública de gente "no limpia". Dicho documento reviste especial importancia por cuanto añade un nuevo y decisivo elemento a la penosísima prueba que, desde la cuna, el destino infligió al autor de *La Celestina*. Con objeto de arruinar las pretensiones de hidalguía de Hernán Suárez Franco, el fiscal incluye en su árbol genealógico al "bachiller Rojas que compuso Celestina la vieja" y agrega que éste fue "hijo de Hernando de Rojas, condenado por judaizante en el año 1488". Esto es, como dice Gilman al divulgar la prueba documental del árbol genealógico de los Francos, "cuando Rojas tenía unos doce años, su padre fue detenido, encarcelado, juzgado, declarado culpable y, con toda probabilidad (en aquel período inicial de rigor inquisitorial), quemado en un auto de fe. El horror del hecho en sí no necesita decoración alguna. Los 'elementos medievales y renacentistas' que, según los historicistas más extremos, crearon *La Celestina* no tienen un padre cuya vulnerabilidad carnal sea la condición previa de la de uno mismo".

Como han mostrado recientemente, entre otros, Américo Castro, María Rosa Lida y el propio Gilman, la situación marginal y conflictiva de Rojas con respecto a la sociedad española de la época fue realmente determinante en lo que se refiere a la elaboración de la tragicomedia. El "cuento de horror" que le ha referido la sociedad se convertirá en esta admirable "historia de horror" que es, a fin de cuentas, *La Celestina*. Excéntrico, periférico —en el sentido que da Deleuze a este término—,[4] Rojas escapa con fuerza centrífuga única al despotismo de una máquina administrativa centrípeta. Imposible llevar más lejos su burla de la opinión común, su parodia de los valores consagrados. Casi cinco siglos después de su publicación, la tragicomedia sigue siendo la obra más virulenta y subversiva de la literatura de lengua española. Que su poder corrosivo sigue todavía vigente lo prueban sobradamente las inauditas precauciones con que los zombis enmedallados de la presunta crítica oficial acometen su estudio —neutralizándola, aguándola, como si se tratara de un manjar demasiado fuerte.

Rojas derriba, trastorna y destruye las ideas y convenciones admitidas con una audacia única entre nosotros. Si nos atenemos a la moderna doctrina de lo verosímil, en su doble acepción de conformidad a las leyes del género y a la ideología de la época, *La Celestina* es obra totalmente inverosímil por excelencia, la obra que se sitúa en los antípodas de la "estética de identidad": mientras el teatro de un Lope de Vega, por ejemplo, encarna un sistema artístico fundado no en la transgresión sino en la observación de unas reglas muy precisas —o, si se quiere, en la completa identificación de los hechos y valores representados en escena con los que el auditorio conoce y admite de antemano—, *La Celestina* nos ofrece una situación cuyas reglas son desconocidas por el lector o espectador al comienzo de la representación o lectura. Las acciones de los personajes de la tragicomedia son "inverosímiles" en la medida en que no responden a las máximas acatadas por el público de la época, y Rojas debe luchar a cada paso con los cánones dramáticos y prejuicios del lector o espectador para imponerle su visión cruda, negativa y angustiosa del mundo.

Cuando en 1501 Rojas concluye la redacción de *La Celestina* tiene alrededor de veinticinco años. Desde esta época hasta su fallecimiento, el 3 de abril de 1541, nada o casi nada sabemos de él sino de modo incidental —a través del proceso de su suegro Montalbán, cuando el inquisidor rechaza la petición de éste de escogerle por defensor e impone la elección de un abogado "sin sospecha". Su testamento —en el que incluye un inventario de los libros que componen su biblioteca— nos sugiere la imagen de un burgués respetable, preocupado por la preservación de su hacienda y sin inquietudes culturales excesivas. Para llenar este vacío de cuatro décadas, Gilman no dispone de la voluminosa correspondencia familiar y comercial de un Rimbaud que, a partir de su brusco y definitivo silencio poético, nos trace su itinerario biográfico —los viajes por Africa y la península arábiga en pos de una fortuna inasequible y esquiva. Pacientemente reconstruye, con ayuda de los archivos, la atmósfera cotidiana de la villa de Talavera en la que el autor de la tragicomedia desempeñó durante largos años su oficio de letrado a cubierto del mundanal ruido. Dicha descripción constituye en cierto modo el molde que configura la materia de su vida —vaciado forzosamente impreciso pese al sostenido esfuerzo imaginativo de que hace gala Gilman y que no cabe atribuir tan sólo a la parvedad o carencia de documentos. Las cartas de Rimbaud fechadas en Adén o Harar —llenas de prolijas, minuciosas referencias al coste de las mercancías objeto de su miserable y ruinoso tráfico— nos esclarecen igualmente muy poco al adolescente genial que compuso "Le bateau ivre", *Une saison en enfer* o el "Sonnet des voyelles". En uno y otro autor la ruptura con el período de efervescencia creadora es total y completa y ni el pequeño-burgués acomodado de Talavera ni el paralítico que agoniza abandonado, dirá, como un perro, en el hospital de la Concepción de Marsella, hubieran podido revelarnos nada nuevo sobre la génesis de una obra literaria que es en los dos casos fascinante y única. El enigma del silencio de Rimbaud y de Rojas se explica tal vez si concluimos que, habiendo dicho lo que tenían que decir, ambos, simplemente, se sobrevivían: Rimbaud en una fuga patética de sí mismo, "huyendo a nuestro mundo —como dirá de él Cernuda— y su progreso renombrado"; Rojas, como nos muestra Gilman, aplacado por una creación literaria que era su imprescindible respuesta personal a la despiadada agresión de la vida. Escrita y publicada la tragicomedia, no le importaba ya ceñir la máscara de conformismo aparente —sin los descuidos y explosiones de autenticidad que debían perder a tantos allegados y amigos— hasta el fin de sus días. La deuda había sido cancelada y, tras haber devuelto a la sociedad su historia de horror, podía "admitir su propia aceptación de su condición durante los años que aún le tocaba vivir". En verdad, el letrado que administra cuidadosamente sus bienes en la calma provinciana de Talavera había hecho las paces consigo mismo, y si la violencia creadora de su respuesta juvenil al mundo ha podido parecer excesiva a muchos, habrá que concederle ahora, a la luz de los documentos recientes, que la situación personal que la provocó fue también *excesiva*.

* * *

Para los españoles de casta hebrea que vivieron los acontecimientos dramáticos del reinado de Isabel y Fernando —la instauración del Santo Oficio, los decretos de expulsión de 1492—, el cambio de rumbo que adoptaba la monarquía, y tras ella la sociedad entera de su país, significaba un cataclismo sin precedentes cuyas perdurables consecuencias debían perseguirles generación tras generación, con tenacidad implacable. Rota la coexistencia secular de las tres castas, enfrentados al dilema de la conversión o el exilio, habían asistido impotentes, como quien sufre una pesadilla, al derrumbe de los valores que sustentaban su vida —verdaderos condenados a plazo, víctimas en potencia de un sistema expresamente creado para su vigilancia, represión y tortura. En estas condiciones de angustia y apremio es fácil imaginar que la sinceridad de numerosas conversiones fuera más que dudosa. El desliz verbal de Alvaro de Montalbán —así como docenas de otros casos revelados por los documentos de la época— nos hace presumir la existencia de numerosos conversos que, habiendo perdido la fe de sus antepasados, no habían abrazado no obstante en su fuero interno la religión nueva y acampaban, por así decirlo, en un *no man's land* entre una y otra, en una posición de agnosticismo prudente y, a veces, abiertamente ateo.[5]

Que Fernando de Rojas pertenecía a este grupo de marginales —auténticos emigrados del interior— es algo que ofrece pocas dudas a juzgar por lo que nos revela su obra y la documentación que sobre él poseemos. Como dice Gilman con gran acierto en el prólogo de una reciente edición de la tragicomedia, "en vez del abovedado y cubierto mundo medieval, donde el hombre estaba protegido si se mantenía en su papel de criatura, el mundo de *La Celestina* es un mundo expuesto a un peligro constante".[6] El universo, nos explica Rojas desde el comienzo mismo de la obra, no es sino un caos generalizado, ante el que los propósitos y voluntades humanas son irrisorios e inútiles: la rueda de la Fortuna gira de modo ciego, aplastando en su movimiento nuestros sueños, proyectos y anhelos; el mal y el bien, la prosperidad y la adversidad, la gloria y la pena, todo pierde con el tiempo la fuerza de su acelerado principio; no hay pues un Creador ni armonía ni orden; todo es tumulto, frenesí, desorden, estridencia, guerra, litigio.

Aunque la descripción del orbe del prólogo de la tragicomedia es una simple traducción ampliada del *De remediis* de Petrarca, una lectura atenta del mismo descubre que, en su utilización, Rojas va mucho más lejos que su modelo. Mientras Petrarca propone una aceptación estoica de los daños y calamidades de la Fortuna, el autor de *La Celestina* no sugiere aceptación virtuosa alguna. La descripción del mundo natural como campo de batalla le sirve tan sólo de pretexto para trazar un cuadro paralelo de la sociedad humana y algo en la violencia de la descripción nos advierte que no se trata de una mera influencia libresca ni un recurso literario común. Esta víbora reptilia o serpiente enconada que en el acto de la concepción aprieta con dulzura la cabeza del macho hasta darle muerte y cuyo hijo, al nacer, rompe los ijares de la madre —lo que le hace exclamar "qué mayor guerra que engendrar en su cuerpo quien coma sus entrañas"—, ¿no es acaso esta Castilla que devora a sus hijos, esta misma Castilla "que faze a los omes e los gasta"?[7] La referencia a que la vida de los hombres "desde la primera edad hasta que blanquean las canas, es batalla" y a ser "todas las cosas criadas a manera de contienda", ¿no es la dura, terrible experiencia que la sociedad de su país les ha impuesto, a él y a su familia?: "¿Pues qué diremos entre los hombres a quien todo lo sobredicho es sujeto? ¿Quién explanará sus guerras, sus enemistades, sus envidias, sus aceleramientos y movimientos y descontentamientos? ¿Aquel mudar de trajes, aquel derribar y renovar edificios, y otros muchos afectos diversos y variedades que de esta nuestra flaca humanidad nos provienen?". Tópicos de una vieja tradición medieval: sin duda; pero la circunstancia personal del autor les ha inyectado una nueva savia.

Una lectura sin anteojeras de la tragicomedia nos muestra que los elementos cristianos que figuran en ella son escasos, y en la mayoría de los casos, claramente postizos. Los personajes de *La Celestina* nos dan a entender, tanto por su conducta como por sus palabras, que no creen en el más allá ni en la existencia de una Providencia oculta: "Goza tu mocedad, el buen día, la buena noche, el buen comer y beber. Cuando pudieres haberlo, no lo dejes. Piérdase lo que se perdió. No llores tú la hacienda que tu amo heredó, que esto te llevarás de este mundo, pues no le tenemos más de por nuestra vida", aconseja Celestina; "hayamos mucho placer. Mientras hoy tuviéramos de comer, no pensemos en mañana ... No habemos de vivir para siempre, que la vejez pocos la ven y de los que la ven ninguno murió de hambre", dice Elicia. Dicha actitud no es privativa ni mucho menos de la alcahueta, los criados y las rameras. El comportamiento de los dos enamorados, su egoísmo ciego, tampoco tiene en cuenta la realidad de una Creación bien ordenada o un Dios justiciero en la atribución de las recompensas y castigos. Cuando Calisto explica a Sempronio la intensidad del fuego amoroso que le consume y su servidor le recuerda que sus palabras contradicen las enseñanzas de la religión cristiana, le responde en estos términos:

CALISTO.—¿Qué a mí?
SEMPRONIO.—¿Tú no eres cristiano?
CALISTO.—¿Yo? Melibeo soy y a Melibea adoro y en Melibea creo y a Melibea amo.

En el momento de anunciar a su padre su "agradable fin", su "forzada y alegre partida", Melibea, a su vez, no manifiesta ningún remordimiento o temor ante un acto que, según el dogma oficial católico, debe excluirla del reino futuro de los bienaventurados: "Mi fin es llegado, llegado es mi descanso y tu pasión, llegado es mi alivio y tu pena, llegada es mi acompañada hora y tu tiempo de soledad". Más revelador aún: en el desvalido, conmovedor soliloquio que remata la obra, Pleberio tampoco incluye entre las razones de su dolor ninguna referencia a la eterna condenación de su hija. Su desolada meditación sobre el fin trágico de Melibea se convierte, al contrario, en una meditación no menos desolada sobre un mundo extraño, ajeno y vertiginoso, un mundo en el cual "la muerte es una bendición a causa del loco e impotente dinamismo de estar vivo". Como señala agudamente Gilman, linaje, honor, posición social no son sino máscaras encubridoras de un inmenso vacío: "la negación del yo por autores y personajes —dice— se acompaña de una negación de todo sentido".

Los protagonistas de la tragicomedia viven literalmente obsesionados por la certeza de un mundo hecho de "zumbido y de furia" —un mundo frío, impersonal e inhumano, alimentado, diríase, por su propio frenesí delirante: "Mundo es, pase, ande su rueda, rodee sus alcaduces, unos llenos, otros vacíos. La ley es de fortuna que ninguna cosa en su ser mucho tiempo permanece; su orden es mudanzas", dice Celestina; "Cada día vemos novedades y las oímos y las pasamos y dejamos atrás. Disminúyelas el tiempo, hácelas contingibles. ¿Qué tanto te maravillarías si dijesen: la tierra tembló o otra semejante cosa que no olvidases luego? Así como, helado está el río, el ciego ya ve, muerto es tu padre, un rayo cayó, ganada es Granada, el rey entra hoy, el turco es vencido, eclipse hay mañana, la puente es llevada, aquél es ya obispo, a Pedro robaron, Inés se ahorcó, Cristóbal fue borracho.[8] ¿Qué me dirás, sino que a tres días pasados o a la segunda vista, no hay quien de ello se maraville? Todo es así, todo pasa de esta manera, todo se olvida, todo queda atrás". Si la influencia de Heráclito y Petrarca es visible en estos y otros pasajes de la obra, Rojas ha operado el milagro de interiorizar y encarnar su doctrina en la vivencia y situación personal de sus personajes: el mundo en que viven los protagonistas de *La Celestina* es, en efecto, un mundo precario y caduco, sometido a un inexorable proceso de destrucción.

Todos los cabos sueltos y elementos dispersos que el lector recoge a lo largo de la tragicomedia los halla —ahora trabados y reunidos, perfectamente dispuestos— en el auto final de la obra. En él, Pleberio incrimina amargamente al amor, la fortuna y el mundo. Cuanto más busca consuelos, se lamenta, menos motivo encuentra para consolarse. El amor es inicuo, enemigo de toda razón y actúa sin orden ni concierto. La fortuna vierte sus mudables ondas, arruinando con volubilidad a quien le place. En cuanto al mundo, "yo pensaba en mi más tierna infancia —dirá, increpándole— que eras y eran tus hechos regidos por alguna orden; agora, visto el pro y la contra de tus bienandanzas, me pareces un laberinto de errores, un desierto espantable, una morada de fieras, juego de hombres que andan en corro, laguna llena de cieno, región llena de espinas, monte alto, campo pedregoso, prado lleno de serpientes, huerto florido y sin fruto, fuente de cuidados, río de lágrimas, mar de miserias, trabajo sin provecho, dulce ponzoña, vana esperanza, falsa alegría, verdadero dolor". Privado de la compañía de una hija que debía ser el amparo y refugio de su vejez, Pleberio descubre al mismo tiempo su irremediable soledad y la amarga certeza de una vida desprovista de sentido. "¡Qué solo estoy!", exclama patéticamente. Que el anciano sea portavoz del propio Rojas parece mucho más que probable si consideramos que el soliloquio final resume en cierto modo, para el lector o espectador, la moral de la tragicomedia. Tal como nos lo pinta Rojas, Pleberio, perdido el temor, y sabiendo que no tiene ya qué perder, traza un cuadro sombrío de un universo desquiciado y absurdo, un universo en el que el hombre nace solo, vive solo y muere solo, juguete de la violencia incontrolable de sus propias pasiones e impulsos. "Del mundo me quejo porque en sí me crió", clama, y en su lamento el grito de dolor se acompaña de una increpación dirigida al vacío —o al dios sordo, afónico y nulo que le condena a la soledad *in hac lacrymarum valle*. Como observa Gilman, "la implicación de un universo natural sin Dios es aquí tan explícita como podía serlo en aquel tiempo". Aunque Rojas (*et pour cause!*) toma numerosas precauciones y hace protestas de fidelidad a la religión católica e, incluso, profesiones de aversión al judaísmo, sus razones son bastante transparentes como para que nadie se llame a engaño. Un coetáneo suyo, y converso como él, justificaba la hipocresía diciendo: "Callé, porque la vida es un bien muy dulce". Como escribe el traductor francés de la obra del científico Jorge Juan al referirse al hecho a primera vista sorprendente de que éste suponía falsa la opinión de quienes afirmaban que la tierra gira, el autor no habla en tales casos con voz propia "sino como hombre que escribe en España, en un país donde existe la Inquisición".[9]

En el mundo de *La Celestina* —señala Gilman, comentando la dramática confrontación de Pleberio y su hija en el momento en que ésta le anuncia desde lo alto de la torre la decisión de suicidarse— el diálogo incesante de los personajes se contrapesa con la conciencia íntima de su aislamiento profundo: "A lo largo de la vida de Melibea, la domesticidad —la plática de la convivencia diaria— ha procurado a Pleberio la engañosa creencia de vivir acompañado. Sólo ahora, a través del espacio vertical y un puente inmaterial de palabras, verifica la distancia que media entre su espíritu y el de ella. Sólo ahora, cuando su hija le dice al fin cuanto ha mantenido oculto, comprende el carácter radical de su soledad. Como suele ocurrir en *La Celestina*, la situación física y humana se confunden. La torre y la confesión de Melibea expresan la sutil comprensión por Rojas que conciencia equivale a inco-municabilidad ... Su soledad [la de Pleberio] es una soledad ineluctable, fundada en la condición humana".

La observación es penetrante y merece la pena que nos detengamos en ella. Américo Castro, María Rosa Lida y otros comentaristas de la obra habían insistido ya en el hecho de que *La Celestina* era un drama sin héroes ni villanos, "una lucha de egoísmos igualmente destructivos". El párrafo ante-dicho de Gilman da un paso más: en un universo absurdo, hecho de guerra, caos y litigio, el hombre vive solo y no admite otra ley que la fuerza soberana de sus pasiones. Si el universo no tiene sentido —si Dios es en realidad un inmenso vacío y la Providencia una mera agitación ciega y desenfrena-da— el hombre vive en un estado de soledad absoluta, que ni necesita del prójimo ni tiene por qué rendirle cuentas. El viejo pensamiento de Plauto —*homo homini lupus*— embebe en ver-dad el comportamiento de los personajes de la tragicomedia, con excepción de Pleberio y su esposa (y la prueba final que les impone el destino resulta por ello todavía más irrisoria). El egoísmo es la única regla: egoísmo amoroso en Calisto y Melibea; interesado y ávido en Celestina, Sempronio y Pár-meno; rencoroso, tejido de envidia, en las dos prostitutas. Pues si la imagen que trazan Areúsa y Celestina de la clase señorial no puede ser más demoledora ("Estos señores de este tiempo más aman a sí que a los suyos. Y no yerran. Los suyos igualmente lo deben hacer. Perdidas son las mercedes, las magnificencias, los actos nobles. Cada uno de éstos, cautiva y mezquinamente, busca su interés con los suyos. Pues aquéllos no deben menos hacer, como sean en facultades menores, sino vivir a su ley"), el cuadro que nos pinta Rojas de los servido-res y plebeyos dista mucho de ser lisonjero. Sobre dinero no hay amistad. Consciente de esta verdad, Sempronio se pone de acuerdo con Celestina para explotar la pasión de su amo: "De ti y de mí tiene necesidad. Pues juntos nos ha de menes-ter, juntos nos aprovechemos ... Ganemos todos, partamos todos, holguemos todos", y, tras una breve resistencia inicial, Pármeno se conchaba con ellos: "Destruya, rompa, quiebre, dañe, dé a alcahuetas lo suyo, que mi parte me cabrá, pues dicen: a río revuelto ganancia de pescadores".

Egoísmo, soledad, incomunicación, guerra, litigio: la negación del prójimo pasa por encima de las reglas sociales de respeto y amistad y no se detiene ante ningún límite. La cadena de oro con que Calisto premia los buenos servicios de Celestina ocasionará la muerte de la alcahueta por obra de los criados y, a su vez, la de éstos en manos de la justicia. Es decir, el egoísmo de los personajes de la tragicomedia desemboca en la negación total, primero de los demás y en último término de sí mismos. Su soledad se afirma mediante una inmensa negación, como descubrirá Melibea en la atalaya señera de la torre, privada, por la muerte de Calisto, del goce a través del cual había podido comunicar con él. El resto —comedia social de piedad, amor filial, presuntos vínculos de familia— cuenta muy poco junto al descubrimiento terrible: la realidad física de su separación de los demás, la conciencia de su inevitable aislamiento íntimo.

El ateísmo de Fernando de Rojas y su falta de fe en un posible ideal social confiere a los héroes de la obra una dimensión trágica que los hermana con algunos de los personajes más representativos de la literatura de nuestro tiempo. Pero su concepción racionalista del mundo —en el sentido que dio a este término el Siglo de las Luces— se compensa, como vamos a ver, con una rebeldía del signo "cuerpo" cuya expresión más acabada se remonta igualmente a las postrimerías de dicha centuria —y Gilman apunta a ello en un párrafo sobre la desvalida acusación de Pleberio que nos permitiremos citar por extenso: "¿Cuál es el destino del hombre en tal situación? La respuesta a esta pregunta es precisamente lo que el público invisible de Pleberio ha escuchado en los veinte autos anteriores de *La Celestina*. El hombre se halla inmerso en una Danza de la Vida febrilmente lógica, compuesta de dos movimientos fundamentales. Por un lado (como explica el prólogo, tomándolo directamente de Petrarca) hay una guerra continua e implacable ... Por otro —igualmente implacable— una impulsión erótica ... que nos reduce a una furia animal".

* * *

Es ahí donde la coincidencia con Sade se impone. También éste, como Rojas, tiene una cuenta pendiente con la sociedad: arrojado a las mazmorras del *Ancien Régime* por las intrigas de su poderosa suegra, el prisionero de la Bastilla quiere devolver igualmente a la sociedad su "historia de horror". Acusado de violencia física en la persona de unas prostitutas, en lugar de defenderse del cargo, se transforma en acusador, no sólo de sus jueces, sino de la sociedad, de Dios, el mundo y la naturaleza, esto es, de cuanto impide, limita o niega la fuerza soberana de sus pasiones. Sabido es que en las épocas de fe escasa o nula, cuando los valores sociales y morales consagrados muestran a las claras —cuando menos a ojos de la minoría pensante— su carácter opresor e injusto, la llamada "animalidad" del ser humano —su exuberancia sexual— se convierte en el único elemento que preserva al individuo de la cosificación y le restituye la conciencia de existir por sí mismo. Trátese de la religión industrial de las actuales sociedades burocráticas —religión que reduce al hombre a la condición de objeto en un mundo de objetos—, del despotismo ilustrado de la monarquía absoluta o de una sociedad estructurada sobre esa "Inquisición inmanente" de que hablara en una ocasión Unamuno, asistimos a una rebeldía del signo "cuerpo" contra las ideologías dominantes y sus construcciones racionales omnímodas. Frente a una pirámide social absurda, asfixiante y tiránica que tritura a los hombres en sus inexorables mecanismos, Rojas, como tres siglos más tarde Sade, reivindica la primacía de la impulsión erótica y su también ciega, inexorable furia.

28

Sade —escribe Maurice Blanchot— razona más o menos de esta manera: el individuo representa una determinada cantidad de energía; la mayor parte del tiempo dispersa sus fuerzas en provecho de estos simulacros llamados prójimo, Dios, ideal; mediante dicha dispersión comete el error de agotar, en un acto de puro derroche, sus posibilidades, y lo que es aún peor, de fundar su conducta en su debilidad, pues si se prodiga por los demás es porque tiene necesidad de apoyarse en ellos. Flaqueza funesta: se debilita gastando vanamente sus fuerzas y gasta sus fuerzas porque se cree débil. Pero el hombre consciente sabe que está solo y acepta estarlo, negando cuanto en él —herencia de diecisiete siglos de cobardía— le relaciona con el prójimo, destruyendo, por ejemplo, los sentimientos de piedad, de gratitud, de amor, al destruirlos, recupera todas las fuerzas que hubiera tenido que consagrar a estos impulsos debilitantes, y lo que es todavía más importante, extrae de este trabajo de destrucción el comienzo de una verdadera energía.[10]

El caos, la incomunicación, la soledad desembocan asimismo en *La Celestina,* en la afirmación soberana de un egoísmo que no tiene en cuenta los "impulsos debilitantes" de la piedad, gratitud o afecto ni se sacrifica a lo que Sade denomina "simulacros": Dios, ideal, el prójimo. Admitir un vínculo de solidaridad con los demás significa imponer fronteras a la alteza del propio *ego.* Por eso la "gloria" de los amantes no acepta ningún obstáculo que contraríe o amengüe su fiebre. Los comentaristas de la tragicomedia han subrayado a menudo, con razón, el carácter violento de las relaciones eróticas entre sus personajes: en el séptimo auto, Celestina fuerza a Areúsa a acceder a los deseos de Pármeno, pese a que la muchacha se retuerce de dolores en la matriz, y la alcahueta se derrite de gozoso *voyeurisme* ante la inevitable brutalidad de la cópula; después de abandonarse a las "desvergonzadas manos" de Calisto, Melibea se lamenta del "riguroso trato" que de él recibe en uno de los pasajes más audaces y significativos de la obra: "Deja estar mis ropas en su lugar y, si quieres ver si es el hábito de encima de seda o de paño, ¿para qué me tocas en la camisa? ... ; no me destroces ni maltrates como sueles. ¿Qué provecho te trae dañar mis vestiduras?". A lo que responde Calisto: "Señora, el que quiere comer el ave quita primero las plumas".

La soledad, incomunicación y aislamiento inherentes a los personajes de la tragicomedia suponen la desaparición de todo freno. Obligados a recurrir a los servicios de Celestina, los dos amantes no vacilan en humillarse ante ella y saludarla con un servilismo que frisa en lo grotesco: "mujer sabia y maestra grande", dice Melibea; "el corazón se me alegra al ver esa honrada presencia, esa noble senectud", puja todavía Calisto. Para conseguir la satisfacción de su "furia", éste sacrificará alegremente honor, caudal, renombre y hasta la vida de los suyos. Conquistada por la fuerza avasalladora de la pasión, Melibea, tras maldecir las puertas que impiden su "gloria", grita a la faz de Lucrecia: "En pensar en él me alegro, en verlo me gozo, en oírlo me glorifico ... Déjenme mis padres gozar de él, si ellos quieren gozar de mí ... No tengo otra lástima sino por el tiempo que perdí de no gozarlo, de no conocerlo, *después que a mí me sé conocer*".[11] Conocimiento ligado, pues, al descubrimiento de su propia fiebre. Como dice Bataille —probablemente el mejor analista de Sade—, sólo mediante este frenesí (del acto amoroso) "revelo a mis semejantes quién soy *íntimamente; el consumo* [erótico] es la vía por la que los seres *separados* comunican".[12]

El carácter introvertido de Calisto, su ánimo apartadizo, esa peculiar vida suya solitaria y nocturna que tanto han intrigado a los estudiosos de la obra contrastan en verdad con la norma general de una época en que la realidad parece someterse a los sueños de grandeza de la casta cristianovieja y su "dimensión imperativa" —lo que nos induce a sospechar que, al retratarlo, el autor se retrataba en cierto modo a sí mismo. Un crítico ha observado recientemente con agudeza que Calisto no sólo ama la soledad sino también la oscuridad, como si la noche fuera el único refugio frente a la sorda amenaza de una ciudad en cuyo seno vive como un extraño.[13] Enclaustrado en su domicilio, lucífugo, pone el día, por así decirlo, entre paréntesis y aguarda la llegada de la noche para escurrirse al huerto de Melibea —en busca del cuerpo codiciado que aviva y entretiene su "furia". El frenesí del amor carnal es, para él, la única certeza del mundo, "de este mundo *íntimo* que se opone al mundo *real* como la desmesura a la medida, la locura a la razón, la ebriedad a la lucidez";[14] y, como dice Bataille, "el mundo del sujeto es la noche —esta noche movediza, infinitamente ambigua que, durante el sueño de la razón, *engendra monstruos*".[15] El "crudo y fuerte" amor de Calisto, nos indica Rojas desde el comienzo de la obra, "no se rige por razón, no quiere avisos, carece de consejos". La noche es su único mentor y su dictamen desdeña la sórdida tacañería de lo real, los mezquinos temores del "buen sentido". Sólo la furia cuenta. Dueño y señor de su propio sueño, éste sólo puede desenvolverse —como sucede en las obras del "divino marqués"— gracias a la conciencia profunda de su aislamiento. La moral sadiana, explica Blanchot, "se funda en el hecho básico de la soledad absoluta. Sade lo ha dicho y repetido de mil maneras: la naturaleza nos ha hecho nacer solos, no hay ninguna especie de relación entre un hombre y otro. La única regla de conducta es por consiguiente que yo prefiera cuanto me favorece sin tomar en modo alguno en consideración los males que mi preferencia pueda acarrear al prójimo. El mayor dolor de los demás cuenta siempre menos que mi deleite. No importa si debo comprar el goce más mínimo con una inaudita acumulación de maldades, *puesto que el deleite me halaga, está en mí, mientras que el efecto del crimen no me toca, me es ajeno*".[16]

El egoísmo radical de los héroes sadianos modela también la conducta de casi todos los personajes de *La Celestina* y les impulsa a la negación y muerte de los demás y de sí mismos. La soledad del hombre, abandonado en un mundo que carece de sentido, es tan apremiante en Rojas como en Sade. Conforme con la lógica de su condición, Calisto antepone el placer —propio— a la muerte —ajena— de Sempronio y Pármeno: "Qué más me va en conseguir la ganancia de la gloria que espero, que en la pérdida de morir los que murieron", discurre; y, menospreciando la debilidad del remordimiento, agrega en unos términos que el autor de *Cent vingt journées de Sodome* hubiera podido poner en boca de cualquiera de sus libertinos; "acuérdate, Calisto, del gran gozo pasado. Acuérdate de tu señora y tu bien todo. Y pues tu vida no tienes en nada por su servicio, *no has de tener las muertes de otros, pues ningún dolor igualará con el recibido placer*".[17]

En esta perspectiva podemos conceptuar la tragicomedia como un precedente notable del universo de Sade. Sadiano *avant la lettre*, Calisto se entrega de lleno a la furia de su pasión violenta dilapidando sus energías físicas y riquezas por la brecha abierta en el interior de sí mismo —el frenesí corporal que ignora la utilidad racional y las leyes sacrosantas de la economía. Frente a la continuidad ordenada de un mundo regido por las nociones de Dios, bien común o progreso, la fiebre desordenada del cuerpo y su convulsión ciega. *La verité de l'érotisme est trahison,* dice Bataille: confirmando sus palabras, Calisto pasa por encima de la muerte de sus criados como Melibea de la verdad debida a sus padres. Entrambos —como Celestina, Sempronio y Pármeno— extraen su energía y vitalidad de su imperioso egoísmo y, significativamente, Calisto morirá cuando, olvidando este principio, se entrega a uno de esos impulsos debilitantes que es la amistad y corre a defender a Sosia y Tristán, creyendo que sus vidas están en juego. Error fatal que, como a la desdichada Justine, ocasionará todo género de desastres. Mientras en virtud de esa misma lógica fría que gobierna el universo de Sade la muerte voluntaria de Melibea es, paradójicamente, la afirmación de una plenitud soberana que descarta la flaqueza del dolor de Pleberio y Alisa, Calisto no muere en un acto de autoaserción, de acuerdo con la norma egoísta del propio placer, sino en razón de su debilidad, al intentar socorrer a dos subalternos que, para colmo de sarcasmo, no corren, en realidad, peligro alguno.

Hallamos pues en *La Celestina* todos los elementos de una condición general de discontinuidad, incomunicación y abandono que la imaginación delirante de Sade llevará más tarde a los últimos límites. Aprovechando la absoluta libertad de la página en blanco —el vértigo totalizante de la escritura— el escritor francés, en el aislamiento inhumano de la Bastilla, cumplirá una venganza ejemplar contra la sociedad que le oprime: la de poner al desnudo y dar voz a todo lo reprimido e indecible, transformando, como diría Barthes, las imposibilidades del referente en posibilidades de discurso.[18] Si la lógica de Fernando de Rojas no va tan lejos no seremos nosotros quienes se lo echaremos en cara. Sin caer en el exceso de Sade y su monstruosidad helada, el autor de la tragicomedia nos ha ofrecido la visión de un mundo infinitamente más próximo al nuestro: un mundo que al cabo de casi cinco siglos de distancia nos obsesiona por su portentosa realidad y en el cual todavía nos reconocemos.

* * *

Una última apostilla al libro de Gilman: al analizar el autodistanciamiento y marginalidad en la obra de los conversos toca un punto esencial que según yo sepa no había rozado nadie —me refiero al hecho de que un autor como Rojas "tenía que disentir en un idioma que de modo inherente enaltecía mucho de lo que quería rechazar, partir en guerra contra valores que no eran sólo 'de ellos' sino 'nuestros'. La complejidad estilística casi ilimitada de *La Celestina* ... , las capas de significación superpuestas bajo sus signos verbales pueden comprenderse únicamente ... en términos de este dilema".

Dilema, diría yo, no exclusivo de los conversos, sino propio de todos los disconformes y rebeldes que se internan en la

lengua en que escriben como en territorio ajeno —ocupado
por los defensores de la ubicua ideología oficial: un territorio
infestado de redes, lazos y trampas por el que es preciso avanzar con infinitas precauciones y tanteos antes de sembrarlo a
su vez de minas y bombas de relojería destinadas a estallar
después en manos de los lectores incautos. Al expresarme de
este modo quiero dejar bien sentado que no expongo una
mera teoría: mi experiencia personal coincide en efecto, al
cabo de los siglos, con la del autor de la tragicomedia. Obligado a desconfiar de la propia lengua, es más, a pensar contra
ella, el desafecto se esfuerza, hoy como ayer, en instilar en su
ámbito un elemento de subversión —ideológica, narrativa,
semántica— que la corrompe y desgasta. La obra que agrega
al árbol general de las letras es así un arma de doble filo
—"regalo capcioso en cola de alacrán, ofrenda asechante con
in cauda venenum", he escrito en otra parte.[19] Cuando al
cerrar el párrafo que citamos nos dice Gilman: "la ambigüedad acá no es una abstracción para críticos o una estrategia
para poetas sino un modo de existencia", está dando la clave,
tal vez sin saberlo, de todo un sector, quizá el más significativo y dinámico, de la literatura de hoy —la de los Genet,
Burroughs o George Jackson, parias de un sistema contra
cuya inhumanidad y atropellos se rebelaron y a cuya lengua
han incorporado de mala gana unos textos que sobresalen por
su insólita virulencia entre la adocenada producción de los
autores "admitidos".[20] La escritura es entonces un acto sutil
de traición, y la obra del escritor marginal, un "cuento de
horror" cuyos gérmenes —como nos muestra la vigencia
actual de *La Celestina*— prosiguen su clandestina labor de
zapa en el espíritu del lector y —aún al cabo de cinco siglos—
lo conmueven, inquietan, trastornan y, dulcemente, lo conta-
minan.

NOTAS

1. Princeton University Press, Princeton, 1972.
2. Cf. Tzvetan Todorov, "L'analyse du récit à Urbino", *Communications*, n.º 9 (1968).
3. "Yo Ysabel López, mujer que soy de Francisco López, digo que no mirando lo que decía ni creyendo que errava dixe las palabras siguientes, 'en este mundo no me veas mal pasar que en el otro no me verás penar', y esto digo que lo dixe por manera de refrán como se suele dezir". Gilman, *The Spain...*, p. 92.
4. Gilles Deleuze, "Pensée nomade", en *Nietzsche aujourd'hui*, col. 10/18, París.
5. Véase Angela Selke, "Un ateo español", *Archivum*, VII (1957).
6. *La Celestina*, Alianza Editorial, Madrid, 1969.
7. "Castilla, mejor es para ganar lo nuevo que para conservar lo ganado, que muchas veces lo que ella fizo, ella misma los desfaze", escribía el converso Hernán Pérez de Guzmán. Véase Américo Castro, *La realidad histórica de España*, Porrúa, México, 1966.
8. Los comentaristas de la tragicomedia han subrayado con razón la audacia, verdaderamente sacrílega por aquellas fechas, de poner en un mismo nivel la toma de Granada por los Reyes Católicos y sucesos vulgares y corrientes como "a Pedro robaron" o "Cristóbal fue borracho".
9. Cf. Paulino Garagorri, *Revista de Occidente* (diciembre 1965).
10. Maurice Blanchot, *Lautréamont et Sade*, Editions de Minuit, París, 1949.
11. El subrayado es nuestro.
12. Georges Bataille, *La part maudite*, Editions de Minuit, París, 1967.
13. "Ante este afán de Calisto, debemos preguntarnos, por fin, cómo es la ciudad y la sociedad de la cual pretende huir y con la cual tiene tan poca relación". Julio Rodríguez Puértolas, *De la Edad Media a la edad conflictiva*, Gredos, Madrid, 1972.
14. *Op. cit.* Sobre Sade consúltese igualmente Bataille, *L'érotisme*, col. 10/18, París, 1964, pp. 165-219.
15. *Op. cit.*, pp. 220-221.
16. El subrayado es nuestro.
17. El subrayado es nuestro.
18. Roland Barthes, "L'arbre du crime", *Tel Quel*, n.º 28 (invierno 1967).
19. *Juan sin Tierra*, Seix Barral, Barcelona, 1975, cap. final.
20. En su introducción a *Soledad Brothers. The prison letters of George Jackson* el propio Genet ha evocado magistralmente el problema.

siendo, aún por estas fechas, el manantial en que ansiosamente beben los autores de manuales literarios en los que se forman, o deforman, las nuevas, y siempre desdichadas, generaciones de hispanos. Para el infatigable polígrafo montañés, cegado como siempre por sus prejuicios ideológicos y su carpetovetónico aborrecimiento a la expresión escrita del sexo, *La Loçana* es un libro de "frívolas apariencias y vergonzoso contenido", de "valor estético nulo" y que "apenas pertenece a la literatura". Después de informar a los lectores de que se niega a analizar su contenido "porque no es [ésta] tarea para ningún crítico decente", agrega: "*La Loçana*, en la mayor parte de sus capítulos, es un libro inmundo y feo ... un caso fulminante de naturalismo fotográfico, con todas las consecuencias inherentes a este modo de representación elemental y grosero, en que la realidad se exhibe sin ningún género de selección artística y hasta sin plan de composición ni enlace orgánico. Con saber que llegan a ciento veinticinco los personajes de esta fábula, si tal nombre merece, puede formarse idea del barullo y confusión que en ella reina. No es comedia, ni novela tampoco, sino un retablo o más bien un cinematógrafo de figurillas obscenas, que pasan haciendo muecas y cabriolas en diálogos incoherentes", y concluye el fulminante anatema con estas significativas palabras: "Quizá nos hemos detenido más de lo justo en dar razón de este libro, por lo mismo que su lectura no puede recomendarse a nadie. Es de los que, como decía don Manuel Milá, 'no deben salir nunca de lo más recóndito de la necrópolis científica'. Las tres reimpresiones modernamente hechas hubieran podido excusarse, y el ejemplar de Viena bastaba para satisfacer la curiosidad de los filólogos, que ya hubieran sabido encontrarlo y a quienes su misma profesión acoraza contra el contenido bueno o malo de las obras cuyo vocabulario y gramática examinan".

Prescindiremos ahora de la curiosa atribución de obras pertenecientes al patrimonio común a un núcleo exclusivo de filólogos "acorazados" por su saber erudito —como si el hecho de poseer, digamos, un doctorado en filosofía y letras fuese un diploma de moralidad suficiente como lo es hoy, por ejemplo, el pasaporte que permite a sus afortunados detentadores la frecuentación de las salas especializadas en el *hardcore* de Biarritz o Perpiñán— para detenernos en el efecto castrador que durante años y años ha ejercido dicha mentalidad represiva sobre libros del tipo de *La Lozana* o el *Cancionero de burlas*: impidiendo no sólo su circulación por el país sino creando además una imagen-espantajo de ellos, conforme a las ojerizas e inquinas del fiscal-crítico. Pues, incapaces de emular con su pervertida pero real curiosidad y su rara y encomiable capacidad de trabajo, los autores de historias y panoramas literarios se han limitado por lo común a repetir el fallo condenatorio del santanderino:[1] desde el solemne "ninguneo" de *Orígenes de la novela*, la mayoría de los manuales al uso consagran apenas unas líneas a *La Lozana,* casi excusándose de hacerlo e insistiendo en que se trata, como dice uno de ellos, de "una obra poco recomendable por su cínico impudor y el desorden de costumbres que en ella campea".

A riesgo de ser incluido una vez más en el catálogo de los "indecentes", me permitiré examinar con brevedad algunos ingredientes composicionales de esta obra maestra.[2]

II

Pese a la ausencia de documentos sobre el autor, las abundantes noticias autobiográficas esparcidas a lo largo del "retrato" inducen a pensar que pertenecía a una familia de conversos andaluces expatriados tal vez a raíz del infame decreto de expulsión de los Reyes Católicos y que, como tantos otros de su estirpe —Vives, Juan de la Encina, Bartolomé Torres Naharro, etc.—, habían abandonado, más o menos voluntariamente, la Península en busca de nuevos y más amenos horizontes. Los problemas de "limpieza de sangre" no preocupaban en exceso a los italianos, y ello explica quizá por qué Delicado, en vez de seguir a sus paisanos después del saco y evacuación de Roma por las tropas del emperador, prefirió irse a Venecia en donde, según dice en la digresión final de la obra, no halló ningún otro español. Más de medio siglo después, el también cristiano nuevo Arias Montano, embajador de Felipe II en la república de Venecia, refiere confidencialmente en sus cartas que se siente muy bien en aquella ciudad "porque allá no había españoles".

Pero los argumentos en favor del linaje judaico de Delicado los encontramos sobre todo en la ambientación y tipología de los héroes de *La Lozana*, y es significativo que todavía hoy algunos de los estudiosos de la obra prefieran pasarlos por alto. Como su coetáneo y paisano Fernando de Rojas, Delicado sigue evocando una España habitada por gentes de tres castas y religiones cuando la convivencia ha terminado ya y el edificio fraguado por varios siglos de tolerancia se ha derrumbado sobre las castas vencidas. El *Retrato de la Lozana andaluza* está pleno de alusiones y referencias a costumbres moriscas y judías, y, como en *La Celestina*, hallamos una burla sangrienta del linaje y una reivindicación no menos sarcástica de la honra por parte de rufianes y prostitutas.

Cuando Aldonza —nombre derivado del árabe *alaroza*, es decir, novia, según explica el propio autor— pasea por primera vez por las calles de Roma, la vista de las prostitutas veladas le trae a la memoria el recuerdo de las moriscas que conoció en su niñez, y, al explicar a su tía sus méritos y habilidades culinarias, expone un verdadero muestrario de la cocina hebreo-morisca: "deprendí hacer fideos, empanadillas, alcuzcuzu con garbanzos, arroz entero, seco, graso, albondiguillas redondas y apretadas ... ojuelas, pestiños, rosquillas de alfajor, textones de cañamones y de ajonjolí, nuégados, xopaipas, hojaldres, hormigos torcidos con aceite, talvinas, zahinas y nabos sin tocino y con comino" (II). Estos y otros muchos elementos cobran sentido si tomamos en cuenta la manera en

40

que el autor nos sugiere paso a paso los orígenes de la Lozana. Sus padres, dice, la querían "por ser aguda" (I), y Diomedes, añade más tarde, sentía crecer el amor en su corazón "notando en ella el agudeza que la patria y parentado le habían prestado" (IV). Gracias a Américo Castro, Hernández Ortiz, Rodríguez Puértolas y otros investigadores, conocemos hoy la exacta significación de los términos *inquietud* y *agudeza*, por un lado, y *quietud, gravedad* y *sosiego*, por otro, en la encarnizada lucha inter-castiza de la época. Mientras estos últimos vocablos servían para calificar el porte y actitudes de los cristianos viejos ("Era codiciado de muchos para yerno, porque traía escrita en la frente *la quietud*", escribe Lope de Vega), *inquietud* y *agudeza* eran sinónimos de judaísmo (en el refranero de Gonzalo Correas se lee: "ni judío necio, ni liebre perezosa"; según Huarte de San Juan, la "agudeza de ingenio les viene de nación a los judíos", y en el *Entremés del Remediador* escribe Lope: "¿Soys jodío? / No, señor. / Parecéislo en la agudeza". Agregaremos que en el informe secreto sobre la composición del consejo privado de Carlos V, reproducido por Castro, se moteja de "agudos" a los de origen cristiano nuevo, y dicho adjetivo aparece corrientemente en los procesos y actas del Santo Oficio que hacen referencia a los conversos).

A su llegada a Roma, Aldonza da con unas españolas de origen hebreo, y aunque no menciona directamente su linaje, la relación de su salida temprana de España y sus viajes por el Mediterráneo oriental, entonces bajo dominación turca, les hace sospechar inmediatamente que es una de ellas (VII, IX). Más adelante, la Napolitana parece estar ya al corriente de sus orígenes, pues le dice: "aquí a mi casa vienen moros y jodíos que, si os conocen, todos os ayudarán" (XI). Lo de "si os conocen" se refiere, claro está, a la estirpe de la Lozana, esto es, al hecho de ser *ex illis.*

Las referencias a la judería y judíos de Roma se extienden durante páginas a lo largo del "retrato" y es interesante

41

observar que Rampín habla con orgullo de "los nuestros españoles", los cuales aventajan en cultura y conocimientos a los otros, dice, "porque hay entre ellos letrados y ricos, y son muy resabidos". Y a estos españoles alude probablemente la Lozana, en un diálogo con Rampín, aclarando así una frase que a primera vista resulta bastante oscura:

> LOZANA.—¡Por mi vida, que es cosa de saber y ver, que dicen que en aquel tiempo no había dos españoles en Roma, y *agora hay tantos*! Verná tiempo que no habrá ninguno, y dirán "Roma mísera", *como dicen "España mísera"* (XII).

Con el pesimismo resignado que le procura la experiencia, la Lozana vaticina peores tiempos para los sefarditas romanos por cuanto Roma podrá seguir un día los malos pasos de España. Pero, añade Aldonza, sin los hebreos españoles, el *alma mater* de los católicos decaerá, como hoy ha decaído España.

El elemento judío de *La Lozana* se revela todavía con mayor insistencia en la casi obsesiva mención por personajes y autor de los problemas que acarrea a los hebreos y cristianos nuevos la utilización del tocino. Como hemos visto, Aldonza guisaba sin puerco, a la morisca, y en una de sus frecuentes intervenciones directas, el autor, al relatar las andanzas juveniles de su heroína por tierras de la península, refiere que, al pasar por Jaén, paró en casa de una entenada, "y allí fueron los primeros grañones que comió con huesos de tocino" (V). La tocinofilia y tocinofobia, que en la literatura del Siglo de Oro traza la línea divisoria entre conversos y cristianos viejos,[3] envenenaba ya las relaciones de los personajes que asoman a las páginas del "retrato":

> VECINA.—Española, ¿por qué no atas aquel puerco? No te cures, será muerto.

LAVANDERA.—¡Anda, vete, bésalo en el buz del hierba! ...
Pues mira, si tú me lo miras o tocas, quizá no será puerco
por ti. ¿Pensa tú que ho paura del tu esbirro? A ti y a él os
lo haré comer crudo (XII).

Hablando de la Lozana, el compañero de Silvio observa
que, "si no la contentasen, diría peor d'ellas [de las prostitu-
tas] que de carne de puerco" (XXIV). En cuanto a Rampín,
un simple bocado de jamón que maliciosamente le ofrece Fali-
llo le hace vomitar sobre manteles, platos y tazas, y los presentes exclaman regocijados: "son los bofes en sentir el tocino" (XXXIV).

Como en *La Celestina* —obra que Delicado admiraba profundamente y que editó durante su estancia en Venecia, con
posterioridad a *La Lozana*—, encontramos numerosas burlas
del linaje y la limpieza de sangre, cuya audacia —sacrílega en
el contexto de la península— se explica tan sólo por el destierro del autor y los aires de libertad que respiraba:

LOZANA.—¿Sabes con qué me consuelo? Con lo que dijo
Rampín, mi criado: que en dinero y en riquezas me pueden llevar, mas no en linaje ni en sangre.
SAGÜESO.—Voto a mí que tenéis razón; mas para saber lo
cierto, será menester sangrar a todas dos, para ver cuál es
mejor sangre (LII).

Aldonza, como la Celestina, tiene un alto concepto de su
honra profesional y exclama: "por mi honra, que quiero que
las que yo afeito vayan por el mundo sin vergüenza, y sean
miradas" (XLVIII); y, cuando el trujillano la posee de balde,
se siente herida en su dignidad diciendo que "engañó a la
Lozana, como que fuera yo Santa Nefija, que daba a todos
de cabalgar en limosna" (LI). Sagüeso, de su parte, habla
asimismo con orgullo de su oficio de rufián, y en otro pasaje
de la obra la Lozana se dirige en estos términos a la vieja
ramera Divicia: "Gózate, puta, que agora viene lo mejor; y

no seas tú como la otra que dicía, después de cuarenta años que había estado a la mancebía: 'si de aquí salgo con mi honra, nunca más al burdel, que ya estoy harta' " (LIII).

Si tenemos en cuenta estas y otras muchas befas desparramadas por el "retrato" podemos interpretar correctamente el pasaje en que Silvio, dialogando con el autor, compara España con Roma y se lanza a una crítica irónica de las libertades romanas, como tres siglos después lo hará Larra, en un célebre artículo, de las libertades políticas de Inglaterra y Estados Unidos:

> SILVIO.—Pues por eso es libre Roma, que cada uno hace lo que se le antoja agora, sea bueno o malo, y mirá cuánto que, si uno quiere ir vestido de oro o de seda, o desnudo o descalzo, o comiendo o riendo, o cantando, siempre vale por testigo, y no hay quien os diga mal hacéis ni bien hacéis, y esta libertad encubre muchos males (XXIV).

Los "males" que escondía esta libertad no eran con todo un disuasivo suficiente como para que el autor y personajes de la obra renunciasen a ellos para acogerse a los grandiosos beneficios espirituales del régimen que el Santo Oficio había establecido en España. Como dice Luis Usoz y Río en su estimable prólogo a la edición londinense del *Cancionero de burlas*, respondiendo a quienes se escandalizaban con la referencia a la España de Isabel y Fernando por parte del anónimo autor del *Aposento en Juvera* en términos de "reino desconcertado": "Este no era *mucho concierto*, a lo menos para los quemados". Desde su solitario refugio veneciano —si se me excusa el anacronismo— Delicado le hubiera, probablemente, dado razón.

III

En la epístola introductoria al "retrato" de su paisana, Delicado precisa que solamente dirá lo que vio y oyó, "por traer a la memoria muchas cosas que en nuestros tiempos pasan, que no son laude a los presentes ni espejo a los a venir", y, abriendo el camino a los grandes maestros del realismo decimonónico y sus epígonos de hoy, tras afirmar que ni sacó la historia de otros libros ni hurtó de elocuencia ajena, declara repetidas veces que cuanto escribe lo ha tomado directamente de la realidad:

> Y porque este retrato es tan natural, que no hay persona que haya conocido la señora Lozana, en Roma o fuera de Roma, que no vea claro ser sacado de sus actos y meneos y palabras; y asimismo porque yo he trabajado de no escrebir cosa que primero no sacase en mi dechado la labor, mirando en ella o a ella.

En el último mamotreto, *appendicula* y cartas finales insiste aún en que "no es obra, sino retrato", "retrato el más natural que el autor pudo", y se disculpa con el futuro lector de "escrebir una vez lo que vi hacer y decir tantas veces", con palabras que hoy suenan de modo familiar en nuestros oídos gracias a la lectura de autores como Balzac o Galdós.

Este carácter documental de *La Lozana* es sin duda importante, si bien, como veremos más tarde, no agota, ni muchísimo menos, el valor e interés de una obra que, como *La Celestina*, el *Lazarillo* o el *Quijote*, admite, por no decir exige, pluralidad de lecturas. El retrato de la corrupción del clero romano en tiempos de Alejandro VI y sus sucesores Julio II y León X, con su alusión a estos abades que, por entrar en gracia con alguna cortesana, se van a la cancillería por dineros a desollar a cualquier pobre (XXXV), es a todas luces exacto y en la novela de Delicado creemos percibir ecos —anticipados— de aquel admirable y feroz *Concilio del amor* de Oscar

Panniza —drama ambientado en el pontificado de Alejandro Borgia— que tan justamente suscitara el entusiasmo de André Breton. La pintura de la prostitución ayuda igualmente a comprender la transformación de la Ciudad Eterna de los católicos en la nueva Babilonia que sublevó a Lutero: en el mamotreto XXI, por ejemplo, el balijero cita el origen de las rameras acogidas a las dulzuras del cosmopolitismo romano, y después de tocar de pasada a su *modus vivendi* y arte de disponer o mal disponer de sus bienes en previsión de días peores, responde a la pregunta de Aldonza sobre "cuáles son las más buenas de bondad" con un festivo arranque de patriotismo: "¡Oh, las españolas son las mejores y las más perfectas!". Agridulce también es el largo y gracioso monólogo en que la Lozana denuncia la ingratitud de la sociedad para con las prostitutas viejas que la han servido

> con sus haciendas y honras, y puesto su vida al tablero por honrar la corte y pelear y batallar, que no las bastaban puertas de hierro, y ponían sus copos por broquel y sus oídos por capacetes, combatiendo a sus espesas y a sus acostamientos de noche y de día. Y agora ¿qué mérito les dan?, salvo que unas, rotos sus brazos, otras, gastadas sus personas y bienes, otras, señaladas y con dolores, otras, paridas y desamparadas, otras que siendo señoras son agora siervas,

para evocar a continuación, en el lenguaje actual del *Welfare state* o seguridad social, la justicia y necesidad de una prima de jubilación o retiro en forma de taberna, en retribución a sus largos y esforzados servicios al bien común y la felicidad de la república

> como antiguamente solían tener los romanos y agora la tienen venecianos, en la cual todos aquellos que habían servido o combatido por el senado romano, si venían a ser viejos o quedaban lisiados de sus miembros por las armas, o por la defensión del pueblo, les daban la dicha taberna meritoria,

46

y porfiar en la analogía, confiando en que dicha prima

> se dará a las combatientas ... , y máxime a las que con buen
> ánimo han servido y sirven en esta alma cibdad, las cuales,
> como dije, pusieron sus personas y fatigas al carro del triunfo
> pasado por mantener la tierra y tenella abastada y honrada
> con sus personas (XLIV).

En este y otros pasajes de la obra, hallamos en Aldonza una preocupación desinteresada por el bien común que la distingue netamente de los héroes que Delicado tomó de modelo y fuente de inspiración, esto es, los personajes de *La Celestina*. Mientras los actores de la tragicomedia anteponen el egoísmo propio a cualquier consideración extraña por cuanto en un mundo de zumbido y de furia la única norma válida consistirá en promover cuanto redunda en placer o provecho del individuo, la Lozana busca su goce e interés sin perder, no obstante, de vista la existencia del prójimo: su conducta revela un sentido ético que responde a lo que pudiéramos denominar una moral natural, fundada a la vez en la busca del placer y el propósito de evitar el mal ajeno. Prostituta y buscavidas sí, pero siempre generosa y al servicio de la sociedad:

> Yo puedo ir con mi cara descubierta por todo, que no hice
> jamás vileza, ni alcagüetería ni mensaje a persona vil, a caba-
> lleros y a putas de reputación. Con mi honra procuré de
> interponer palabras, y amansar iras, y reconciliar partes, y
> hacer paces y quitar rencores ... Y esto se dirá de mí, si
> alguno me querrá poner en fábula (XXXIX).

Señalaremos de paso que esa especie de moral natural de Aldonza parece ser igualmente la del autor, como nos lo da a entender en su juicio personal sobre la protagonista incluido en el *appendicula* de la obra, cuando afirma que aquélla "se guardaba mucho de hacer cosas que fuesen ofensa a Dios" y, "sin perjuicio de partes, procuraba comer y beber sin ofensión ninguna". La Divinidad, y en general las cuestiones religiosas, son tratadas en el "retrato" de modo puramente pragmático, como meros ingredientes del orden social, y no encontramos jamás en *La Lozana* la violencia sorda de la increpación al Creador de Pleberio ni el ateísmo subyacente en el mundo de *La Celestina*. La actitud de Aldonza hacia la religión —trátese de la hebrea como de la cristiana— es de manifiesta indiferencia. Como numerosos conversos de la época, Aldonza ha abandonado las prácticas religiosas de sus antepasados sin abrazar por eso las de la casta vencedora y se acomoda a su manera con un vago racionalismo epicúreo, matizado de preocupaciones de índole altruista y humanitaria. Como dice Márquez Villanueva en el artículo antes citado, "esta falta de creencias de la Lozana tiene como efecto inmediato liberarla de cualquier tacha de inconsistencia o hipocresía respecto a una ética que no sea puramente natural, elevándola así por encima del puro contrasentido que es aquella Roma anterior al saco de 1527 por las tropas imperiales".

IV

A diferencia de los héroes de *La Celestina* o el protagonista del *Lazarillo*, Aldonza no es un personaje dinámico: los hechos y sucesos en que la envuelve el autor a lo largo del "retrato" no influyen en ella y no experimenta una evolución moral o sicológica en el transcurso de la obra. El carácter de la Lozana es más bien estático, dotado de una "esencia" inalterable, previa. Delicado la ha hecho ingeniosa y pícara de una vez para siempre y con ello la ha privado de la fuerza motriz de los personajes de la novela moderna. En otras palabras, al conferirle anticipadamente un carácter, se ha vedado a sí mismo la posibilidad de "construirla", como el anónimo autor del *Lazarillo*, por ejemplo, construye paso a paso el personaje de Lázaro:

Y como ella tenía gran ver e ingenio diabólico y gran conocer, y en ver un hombre sabía cuánto valía, y qué tenía, y qué
la podía dar, y qué le podía ella sacar. Y miraba también cómo hacían aquéllas que entonces eran en la cibdad, y notaba
lo que le parecía a ella que le había de aprovechar, para ser
siempre libre y no sujeta a ninguno (V).

Desde el comienzo del "retrato" el lector sabe, pues, a qué
atenerse respecto a la Lozana, y su conducta posterior no ser-
virá sino para ilustrar la caracterización precedente. Dicho
inmovilismo se compensa, no obstante, con los ingredientes
poco comunes de la personalidad de Aldonza, y, aquí, una
comparación con la heroína de López de Ubeda nos revela
inmediatamente la verdadera originalidad de aquélla. Mientras la pícara Justina defiende su doncellez con ardides y
estratagemas de una genuina alimaña, la hebreo-andaluza reivindica con orgullo su activa y siempre despierta sensualidad.
Nada más lejos de ella que el prototipo de mujer objeto pasivo del placer viril, pusilánime y juntamente resignada a la
agresión sexual del varón. En la gramática amorosa de la
Lozana predomina siempre la voz activa. Su carácter se sitúa
en los antípodas de la doncella-honesta-perdida-por-los-
hombres, puesto que, como explica sin empacho ni pudor
alguno, "desde chiquita me comía lo mío, y en ver hombre se
me desperezaba, y me quisiera ir con alguno, sino que no me
lo daba la edad" (VII). La primera vez que duerme con
Rampín dice para su capote: "este tal majadero no me falte,
que yo tengo apetito dende que nací", y exclama maravilla-
da: "¡Ay, qué miel tan sabrosa! ... que cuanto enojo traía
me has quitado" (XIV).
    Con todo, no es una excepción en la galería de personajes
femeninos que aparecen en las páginas del retrato. Las mujeres de Delicado esgrimen dialécticamente su propia sensualidad y sus necesidades en la materia —como la tía de Rampín,
cuando responde a los faroles que se echa el marido ante la

Lozana con estas palabras sarcásticas: "Se pasan los dos meses que no me dice qué tienes ahí, y se quiere agora hacer el gallo" (XIV). Como dice la propia Aldonza, descubriendo el deseo secreto de muchas de su sexo, "querría que en mi tiempo se perdiese el temor a la vergüenza, para que cada uno pida y haga lo que quisiere ... que si yo no tuviese vergüenza, que cuantos hombres pasan querría que me besasen, y si no fuese el temor, cada uno entraría y pediría lo vedado" (LXII), puesto que, como observa en otro pasaje de la obra, el sexo de la mujer "no debe estar vacuo, según la filosofía natural". Resulta interesante advertir que el atractivo de Rampín hacia la Lozana es el efecto de una preferencia erótica general suya por los criados y rufianes. Semejante en esto a las rameras de hoy y de siempre, Aldonza busca un caballero rico que la entretenga y un rufián que la satisfaga:

> PEREGRINA.—Decíme, señora Lozana, ¿qué quiere decir que los mozos tienen más fuerza y mejor que sus amos, por más hombres de bien que sean?
> LOZANA.—Porque somos las mujeres bobas. Cierta cosa es que para dormir de noche y para sudar no's hacéis camisa sotil, que luego desteje. El hombre, si está bien vestido, contenta al ver, mas no satisface la voluntad, y por esto valen más los mozos que sus amos en este caso. Y la camisa sotil es buena para las fiestas, y la gorda a la continua; que la mujer sin hombre es como fuego sin leña. Y el hombre machucho que la encienda y que coma torreznos, porque haga los mamotretos a sus tiempos. Y su amo que pague el alquilé de la casa y que dé la saya (LXIII).

El dinero se mezcla así, de modo indisoluble, con la sensualidad: al comprar los servicios de un rufián o criado, Aldonza lo posee al tiempo que es poseída y lo esclaviza convirtiéndolo en amo. Rampín encarna su ideal erótico de mozo-amante-alcahuete que se deja querer como un objeto y, simultáneamente, la protege y regala. En sus relaciones, ella desempeña el papel activo: es ella quien le seduce en una escena que es un prodigio de humor y enjundia verbal, y los méritos del mozo se revelan a todas luces excepcionales, puesto que la Lozana decide *ipso facto* que en lo futuro la honre y la sirva:

> Mirá, dolorido, que de aquí adelante que "sé cómo se baten las calderas", no quiero de noche que ninguno duerma conmigo sino vos, y de día, comer de todo, y d'esta manera engordaré, y vos procurá de arcarme la lana si quereis que texa cintas de cuero (XXII).

A su llegada a Roma, Aldonza ha aceptado el alojamiento que le ofrece el judío Trigo a cambio de ejercer la prostitución, y los servicios de Rampín resultarán de un valor inestimable con vistas a la consecución de su propia casa de trato:

> tengo este hombre que mira por mi casa, y me escalienta, y me da dentro con buen ánimo, y no se sabe sino que sea mi mozo, y nunca me demanda celos, y es como un ciervo ligero (XLI).

Los diálogos de tema erótico ocupan una buena mitad del libro, y, si algunos son simplemente crudos —en la vena lingüística de *La carajicomedia* o *El pleito del manto*—, otros constituyen un verdadero dechado de gracia e ingenio. En la literatura castellana ocupan un lugar único: no existían antes de Delicado —si exceptuamos algunos pasajes de *La Celestina*— y no los volvemos a encontrar después cuando menos hasta esta fecha. Algunos de ellos pueden emular dignamente con los *Ragionamenti* del Aretino o las comedias eróticas de Maquiavelo. Las referencias y alusiones fálicas son abundantísimas, y Delicado alterna con gran habilidad el eufemismo —ya en forma de metáfora (garrocha, cirio Pascual, pedazo de caramillo), ya de metonimia (suero, miel), ya de expresiones de sentido general (virtud), elipsis o pronombres y adverbios (aquí, allá, aquello)— con la mención ordinaria y directa: en uno y otro caso el repertorio de vocablos, tropos e imágenes es de una riqueza y frescura notables, cuyo poder vitalizador nos descubre, al cabo de los siglos, su influencia en la última y más ambiciosa novela de Carlos Fuentes.[4]

Otra novedad aún: por lo común, cuando las obras del género pintan conductas que el autor no puede proponer de modelo, el castigo acecha a los protagonistas a la vuelta de la última página, con lo que la moral queda a salvo y el equilibrio —perturbado— se restablece. En *La Lozana* —como más tarde en *Estebanillo*— el castigo no existe y el lector tradicional —habituado a finales rosas o negros en función de la ejemplaridad positiva o negativa de los héroes— se lleva un chasco. La Lozana no perecerá en el saco de Roma, como lo exigirían sus pecados según la perspectiva de la moral católica: antes del gran cataclismo —a raíz de un sueño premonitorio—, Aldonza se recoge a la isla de Lípari en compañía de su amado Rampín, con la satisfacción evidente de quien ha cumplido con su deber y tiene derecho a un largo y dulce retiro: "Estarme he reposada, y veré mundo nuevo, y no esperar que él me deje a mí, sino yo a él. Ansí se acabará lo pasado, y estaremos a ver lo presente, como fin de Rampín y de la Lozana" (LXVI).

Estamos a mil leguas del pesimismo existencial de Pleberio y el mundo caótico de *La Celestina*: la visión social y humana de Delicado es infinitamente más grata y no resulta aventurado suponer que su exilio más o menos voluntario contribuyó decisivamente a ello. Atrapado en las mallas del gigantesco aparato de represión, vigilancia y tortura instaurado *ex profeso* contra los conversos, el nihilismo absoluto de Rojas era su exasperada respuesta a la angustiosa experiencia vital que le imponía el destino. Desde su ameno retiro italiano, Delicado veía las cosas de otra manera: al frenesí corporal destructor que aniquila uno tras otro a los héroes solitarios de la tragicomedia, contrapone en el "retrato" un equilibrio armonioso de los signos "cuerpo" / "no cuerpo", similar al que hallamos en la obra maestra del Arcipreste de Hita. El destierro en que vivió y murió el autor de *La Lozana* permitió así, por última vez, la expresión libre, sin trabas, del anhelo corporal reprimido por la ortodoxia triunfante hasta bien entrado el siglo actual: imagen de una España que pudo ser y no ha sido, y cuya existencia subterránea aflora a veces, en charcos y pozas de agua verdosa, estancada, en el cauce abrasado, estéril, de nuestra seca y avariciosa literatura.

V

La expresión literaria del cuerpo, perfectamente lograda en el *Libro de Buen Amor* y *La Celestina*, se manifiesta todavía, con envidiable salud, en la novela de Delicado para no reaparecer ya en nuestro horizonte, tras largo eclipse multisecular, sino en la poesía de Cernuda. Por si ello no bastara para conferirle una significación excepcional en el campo de nuestras letras, *La Lozana andaluza* puede vindicar también un papel importante en el desenvolvimiento de las técnicas narrativas que culminarán en el descubrimiento cervantino de la novela moderna (prefiero el término "descubrimiento" al de "creación", pues incluso un autor de genio como Cervantes no hace más que actualizar las posibilidades virtuales del discurso novelesco, del mismo modo que el investigador científico descubre unos fenómenos naturales que, con anterioridad a sus hallazgos, permanecían en estado latente). Si podemos considerar el Arcipreste de Talavera como el descubridor del discurso inmediato por el que emerge el "yo", esto es, la interioridad del agente narrativo, y a Rojas como el primer artífice de personajes dinámicos, totalmente individualizados, debemos reconocer en Delicado uno de los grandes antecesores del diálogo realista, que tan importante papel desempeña en la novela de los dos últimos siglos (independientemente del hecho de que, por razones extraliterarias, su aportación no pudiera influir en nuestra literatura sino en fecha reciente). Mientras en el relato de tipo boccacciano el autor sigue el procedimiento narrativo que la preceptiva clásica denomina *diegesis* —es decir, resumir la conducta y hechos de los personajes, en general después de que aquéllos han sucedido—, Delicado recurre, como Rojas, a la *mimesis* —esto es, deja a los personajes expresarse por su cuenta a través del diálogo y obtiene la *progressio* de la acción por medio de éste, como en el teatro. Así, en vez de pintarnos Roma, la "vemos" a medida que nos la describen los personajes en sus conversaciones y tenemos la impresión de que el autor camina junto a ellos con una cinta grabadora, como ocurre a menudo en una novela contemporánea como *El Jarama*. La reproducción escrupulosa del habla popular en el vasto crisol de la metrópoli romana no tiene equivalente en nuestra literatura e incluso el prejuiciado Menéndez le concede un modesto diploma de originalidad. Para establecer un parangón habría que referirse igualmente a la ejemplar novela de Sánchez Ferlosio, y, como en ésta, los protagonistas de *La Lozana* utilizan a cada paso, para suplir la ausencia de *diegesis* o comentario, adverbios y pronombres indicativos de lugar —esto, aquello, aquí, allá, etcétera— que, como señaló Benveniste, son realidades de "discurso":

> LOZANA.—¿Qué predica *aquél*? Vamos *allá*.
> RAMPÍN.—Predica cómo se tiene de perder Roma y destruirse el año del XXVII, mas dícelo burlando. *Este* es Campo de Flor, *aquí* es en medio de la cibdad. *Estos* son charlatanes, sacamuelas y gastapotras, que engañan a los villanos y a los que son nuevamente venidos, que *aquí* los llaman bisoños ...
> LOZANA.— ... ¿Qu'es *aquello*, que están *allí* tantos en torno a *aquél*?
> RAMPÍN.—Son mozos que buscan amos.[5]
> LOZANA.—¿Y *aquí* vienen? (XV).

—Cuidado niña, el escalón.

—Ya, gracias.

—¿Dónde dejamos las bicis?

—*Ahí* fuera de momento; ahora nos lo dirán.

—No había venido nunca a *este* sitio.

—Pues yo sí, varias veces.

—Buenos días.

—Ole buenos días.

—Fernando, ayúdame, haz el favor, que se me engancha la falda.

—*Aquí* hace ya más fresquito.

(El Jarama, pp. 21-28)

Una disimilitud tan sólo: aunque el tiempo de la distancia narrativa resiste a toda tentativa de medición —por cuanto, a diferencia de la partitura musical o cinta cinematográfica, el proceso de lectura de un texto carece de velocidad de ejecución—,[6] un cotejo de las dos obras nos muestra enseguida que, mientras los personajes de Ferlosio se mueven a un ritmo aparentemente "normal", los de Delicado deambulan por las calles de Roma con cámara rápida, como en los buenos tiempos del cine mudo:

RAMPÍN.—Por *esta* calle hallaremos tantas cortesanas juntas como colmenas.

LOZANA.—¿Y cuáles son?

RAMPÍN.—Ya las veremos a las gelosías. *Aquí* se dice el Urso. *Más arriba* veréis muchas más.

LOZANA.—¿Quién es *éste*? ¿Es el Obispo de Córdoba? (XII).

La Lozana es, pues, un jalón importante en el camino que conducirá a la novela moderna en la medida en que se asimilan los hallazgos del Arcipreste de Talavera y *La Celestina,* al tiempo que se aleja del esquema dramático de ésta. A partir de Cervantes, los novelistas suelen combinar, como es sabido, *diegesis* y *mimesis,* alternando el análisis o descripción de los hechos con la expresión directa de los personajes en el diálogo. En *La Celestina*, en cambio, Rojas concede la palabra a los protagonistas y permanece entre bastidores moviendo los hilos de la trama, pero sin aparecer jamás en persona. En *La Loẓana*, Delicado acopla a su manera los dos sistemas narrativos, aunque, en vez de acudir al empleo de la tercera persona gramatical, como los novelistas modernos, se inserta personalmente en la obra, ora para intercalar una acotación propia de la *diegesis* o de una tercera persona abstracta que, según vio Benveniste, es una ausencia de persona:

> AUCTOR.—Allí junto moraba un herrero, el cual se levantó a media noche y no les dejaba dormir. Y él se levantó a ver si era de día y, tornándose a la cama, la despertó, y dijo ella:
> —¿De dó venía?, que no's sentí levantar (XIV);

ora un comentario individual que nos manifiesta su presencia, como estos quistes o enclaves de "discurso" que salpican las novelas del XIX y de los novelistas "omniscientes" de hoy:

> AUCTOR.—Quisiera saber escribir un par de ronquidos, a los cuales despertó él y, queriéndola besar, despertó ella, y dijo:
> —¡Ay, señor!, ¿es de día? (XIV);

ora para intervenir como un personaje más, que se mezcla y dialoga con los protagonistas del retrato:

> AUCTOR.—De vuestras camisas o pasteles nos mostrás, señora, y máxime si son de mano d'esa hermosa.
> LOZANA.—¡Por mi vida, que tiene vuestra merced lindos ojos! Y esotro señor me parece conocer, y no sé dó lo vi; ya, ya, por mi vida, que lo conozco.
> —¡Ay, señora Silvana, por vida de vuestros hijos que lo conozco! Está con un mi señor milanés. Pues decí a vues-

tro amo que me ha de ser compadre cuando me empreñe.

AUCTOR.—Cuanto más si lo estáis, señora.

LOZANA.—¡Ay, señor, no lo digáis, que soy más casta que es menester!

AUCTOR.—Andá, señora, crecé y multiplicá, que llevéis algo del mundo (XXIV).

VI

En un célebre y discutido ensayo, publicado hace ya más de medio siglo, Ortega y Gasset, asumiendo el punto de vista del lector tradicional, afirmaba que "la novela exige que se la perciba como tal novela, que no se vea el telón ni las tablas del escenario", y abundando en su concepción de un género "serio", de contornos claramente definidos, agregaba: "con la novela no se puede jugar: impone un decálogo inexorable de imperativos y prohibiciones". Con la perspectiva de que hoy disponemos, resulta evidente que, al expresarse así, Ortega excluía del campo novelístico una serie de obras, desde Sterne a Raymond Roussel, que son quizá las más densas y significativas del género: junto a una mayoría de ficciones literarias que, como indicaba el filósofo, disimulan sus signos y el proceso de enunciación del autor —el hecho de que, como maese Pedro, está siempre detrás de sus personajes de papel, moviendo los hilos— bajo un barniz de "realismo", verosimilitud y "naturalidad" existen otras —mucho menos numerosas, es verdad, pero cualitativamente esenciales— que destruyen aposta la ilusión realista del lector mediante la intervención directa, y a veces perfectamente arbitraria, de un novelista que pone al desnudo su técnica, sus trucos, su procedimiento (y recordémoslo a riesgo de parecer importunos: naturalidad y autenticidad no existen en el campo de la novela —un autor considerado "natural" como Galdós es tan artificioso como un anti-naturalista deliberado como el Unamuno de *Niebla*; la diferencia radica en que mientras aquél procura disimular su intervención en el relato, Unamuno no la oculta y hasta se jacta de ponerla al descubierto).

En una de las obras más destacadas de la vanguardia novelística actual —me refiero a *De donde son los cantantes*, de Severo Sarduy—, el autor interrumpe la acción a cada paso, vuelve continuamente atrás o brinca adelante, intercala una sarta de digresiones caprichosas desvinculadas de la narración básica de forma que el desenvolvimiento de ésta sea pospuesto a un tiempo más y más remoto y su presencia a lo largo de la novela sirva de mero enlace entre los diferentes episodios, y, por remate, interviene para discutir con los personajes acerca de la obra, se lamenta de su incapacidad ante el tema a tratar e ironiza despreocupadamente sobre su propio "fracaso":

> Yo tú, querida Flor, ya me hubiera dado cuenta de que es El quien se acerca, y en lugar de estar allí, en tu baño de vapor, pesándote, tomando vinagre y lavándote los ojos con sal, ya le hubiera pasado cerrojo al camerino. Así como estás vas a durar casta y pura lo que dura un merengue en la puerta de una iglesia.
>
> Auxilio y Socorro (que juegan a la canasta en el pasillo, vestidas ya para el número de las amazonas):
>
> —¡Vaya! Lo único que faltaba: ¡el escritor Dios, el que lo ve todo y lo sabe todo antes que nadie, el que da consejos y mete la nariz en todas partes menos donde debe!

Este tipo de intervención del autor suele tener, como es lógico, muy mala prensa entre los críticos tradicionalistas y conservadores de todo pelaje, preocupados tan sólo por captar el Mensaje, el "fondo", la ideología; por llamar al pan pan y al vino vino y dejarse de juegos, florituras, monsergas (actitud equivalente, en el plano literario, a la del muy burgués *time is money*: nada de perder el tiempo y malbaratar palabras, nada de gasto inútil: erotismo no, acto procreador; derroche no, economía; juego de escritura, barroquismo, figuras retóricas, *vade retro*!: pura información, lenguaje denotativo: expropiación de la plusvalía productiva, fisiológica, verbal).

Dichos críticos y lectores acusan siempre a los escritores que adoptan una actitud lúdica respecto a la obra literaria y se aproximan al lenguaje como a un organismo —un cuerpo vivo, y, por consiguiente, sensual— de toda clase de crímenes: oscuridad, elitismo, presunción, obediencia a modas foráneas y extravagantes, deseo ridículo de *épater le bourgeois* — y en el magnífico ensayo sobre Lezama que figura en *Escrito sobre un cuerpo* el propio Sarduy se burla con mucha gracia de ellos. Pero estas intervenciones perversas, decadentes y frívolas, que, según los guardianes de la ideología amenazada por el formidable poder de subversión de la literatura, responden a una obsesión enfermiza por estar siempre al día, son bastante más profundas y esenciales de lo que ellos piensan, puesto que su empleo se remonta no ya a Roussel o aun Sterne, sino a períodos y autores mucho más remotos.

En *La Lozana andaluza*, decíamos, Delicado interviene en la trama como un personaje más y se mezcla y dialoga con los restantes protagonistas de la obra, pero su audacia artística no se detiene ahí. Más notable aún: el autor aparece con frecuencia en el acto de escribir, como Velázquez en el proceso de pintar, recordándonos así su función de cronista y la realidad material del hecho literario (colmo de desvergüenza para el burgués, preocupado siempre —en literatura como en política— por la disimulación de sus signos):

> estando escribiendo el pasado capítulo, del dolor del pie dexé este cuaderno sobre la tabla, y entró Rampín y dijo: "¿Qué testamento es éste?" (XVII).

> AUCTOR.—Anda, hermano, que bien hicistes traer siempre de lo mejor. Toma, tráeme un poco de papel y tinta, que quiero notar aquí una cosa que se me recordó agora (XLII).

Pues *La Lozana* no es sólo, como opinan la mayor parte de los críticos, *une tranche de vie* o crónica social: es, igualmente, escritura que se refleja a sí misma, una obra cuyo tema es la génesis de su propia creación:

> AUCTOR.—No quiero ir, que el tiempo me da pena; pero decí a la Lozana que un tiempo fue que no me hiciera ella esos arrumacos, que ya veo que os envía ella, y no quiero ir porque dicen después que no hago sino mirar y notar lo que pasa, para escribir después, y que saco dechados (XVII).

Los personajes tienen conciencia de su condición de héroes del libro que escribe el autor, como don Quijote sabe que es el protagonista de la primera parte de la crónica de Cide Hamete Benengeli o del falso *Quijote* de Avellaneda. Silvano habla del autor con la Lozana refiriéndose a "aquel señor que de vuestras cosas hace un retrato", y ella, a su vez, le pregunta: "Señor Silvano, ¿qué quiere decir que el autor de mi retrato no se llama cordovés, pues su padre lo fue, y él nació en la diócesi?" (XLVII).

Con estos ejemplos —y podríamos extraer aún otros no sólo de la obra de Delicado, sino del Arcipreste de Hita— basta para que concluyamos que si este juego estructural de yuxtaponer, para luego barajar, los diferentes planos literarios corresponde a un maligno afán de notoriedad del autor o a una moda decadente, caprichosa y foránea, dichos afanes y modas son —para desdicha y consternación de nuestros ingenuos ideólogos— tan antiguos como la literatura misma.

Aunque Francisco Delicado fue, nos dice, de "chica estatura", el "retrato" que nos ha legado no tiene nada que envidiar a las más altas creaciones literarias de su siglo. El creciente interés que en los últimos años suscita entre el público y los estudiosos muestra, como en el caso de Blanco White y otros heterodoxos condenados *ad vitam aeternam* al ostracismo por nuestros programadores oficiales, que el señor Menéndez y sus pares no se han salido felizmente con la suya.

NOTAS

1. Me permitiré citar un ejemplo reciente de este castizo método crítico por cuanto me atañe personalmente: las inexactitudes e inepcias que cierto *Panorama* —o Cinerama, como dijo burlonamente Cernuda— de la literatura española contemporánea atribuye a mi obra novelística —aparentemente sin haberla leído— son recogidas en el *Diccionario de Literatura* del señor Sáinz de Robles en un caso pasmoso de no-lectura al cuadrado, cuyo contenido —lleno de epítetos y juicios de valor destinados a suplir un vacío mental digno de una máquina neumática— aconsejo vivamente a quienes deseen comprobar por su cuenta la praxis "crítica" de nuestros reseñadores: en un mundo de niños educados y buenos, yo soy la oveja negra de la clase.

2. Entre la bibliografía sobre *La Lozana* destacaremos: Bruno M. Damiani, Introducción a la edición de Clásicos Castalia, Madrid, 1969; José Hernández Ortiz, "La génesis artística de *La Lozana andaluza*", Ricardo Aguilera, Madrid, 1974; Segundo Serrano Poncela, "Aldonza, la andaluza Lozana en Roma", *Cuadernos Americanos*, México (1952); A. Vilanova: "Cervantes y *La Lozana andaluza*", *Ínsula*, Madrid (1952). En el momento de dar forma definitiva a estas notas —tomadas de mis cursos en New York University del año 1972— llega a mis manos el interesantísimo artículo de Francisco Márquez Villanueva, "El mundo converso de *La Lozana andaluza*", *Archivo Hispalense*, Sevilla (1973), con el que coincido en algunos puntos, de lo que me excuso con él y el lector.

3. Como es sabido, Quevedo, en una alusión a los orígenes cristianonuevos de su rival Góngora, amenaza con "frotarle sus versos con tocino", renovando así las burlas de Lope con respecto a Arias Montano. Sobre el significado del famoso "duelos y quebrantos" cervantino, véase Américo Castro, *Cervantes y los casticismos españoles*, Alfaguara, Madrid, 1966, y *Hacia Cervantes*, Taurus, Madrid, 1967.

4. *Terra nostra*, Joaquín Mortiz, México, 1975; Seix Barral, Barcelona, 1976. Véase, más adelante, pp. 221-256.

5. La alusión al marco social en que se desenvolverá más tarde la novela picaresca ilustra las complejas relaciones existentes entre literatura y realidad. Al narrador en busca de tema, antecede, como vemos, el tema en busca de narrador.

6. Gérard Genette, *Figures, III*, Editions du Seuil, París, 1973.

61

monónicos a una obra que bajo todos conceptos es producto característico de otro tiempo. Con simpática ingenuidad, Amezúa explica las formas literarias canonizadas en toda Europa durante los siglos XVI y XVII mediante el recurso a realidades extraliterarias ("La realidad, en efecto, de la vida española, rica y poliforme por demás, se impone a todos cuantos acometen la composición de una obra de ficción, llámese comedia o novela, porque, en su variedad y opulencia, del choque de los caracteres recios, de las pasiones hondas, al hilo de la misma movilidad de los españoles de entonces, viajeros incansables por todos los ámbitos del mundo, brotarán los conflictos, los casos extraordinarios, cantera inagotable adonde dramaturgos y principalmente novelistas irán a buscar los argumentos de sus obras. Debido a esta causa, la novela sicológica es tan rara entonces, porque tal género pide paz, quietud y vida interior, y la vida corre entonces agitada y hervorosa por los cauces de un dinamismo desapoderado, ora pasional y trágico, ora aventurero y jocundo")[2] y para probar el valor y originalidad de los relatos de María de Zayas los juzga conforme al patrón oro de la novela del siglo XIX ("Este realismo de doña María de Zayas, este amor suyo a la verdad que inspira sus novelas, las hace todavía más sabrosas y emocionantes, porque no hay mejor maestro para todo novelista que el espectáculo de la vida misma que sus ojos captan, que pasará luego, en cumplimiento de la famosa norma zolesca, al través de su temperamento, para traducirse por fin en sus relatos, vividos, nerviosos y calientes").[3]

Enfrentado al problema del empleo de lo que podríamos llamar "argumentos itinerantes" por parte de María de Zayas, puesto de relieve por sus principales comentaristas,[4] Amezúa, apegado siempre a su rígido esquema decimonónico, salta ardorosamente a la palestra en defensa de la "originalidad" de nuestra escritora, sin advertir, como Amado Alonso o Spitzer, por ejemplo, que el origen o fuente de los materiales de una obra literaria importa muchísimo menos que su utilización por el escritor. Los antecedentes señalados por Place atentan gravemente a sus ojos al valor de la obra zayesca: las influencias reales o supuestas que apunta, dice, convertirían a María de Zayas en servil imitadora de los novelistas italianos, "con mengua patente de su mérito, que con tal procedimiento se les viene a negar a sus autores la cualidad más preciosa y ansiada por todo literato, cual es su propia inventiva y la originalidad de lo que compone". El empleo abusivo e irresponsable de los conceptos de "plagio" y "originalidad" a lo largo del siglo XIX explica, como es de suponer, las inquietudes y alarmas del caballero Amezúa mientras defiende, lanza en ristre, el mérito y virtud de su dama: desconociendo uno de los elementos primordiales de la obra literaria, a saber, el de tratarse de un discurso sobre discursos literarios anteriores, nuestro académico cree a pies juntillas que incluso un tipo de relato tan codificado como la novela italianizante de amor y aventuras que cultiva María de Zayas se rige por su correspondencia con la realidad social y toma al pie de la letra la fraseología naturalista que, en el interior del mismo, afirma el origen "real" de los sucesos y materiales utilizados. Si existen coincidencias entre dos autores, nos aclara, ello se debe a que "ambos observan el mismo natural".[5] Cualquier influjo literario resulta, en su opinión, sospechoso y redunda en perjuicio del valor intrínseco de la obra. Incansablemente, nos habla de la "naturaleza realista de doña María", del "realismo de su temperamento" y su "amor a la realidad de la vida"; en el clásico dilema entre Naturaleza y Arte, añade, es la Naturaleza quien triunfa en sus novelas. Si los episodios narrados resultan escasamente verosímiles y hasta el lector ingenuo se percata de su estrecha vinculación con las reglas del género, Amezúa pretende convencerlo argumentando que la autora es una mujer sin doblez, que se limita a copiar la verdad: "Con todo eso, al leer los relatos de doña María, nos asalta una duda: ¿eran, por ventura, las mujeres españolas de su tiempo tan ingeniosas, apasionadas y temerarias como ella las pinta? ... No creo que doña María exagerase al dibujarlas así ... su constante y profundo realismo, su amor a la verdad ... no la hubiera dejado mentir". En vez de juzgar el verosímil zayesco respecto del género y la opinión común de su tiempo, nuestro académico, sin atender a las observaciones de Aristóteles y otros preceptistas clásicos, lo establece cándidamente en términos de "verdad", por su relación con lo "real". El mismo punto de vista naturalista justifica, según él, la reiteración de amoríos desenvueltos, adulterios culpables y atrevimientos licenciosos, en razón de la inclinación de la autora a lo natural de las cosas y la realidad de la vida, ya que "la mejor fuente de la novela es la vida misma". Y, fiel a la norma de explicar las formas y temas literarios por una motivación exterior, tomada de la vida social, agrega que la fecunda cosecha de duelos, raptos, estupros, degollinas, venganzas que marca con su impronta los relatos de María de Zayas, es expresión directa de su "realismo": "No me parece que en todo ello hiperbolizara nuestra autora. La vida de entonces —harto sabido es— abundaba en tales casos". En resumen, para Amezúa, "doña María ... no imita ni plagia. Ha vivido mucho, ha viajado por diferentes países, y en estas andanzas suyas por España e Italia ha tenido sus oídos muy abiertos y vigilantes para captar cuantos casos extraordinarios y sucesos novelables pudieran servirla para sus futuras novelas".

A fin de reforzar su tesis naturalista, Amezúa toma por dinero contante y sonante las frecuentes declaraciones de la escritora conforme a las cuales la historia narrada es un "caso verdadero"; María de Zayas nos dice, en efecto, que los sucesos que relata son reales, que fue testigo de ellos o los supo por boca de alguno de sus protagonistas, y asegura al lector que los héroes o sus descendientes viven aún y, si disimula sus nombres y domicilios, lo hace de industria, con objeto de evitar su reconocimiento. En los *Desengaños amorosos,* Lisis, al establecer las reglas del sarao, exige que los casos y hechos referidos sean auténticos, y las distintas narradoras de los "desengaños" se conforman al juego, reiterando, por turno, el carácter real de sus argumentos, escuchados, dicen, de labios de alguno que los vivió o vistos directamente por sus propios ojos. Pero Amezúa pasa por alto el hecho de que encarecer el carácter histórico y la "verdad" del argumento, fundándose en que se trata de un episodio tomado de la vida real, es un recurso narrativo muy común que se remonta a los orígenes mismos de la literatura. Desde las leyendas y folklores primitivos hasta las creaciones novelescas más recientes, los narradores no cesan de tomar al auditor o lector por testigo de que en su relato no se dice más que la verdad y no se quita ni pone tilde alguna a lo que sucedió efectivamente. Resultaría interesante comparar, por ejemplo, las aseveraciones realistas e históricas que pueblan los relatos de María de Zayas con las que salpican el prólogo de Galdós a *Misericordia* o las de Camilo José Cela a *La colmena*: según Galdós, el estupendo personaje de Mordejai "fue arrancado del natural por feliz coincidencia" y la elaboración misma de la novela nació de largos meses de "observaciones y estudios del natural"; en cuanto a Cela, se refiere a su obra como a "un libro de historia, no una novela".[6] Para cualquier estudioso de la literatura dotado de capacidad crítica (entre nosotros, más bien *rara avis*), las pretensiones de autenticidad histórica esgrimidas por novelistas y narradores se inscriben en una vieja tradición literaria cuyo claro designio es reforzar la ilusión realista del lector, tratando de hacerle olvidar de este modo la presencia ubicua del escritor que, entre bastidores, no deja de mover y cruzar los diferentes hilos de la trama. Dicho procedimiento, sin embargo, ofrece algunos inconvenientes: como observaba Valéry en una ocasión, "respecto a los cuentos y la historia, sucede a veces que me dejo cautivar y los admiro como excitantes, pasatiempos u obras de arte; pero, si aspiran a la 'verdad', y pretenden ser tomados en serio, su arbitrariedad y las convenciones inconscientes emergen inmediatamente". En el caso de María de Zayas, el carácter convencional y "artificio-so" de sus relatos escapa difícilmente al lector de hoy, y Ame-zúa debe de haberlo advertido cuando señala que los hechos que nuestra autora reputa por verdaderos e históricos pecan a veces de tan extraordinarios y truculentos que no parecen producto de la realidad, pero se tranquiliza de inmediato y nos tranquiliza añadiendo que la "vida de entonces era tan varia y rica, las pasiones y afectos tan dinámicos y desapode-rados, los caracteres tan indómitos y recios, tan inquieta y prodigiosa la existencia de las gentes, que bien pudieron ocu-rrir y tomarlos ella del medio circundante". Ahora bien, la vida ha sido siempre, como dijimos, varia y rica, y la existen-cia de las gentes inquieta y prodigiosa, y Amezúa, al confun-dir continuamente la vida con la literatura, demuestra no haber comprendido ni interpretado bien una ni otra. Su espe-jismo realista es tan extremo que, refiriéndose incluso al estilo de nuestra escritora, afirma, con el aplomo ingenuo de una Pardo Bazán, que su "nota característica es la naturalidad";[7] sus diálogos, agrega, "son vivos y naturales" y "de sus *Nove-las* hubiera podido decir, como Francisco Delicado de su *Lozana andaluza,* que estaban escritas en lengua española muy clarísima". Aun prescindiendo de la desafortunada com-paración con la gran obra erótica del clérigo de Martos, hubiéramos deseado preguntar al ilustre académico qué enten-día por "estilo natural". Hace más de medio siglo, Roman Jakobson había observado ya que "la cuestión de la verosimi-litud natural de una expresión verbal carece de sentido"[8] —aunque, si va a decir verdad, la ciencia literaria está toda-vía, en lo que a España se refiere, en pañales, y si Unamuno se permitió hablar con la mayor tranquilidad del mundo de "estilo eterno" (refiriéndose nada menos que a *La gloria de don Ramiro* de Larreta), sería vano reprochar a Amezúa su tan acientífica referencia al nebuloso "estilo natural".

Con todo, pocas obras se prestan menos que las de María de Zayas a esa ilusión realista que tanto encandila al ilustre académico, cuando menos para el lector de hoy. No sabemos si, como creía Amezúa, nuestra autora tomó los episodios que narra de la vida real; lo importante es que, al referírnoslos, se atiene servilmente al canon literario de la época —en otros términos: la tiranía convencional del género avasalla por completo la presunta copia de la realidad. En las *Novelas* como en los *Desengaños* los sucesos y peripecias son comunes y trillados (y si no, nos suenan como tales), consabidos el modo de narrar y el arsenal de recursos y procedimientos de que se sirve la autora. Sin detenernos ahora a examinar la cuestión de las "fuentes" (dejémosla a la "nube de necrófagos indotados", como, con rara sinceridad, los definió en su día el actual presidente de la Real Academia), recordaremos tan sólo que este tipo de relato se cultivaba en todas las literaturas románicas de la época y resulta fácil rastrear sus orígenes (en algunos casos a través de Bandello) hasta la admirable creación boccacciana. Como apuntó Caroline B. Bourland en su indispensable estudio del tema, "los cuentos del *Decamerón* no proporcionaron meras sugestiones a los cuentistas hispanos; suministraron también tema, desarrollo y vocabulario, en una palabra, la historia entera ... El *Decamerón* resultó útil en España a la vez como almacén de material que podía ser vertido casi al pie de la letra a la lengua castellana y como fuente argumental para cuentos y comedias. También sugirió a los españoles la idea de unir en un conjunto una serie de historias puramente recreativas mediante el enlace de un tenue hilo de ficción".[9] Desde Timoneda a María de Zayas, pasando por Lope, Tirso y Castillo Solórzano, el género presenta unas características muy precisas, tan fácilmente identificables como las de la novela bucólica o los libros de caballerías. En la mayor parte de las obras italianizantes de amor y aventuras hallamos no sólo esquemas itinerantes y situaciones nómadas, reiteradas con un número de variantes reducido a un estricto mínimo, sino también lo que Shklovski ha denominado con tanto acierto "argumentos-crucigramas", en los que "lo único importante es el cambio de construcciones, el cambio de soluciones", y "únicamente una parte muy pequeña de material convencional está dentro de la esfera de intensa atención del lector".[10]

El repertorio de tópicos de que se sirve María de Zayas es idéntico al de todos los escritores populares de su tiempo: en sus obras, los soliloquios amorosos o acongojados de los héroes y heroínas son escuchados siempre por el destinatario o, a lo menos, por el personaje que podrá atenderlos y darles solución cumplida (cf. *Aventurarse perdiendo*, *La burlada Aminta*, *La fuerza del amor*, *El desengaño andando*, *El imposible vencido*, *El juez de su causa*, *La inocencia castigada*); todos los protagonistas son poetas y cantores, y recitan sus composiciones elegíacas o amatorias con la ayuda oportuna, siempre a mano, de un laúd, arpa, guitarra o vihuela; las heroínas, emitiendo un grandísimo y riguroso grito, sufren crueles desmayos a la vista de sus enemigos o amantes (*Aventurarse perdiendo*, *La burlada Aminta*, *El imposible vencido*, *El juez de su causa*, *El jardín engañoso*, *La esclava de su amante*); los mozos se transforman en doncellas y las doncellas en mozos con un simple corte de pelo y cambio de traje, y al cantar al son de los ubicuos instrumentos musicales mudan milagrosamente la voz desde el timbre, digamos, de un Boris Christof al de un Alfred Dehler o una Lily Pons, y viceversa (*Aventurarse perdiendo*, *La burlada Aminta*, *El juez de su causa*, *Amar sólo por vencer*); realizado el cambio de sexo —de un modo mucho más rápido y sin duda menos costoso que el de los cuitados *travestis* de hoy—, los personajes dejan de reconocerse y conviven meses enteros muy íntimamente sin descubrir no obstante su verdadera identidad (*La burlada Aminta*, *El juez de su causa*, *Amar sólo por vencer*, *La perseguida triunfante*); separados por un destino adverso, los héroes se encuentran "casualmente" en los lugares más remotos e inverosímiles (*Aventurarse perdiendo*, *El desengaño andando*, *El juez de su causa*, *La esclava de su amante*), etc. Igualmente hallamos en nuestra escrito-

ra la inevitable panoplia de criados infieles, vecinas alcahuetas, naufragios, rapto por piratas, virginidades asombrosamente preservadas en medio de los mayores peligros, etc.
—ingrediente habitual de ese tipo de argumentos-crucigramas.

Pero el convencionalismo de las *Novelas* y *Desengaños* no
se limita a los procedimientos y recursos literarios: casi sin
excepción, los relatos de María de Zayas son (cuando menos,
a primera vista) el ejemplo claro de aquellas obras cuya
estructura es conocida de antemano por el lector en el
momento de emprender la lectura. Como el libro de caballerías, la novela pastoril, el drama de honor (o el folletín sentimental, la novela policíaca y de *série noire*, por citar otros
géneros igualmente muy codificados), pertenecen a un sistema artístico que calibra el mérito de las obras en función de
su estricta obediencia a unas reglas netas y precisas. En dicho
sistema, el valor de la novela (u obra teatral, película, serial
televisado) se basa en la rigurosa coincidencia de los hechos y
episodios representados con los que el lector o espectador
conoce previamente: este último, por ejemplo, al leer o seguir
el desarrollo de un western en la pantalla sabe desde el
comienzo que el blanco es "bueno" y el piel roja "malo" y la
película o novela concluirá con la victoria obligada del primero.[11] La clave de esta clase de obras, ha observado con acierto Iuri Lotman, se cifra en una "estética de identidad", a
diferencia de aquellas otras, mucho menos numerosas, cuyo
código, desconocido por el lector o espectador al comienzo
de la percepción artística, se establece en virtud de lo que el
lingüista soviético denomina una "estética de oposición": en
ellas, el autor lucha contra las leyes rutinarias y prejuicios del
público imponiéndole su propio modelo o perspectiva del
mundo (la genial creación de Rojas encarna entre nosotros el
ejemplo máximo de este tipo de estética).[12]

María de Zayas, como el Lope de las *Novelas a Marcia
Leonarda*, ignora o desdeña los grandes descubrimientos literarios de la *La Celestina*, el *Lazarillo* y Cervantes: la existen-

cia de personajes individualizados y la motivación realista. Los héroes y heroínas zayescos son personajes bidimensionales que actúan simplemente en relación a los principios opuestos del amor y la honra. Los prodigiosos sucesos y aventuras que llueven sobre ellos no los "crean" ni los modifican: se agitan sin cesar, pero no "viven" los acontecimientos ni se componen un carácter autónomo como Sempronio, Lázaro o Sancho Panza. Todo ello responde, desde luego, a las peculiaridades del relato boccacciano. En la novela actual, como en el cuento más primitivo, no hay personajes sin acción ni acción independiente de los personajes; pero en Lope y María de Zayas las acciones no sirven para ilustrar o caracterizar al personaje, sino que éste está sometido a la acción. Lo que marca la pauta es siempre el encadenamiento de los sucesos y peripecias. Como ha señalado Todorov, mientras en la novela "realista" del XIX, por ejemplo, toda acción es juzgada como expresión o índice de un personaje dotado de "espesor sicológico" y es, por decirlo así, "transitiva", en el relato de Boccaccio y sus epígonos las acciones son "intransitivas", esto es, valen por sí mismas y no como clave o ilustración del carácter del personaje.[13] La observación es importante, pues la crítica al uso —de la que Amezúa es un representante típico— tiende a considerar al personaje sicológico, de acciones transitivas —creado para hacer concurrencia al estado civil— un elemento inherente al género narrativo, olvidando que, por espacio de siglos, ese personaje no existía. Los héroes y heroínas de Zayas no son "seres de carne y hueso" ni siquiera para un lector propenso a abandonarse a las delicias de la ilusión realista, sino meras unidades funcionales que capsulan la multiplicidad de acciones simultáneas o sucesivas en que les envuelve la peripecia del relato. Nuestra autora les confiere determinados rasgos (amor, odio, envidia, celos, etc.), pero no les compone un "carácter" y se limita a moverlos conforme a un *ars combinatoria* de reglas muy simples (vgr.: Enrique ama a Mencia; Clavela ama a Enrique; Cla-

72

vela, para vengarse, denuncia Enrique a Alonso, hermano de Mencia, etc.). La ley narrativa implícita en la mayoría de los relatos (aparte de la mencionada antinomia pasión-honra) radica en la incompatibilidad entre el amor y la posesión: se ama lo que no se posee; una vez obtenido el ser amado, el amor, inevitablemente, se desvanece ("Todo el aborrecimiento que tenía a don Manuel se volvió en amor, y en él el amor aborrecimiento", dice Isabel en *La esclava de su amante*, después de ser poseída contra su voluntad por su taimado y versátil suspirante. Lo mismo en *El desengaño andando*, *Amar sólo por vencer*, *Mal presagio casar lejos*, etc.). En el relato zayesco, las acciones obedecen a una casualidad pura, enteramente distinta de la que priva en la novela cervantina o galdosiana: los actos de los personajes son provocados por acciones precedentes, de acuerdo con el consabido esquema de los cuentos y leyendas primitivos (si A viola la ley en perjuicio de B, B restablece la ley vengándose de A), aunque en algunos casos, (especialmente en *El prevenido, engañado*, *La esclava de su amante* y *La perseguida triunfante*) las acciones se encadenan más bien en virtud de una causalidad ideal o abstracta, al servicio del designio didáctico que guía casi siempre la pluma de nuestra autora. El don Fadrique de *El prevenido, engañado* y doña Beatriz de *La perseguida triunfante* pertenecen a esa peculiarísima fauna de personajes sin experiencia ni memoria, que corren infinidad de aventuras, pero no "viven" ninguna, fauna que abarca tanto a los héroes del *Candide* de Voltaire y la *Justine* de Sade como a los maravillosos protagonistas del cine mudo de la estirpe de Langdon, Keaton y Chaplin. Como la virtuosa y desdichada heroína de Sade, doña Beatriz soporta con el mayor despego y sin escarmentar nunca las sucesivas traiciones y venganzas de su perverso cuñado, y su ausencia total de experiencia y memoria la escolta de un atropello a otro en un inefable estado de arrobado y celestial candor. Aquí, la distinción fundamental trazada por los formalistas rusos entre los conceptos de "función" ("la acción de un

73

personaje, definida desde el punto de vista de su significación en el desarrollo de la intriga", según palabras de Propp) y "motivación" (el recurso o procedimiento del narrador destinado a encubrir la función y darle una apariencia de realidad, naturalidad o, por mejor decir, verosimilitud) cobra todo su sentido y nos ayuda a comprender la narrativa zayesca como paradigma del relato inmotivado.[14] Los personajes de nuestra autora, como los de las *Novelas* de Lope, son puramente funcionales, y el autor los "mata" o se olvida de ellos a partir del instante en que dejan de desempeñar su función. Nos movemos, pues, en los antípodas de ese "realismo" tan caro a don Agustín de Amezúa: en *Tarde llega el desengaño,* por ejemplo, María de Zayas hace morir al mismo tiempo a la desgraciada Elena y a la esclava negra que alevosamente la suplantó en el lecho y consideración del marido, sin preocuparse de la patente inverosimilitud de tan asombrosa coincidencia; cuando, en *Amar sólo por vencer,* el enamorado Esteban, disfrazado de doncella por amor de Laurela, tras una larga serie de desdenes, obstáculos y peligros tragicómicos que agravan todavía su pasión y le llevan casi al sepulcro, obtiene al fin los favores de su amada e inmediatamente la abandona y expone a la deshonra pública, la autora no se toma la molestia de motivar el brusco y pasmoso cambio de carácter del personaje, pues su función real es engañar a Laurela, cumplido lo cual desaparece y cae en el olvido. En general, en los relatos de Lope y María de Zayas, el héroe topa siempre "casualmente", como era común en la narrativa de aquel tiempo, con el personaje que responde a las exigencias de la trama novelesca, del modo más convencional y arbitrario. En las novelas realistas, los encuentros casuales existen también —pero cuando madame Bovary tropieza con Léon en la ópera de Rouen, Flaubert se las agencia para motivar cuidadosamente el encuentro.

Sin abandonar por eso su quijotesca empresa de defender a todo trance la naturaleza realista y originalidad sin mancha del arte narrativo de su dama, Amezúa se ve obligado a admitir la influencia directa y formal de Boccaccio en lo que toca a su empleo de la técnica decameroniana del "encuadre", esto es, de "servirse de idéntico marco o procedimiento novelístico de congregar en una sala o jardín a unos mismos galanes con sus damas, para que en noches sucesivas fueran por turno refiriendo su cuento respectivo". Si bien dicha técnica es casi tan antigua como la literatura misma (bastaría con citar los ejemplos de Homero y *Las mil y una noches*), su introducción en la literatura española del siglo XVII se debe sin duda a la influencia tardía de Boccaccio. El "encadenamiento" y "encuadre" son los procedimientos narrativos más primitivos (y ello explica la proliferación extraordinaria de héroes peregrinos y errantes, puesto que el pretexto del viaje permitía ensartar los sucesos y acciones; eso no se debía, como ha indicado un profesor ilustre, a una afición personal de nuestros escritores, sino a una exigencia del género: un personaje físicamente inmóvil como Oblomov era, entonces, inconcebible; todos los héroes se movían, viajaban, se agitaban, mostraban su condición de "culos de mal asiento", y dicha particularidad era un simple producto del tipo de construcción novelesca): combinando los dos, el escritor podía, ya detener el curso de la acción y engastar nuevas historias durante las pausas del relato, ya agrupar una serie de episodios dispares mediante el artificio de un delgadísimo hilo argumental. Este último procedimiento, como ha mostrado muy bien Caroline B. Bourland en su mencionado ensayo, fue empleado con anterioridad a María de Zayas por Salas Barbadillo, Francisco de Lugo y Dávila, Tirso de Molina, Castillo Solórzano y Juan Pérez de Montalbán, e inspiró incluso a Cervantes una obra que no llegó a publicar jamás, titulada muy boccaccianamente, *Semanas del jardín* y cuya referencia hallamos en el prólogo a las *Novelas ejemplares*. Como en otros terrenos, nuestra escritora se sirvió del recurso que le brindaba el arsenal literario de su tiempo sin quitarle ni añadirle una tilde ni interrogarse un solo instante sobre su eventual deterioro. Todos los tópicos argumentales y constructivos de la época son utilizados en su obra con la mayor inocencia y buena fe, aun en el caso de que para algunos lectores y autores contemporáneos su empleo hubiese dejado ya de parecer "natural". Mientras otros escritores procuraban excusar burlonamente su uso y se esforzaban, por decirlo así, en guardar las distancias, nuestra autora admite su existencia como algo ineluctable y no los pone jamás en tela de juicio. Un breve paralelo entre la actitud de Lope de Vega y María de Zayas respecto a los lugares comunes de la novela italianizante de que ambos se valen ilustra bastante bien los mecanismos de la evolución literaria y el diferente grado de conciencia artística de los dos escritores.

El género que aborda Lope al escribir sus *Novelas a Marcia Leonarda* se hallaba ya bastante codificado y su autor tenía clara conciencia de ello. Lope no era un "raro inventor" del genio de Cervantes y se sentía en la incómoda situación de quien se adentra en unos caminos trillados y debe acampar su historia en un decorado utilizado anteriormente por otros escenógrafos del género —tan conocido por el público de entonces como esos poblados de cartón piedra con su *saloon,* su cárcel local y despacho del *sheriff* que aparecen inevitablemente en las películas del Oeste. Por eso, aunque sus relatos no se alejan un ápice de la línea tradicional, intercala en ellos una serie de glosas y observaciones que son otros tantos guiños destinados al lector, para mostrarle que no es tan cándido como a primera vista pudiera creerse y obedece a sabiendas las reglas convencionales del juego. Al mismo tiempo, le recuerda que todo género literario posee sus leyes propias y basta pasar de un género a otro para que las leyes cambien:

> Paréceme que me dice vuestra merced que claro estaba esto, y que, si había hija en esa casa, se había de enamorar del disfrazado mozo. Yo no sé que ello haya sido verdad, pero por cumplir con la obligación del cuento, vuestra mer-

ced tenga paciencia y sepa que la dicha Silveria tendría hasta
diecisiete o dieciocho años, edad que obliga a semejantes
pensamientos (*Las fortunas de Diana*, p. 52).[15]

¿Quién duda, señora Leonarda, que tendrá vuestra merced deseo de saber qué se hizo de nuestro Celio, que ha
mucho tiempo que se embarcó para las Indias, pareciéndole
que se ha descuidado la novela? Pues sepa vuestra merced
que muchas veces hace esto mismo Heliodoro con Teógenes,
y otras con Clariquea, para mayor gusto del que escucha en
la suspensión de lo que espera (ibid., p. 60).

Paréceme que le va pareciendo a vuestra merced este discurso más libro de pastores que novela (ibid., p. 53).

El, movido por su piadoso ánimo, le contó quién era, lo
que había sucedido y lo que buscaba, a la traza que suelen ser
las narraciones de las comedias, que hay poeta cómico que se
lleva de un aliento tres pliegos de romance (ibid., p. 61).

Aquí llegó Felisardo, y me parece que vuestra merced
estaba ya cansada de esperarle ... Pues sepa vuestra merced
que las descripciones son muy importantes a la inteligencia
de las historias, y hasta ahora yo no he dado en cosmógrafo
por no cansar a vuestra merced ... (*La desdicha por la honra*,
p. 89).

Ya se llegaba la hora de comer y ponían las mesas —para
que sepa vuestra merced que no es esta novela libro de pastores, sino que han de comer y cenar todas la veces que se ofre-
ciere ocasión ... (*La prudente venganza*, p. 112).

Es decir, Lope se vale de una serie de tópicos que abundan
en el *Decamerón* e incluso en la novela griega, como naufragios, traiciones, raptos y amores virginales y puros en medio
de soledades, asechanzas y peligros, pero después de plegarse
a las normas del género, consciente de su decrepitud y dete-

rioro, agrega con ironía: "Grandes dudas le quedarán a vuestra merced del amor de Felicia y los desdenes de Guzmán el Bravo, porque parece que en tierra de moros, con tanta privación y soledad, y habiendo sido la compañía de su cautiverio y el consuelo de sus trabajos, no fuera menos que ingratitud no corresponder a su voluntad. Prometo a vuestra merced que no lo sé, y que en esta parte sólo puedo decir que el trato ha juntado en amistad animales de géneros diferentes, a despecho de la naturaleza, y que ningún hombre debe fiarse de sí mismo, de que tenemos tantos ejemplos" (*Guzmán el Bravo,* p. 172). Y refiriéndose a la costumbre de introducir versos en las novelas, que los enamorados cantan acompañándose con música de laúd, arpa, guitarra o vihuela, conforme a la convención literaria según la cual todos los personajes eran poetas y cantores, escribe: "Deseando el mayoral entretenerle, *claro está* [el subrayado es mío, *J. G.*], que había de llamar a Diana, y ella parecerle bien al duque y asimismo mandarle que cantase" (*Las fortunas de Diana*, p. 55), "y trayendo un instrumento, que *claro está* [id.] que lo había de haber en la huerta o traelle las criadas de Laura ... Fabio y Antandro cantaron así" (*La prudente venganza,* p. 113).

Estos dos "claro está" hay que entenderlos no como una referencia a la realidad descrita sino a los requisitos del género: puesto que el personaje debe cantar su tristeza o amores, claro está, como dice Lope, que no puede faltar el instrumento. En otros términos: los personajes no cantan porque tienen un instrumento a mano, sino que el instrumento está a mano porque los personajes deben cantar. Pero es en la utilización del milagroso transexualismo del disfraz donde las semejanzas entre los dos escritores se manifiestan con mayor nitidez. Como apuntamos antes, todos los narradores y dramaturgos de la época usaban y abusaban de dicha convención por cuanto les permitía fabular una serie de encuentros y desencuentros entre enamorados y amantes de acuerdo con los gustos aventureros del público.[16] Las doncellas, con cortar sus cabellos y vestir traje de varón, se convertían en valientes y esforzados caballeros, y no sólo mudaban de físico y voz sino también de sicología y carácter:[17] en *Las fortunas de Diana*, la heroína del Lope, disfrazada de Celio, es nombrada por el rey gobernador y capitán general de las Indias; en *El juez de su causa,* la bellísima protagonista de María de Zayas se granjea fama de valeroso soldado con el nombre de don Fernando y se ve promovida sucesivamente a los cargos de capitán de caballos, titular de un hábito de la Orden de Santiago y virrey de Valencia. El *travesti* originaba por otra parte una serie de ambigüedades y equívocos del orden de los que con tanta gracia describe Guillermo Cabrera Infante en su ensayo sobre Corín Tellado:[18] en *Amar sólo por vencer,* Esteban, transformado en criada de Laurela bajo el nombre de Estefanía, declara repetidas veces su amor —aparentemente homosexual— a la muchacha y esquiva como puede los apremiantes ruegos y ofertas —heterosexuales sólo en apariencia— de don Bernardo, el padre de su amada. La presunta Estefanía ayuda incluso a desnudarse a Laurela, convive más de un año en estrecha intimidad con ella, y, al enterarse de su proyectada boda con Enrique, pierde el sentido.[19] Pero dejemos la palabra a María de Zayas:

> Apenas oyó estas últimas palabras Estefanía, cuando con un mortal desmayo cayó en el suelo, con que todas se alborotaron, y más Laurela, que sentándose y tomándole la cabeza en su regazo, empezó a desabrocharle el pecho, apretarle las manos y pedir apriesa agua, confusa, sin saber qué decir de tal amor y de tal sentimiento ...
>
> Laurela, mientras los demás fueron a que se acostase, quedó resolviendo en su pensamiento mil quimeras, no sabiendo dar color de lo que veía hacer a aquella mujer; *mas que fuese hombre jamás llegó a su imaginación* [el subrayado es mío, J. G.].

A la verdad, uno de los elementos esenciales del *travesti* es el sorprendente estado de ofuscación y ceguera que aqueja al enamorado y los deudos del disfrazado transexualista, a quien dejan de reconocer de la mañana a la noche con la misma violencia abrupta con que los personajes del teatro grecolatino se descubrían milagrosamente un parentesco. Dicha ceguera se sitúa en los antípodas de la agnición y podría ser calificada en rigor de antianagnórisis: en *La burlada Aminta,* por ejemplo, la heroína de Zayas entra al servicio de su infiel don Jacinto sin ser reconocida por éste a pesar de sus alusiones y referencias al pasado estupro, y en *La perseguida triunfante,* Beatriz, disfrazada de médico, hace confesar todos los crímenes y delitos que ha cometido contra ella al protervo cuñado sin que él ni su propio marido la distingan. Pero contrastemos ahora el fenómeno de antianagnórisis de *El juez de su causa* con el que en *Las fortunas de Diana* nos pinta Lope de Vega.

En el relato de María de Zayas, el capitán Fernando —en realidad, Estela— tropieza "casualmente" con su querido don Carlos por tierras de Túnez y, sin revelarle su identidad, le pregunta quién es:

> Satisfizo don Carlos a Estela con mucho gusto, obligado de las caricias que le hacía, o por mejor decir al rostro que con ser tan parecido a Estela traía cartas de favor; y así, le dijo su nombre y patria y la causa por que estaba en la guerra, sin encubrirle sus amores y la prisión que había tenido, diciéndole como, cuando pensó sacarla de casa de sus padres y casarse con ella, se había desaparecido de los ojos de todos, ella y un paje, de quien fiaba sus secretos poniendo en condición su crédito ...

Concluida la relación de la propia historia de ambos, el fingido don Fernando ofrece su protección y amparo al obnubilado mancebo, y nos dice la autora:

Amable lector:

Esta tarjeta que Vd. ha encontrado en SU LIBRO, LE DA DERECHO a recibir información completa y detallada sobre:

☐ Literatura española e Hispanoameri-cana

☐ Novela extranjera

☐ Ensayo y crítica

☐ Derecho

☐ Economía

☐ Economía de la Empresa y Seguros

☐ Historia

☐ Política

☐ Filosofía, Psicología, Pedagogía

☐ Sociología, Antropología

☐ Geografía

☐ Ciencias y Técnica

☐ Y también a recibir información periódica de Novedades.

SOLICITELAS

ESTARAN SIEMPRE A SU DISPOSICION.

Gracias

Atento oyó Carlos a don Fernando, que por tal tenía a Estela, pareciéndole no haber visto en su vida cosa más parecida a su dama; *mas no llegó su imaginación a pensar que fuese ella* [el subrayado es mío, *J. G.*].

De esta suerte pasaron algunos meses, acudiendo don Carlos a servir a su dama, no sólo en el oficio de secretario, sino en la cámara y mesa, donde en todas ocasiones recibía de ella muchas mercedes, tratando siempre con él de Estela, tanto, que algunas veces llegó a pensar que el duque [esto es, don Fernando] la amaba, porque siempre le preguntaba si la quería como antes y si viera a Estela si se holgara con su vista, y otras cosas con que más aumentaba la sospecha de don Carlos ...

Con posterioridad, "don Fernando" es nombrado virrey de Valencia y, al llegar a esta ciudad en compañía de su engañado secretario, debe zanjar el pleito instruido contra él, pues se le acusa falsamente del deshonor de la propia Estela. A fin de poner a prueba el amor de don Carlos a ésta —es decir, a sí misma— ordena su encarcelamiento y amaga condenarlo a muerte hasta arrancarle la confesión de su pasión. Pero don Carlos duda de la fidelidad de Estela, en vista de lo cual el extraño virrey se descubre:

—Yo soy la misma Estela, que se ha visto en un millón de trabajos por tu causa, y tú me lo gratificas en tener de mí la falsa sospecha que tienes.

Entonces contó cuanto le había sucedido desde el día que faltó de su casa, dejando a todos admirados del suceso, y más a don Carlos, que corrido de no haberla conocido y haber puesto dolo en su honor, como estaba arrodillado, asido de sus hermosas manos, se las besaba, bañándoselas con sus lágrimas pidiéndole perdón de sus desaciertos ... Salió la fama publicando esta maravilla por la ciudad, causando a todos notable novedad que el virrey era mujer y Estela.

En *Las fortunas de Diana,* la heroína de Lope, separada de

su enamorado Celio por un cúmulo de circunstancias adversas muy semejantes a las del relato de Zayas (casualidades milagrosas, encuentros estupendos, etc.), se disfraza de pastor, entra al servicio de un duque y, favorecida por el rey a causa de su buen talle y voz (ignoramos si de bajo o tiple ligera), para en gobernador y capitán general de las Indias. Una vez allí, el nuevo virrey se dedica a administrar justicia de un modo un tanto expeditivo (dando garrote en secreto y sepultura en la mar) hasta el encuentro "casual" con el personaje que responde a las exigencias de la intriga: Celio, naturalmente.

> Llegó últimamente a Cartagena y, visitando los presos, vio a Celio, que aunque estaba flaco y descolorido, le conoció luego ... Hizo salir de la sala a todos y quiso saber de su boca todo el suceso, dándole palabra de caballero, si le decía la verdad, de ayudarle cuanto le fuese posible. Creyendo Celio que el virrey se le había aficionado, y creyendo la verdad, aunque no la entendía, contóla por extenso toda su historia ... Diana miraba a Celio y volvía las lágrimas desde los ojos al corazón, llorando sobre él lo que fuera en el rostro a estar más sola. Hizo retirar a Celio, y de secreto a su mayordomo que con notable cuidado le regalase; y le hablaba todos los días, haciéndole siempre referir su historia, de que Celio se admiraba, viendo que no quería que le tratase de otra cosa. Acabadas las que tenía que hacer en aquella tierra, hechos los castigos y dado a los leales los merecidos premios ... le embarcó en su capitanía y a título de preso llevó consigo, comiendo y jugando con él todo el viaje.
> Halló Diana al Rey Católico en Sevilla; fue a besarle la mano con grande acompañamiento, y no sin Celio que allá le llevó también con disculpa de algunos guardas (pp. 71-72).

La escena del reconocimiento acaece de un modo similar a *El juez de su causa* y, como don Carlos, el ofuscado Celio se queda corrido y admirado viendo que el gobernador era "su hermosa mujer, que tantas lágrimas y desventuras le había costado". Pero, a diferencia de Zayas, Lope introduce una de sus frecuentes glosas, con el propósito de ganar la complicidad del lector respecto a su utilización de tan artificioso procedimiento: "Pienso, y no debo engañarme, que vuestra merced me tendrá por desalentado escritor de novelas, viendo que tanto tiempo he pintado a Diana sin descubrirse a Celio después de tantos trabajos y desdicha; pero suplico a vuestra merced me diga, si Diana se declarara y amor ciego se atreviera a los brazos ¿cómo llegara este gobernador a Sevilla?" (p. 72).

Como han establecido los formalistas rusos, los procedimientos literarios surgen, se desarrollan, se imponen, envejecen y mueren (a veces también resucitan, aunque con diferente función): a medida que se repiten y gastan, se vuelven mecánicos, se "formalizan". "En la evolución de cada género —dice Eikjenbaum—, llega un momento en que el género utilizado hasta entonces con objetivos enteramente serios o 'elevados' degenera y asume una función cómica o paródica." Ello depende, como es lógico, del grado de conciencia artística del escritor y de la vetustez y desgaste del material que emplea. Cuando un autor advierte que los recursos que aplica son viejos y muestran a las claras su carácter convencional, procura tomar sus distancias respecto a ellos y pone al desnudo su funcionalidad, destruyendo así voluntariamente la ilusión realista. En tal caso, el artista parodia el procedimiento, lo desvela y ridiculiza, pero al mismo tiempo lo justifica estéticamente, mientras que, si se hubiera valido de él procurando ocultar una convencionalidad que salta ya a la vista, habría producido una impresión cómica en el lector lúcido, a expensas, claro está, de la finalidad de la obra. Evitando ese cómico involuntario al que no escapa hoy el relato de María de Zayas, Lope se cura en salud y pone el procedimiento en cueros vivos.[20]

Como puede verse en los ejemplares citados, María de

83

Zayas y Lope de Vega se sirven del recurso trivial y común del disfraz y la "antianagnórisis", pero su actitud hacia éstos es diametralmente opuesta. Zayas los usa, por así decirlo, con inocencia, como si dichos medios y sus inevitables secuelas fueran reflejo del orden "natural" de las cosas y no resultado de una viejísima convención literaria: refiriéndose a Laurela y su enamorado Esteban que, disfrazado de mujer, se vende por criada, dice: "mas que fuese hombre jamás llegó a su imaginación",[21] y cuando Beatriz, vestida de médico, arranca la confesión de sus crímenes a su implacable enemigo Federico, exclama: "¡Gran misterio de Dios que estaba hablando con los mismos que la perseguían sin ser conocida de ninguno!". Lope, en cambio, siente el expediente del disfraz como algo inoportuno y molesto y, en vez de camuflarlo, lo pone abiertamente al desnudo: "Si Diana se declarara y amor ciego se atreviera a los brazos, ¿cómo llegara este gobernador a Sevilla?". Como dice Francisco Rico en el prólogo de la citada edición, "tipos, temas y problemas se le presentaban con frecuencia [a Lope] tan firmemente elaborados —formulados— que podía permitirse el lujo de aludir simplemente a ellos y estar seguro de ser comprendido. De ahí que cuando da un quiebro a las convenciones al uso se apresura a indicarlo con zumba: así en *Guzmán el Bravo,* ante el insólito suceso que la bella se enamora del criado y no del amo". Esto es, el género literario que aborda impone su propio verosímil, y al eterno por qué de la crítica naturalista responde: si Celio no reconoce a Diana y ésta no se descubre a Celio, es porque el tipo de relato lo exige.[22] Sin la convención del disfraz y la "antianagnórisis" el atractivo virrey no llegaría a la corte y el episodio narrado no existiría —exactamente como, suprimiendo la invulnerabilidad de James Bond y los héroes de *Misión imposible,* suprimiríamos el género mismo.

En su ya mencionado ensayo, Ricardo Senabre opina que *El juez de su causa* es "una ilustración seria y consciente de las ideas de la autora", mientras que el relato de Lope "no pasa de ser un puro juego al que su autor no ha querido conceder trascendencia": "El Fénix, añade, se queda en puro juego burlón ... no le preocupa dar sinceridad al relato, porque no lo escribe en serio"; María de Zayas, por el contrario, "transforma el *divertimento* lopesco en la ilustración de una postura ideológica". Dicha formulación me parece inexacta pues, si nos atenemos a la sinceridad (la cual, dicho sea entre paréntesis, no puede servir en ningún caso de criterio artístico ya que la literatura, como sentó Platón en un pasaje célebre, es ante todo retórica), resultaría a fin de cuentas más "sincero" el autor que desvela la funcionalidad de sus procedimientos que quien trata de encubrirlos con motivaciones naturalistas. Digamos mejor que Zayas sacrificaba la conciencia artística al propósito didáctico que anima el relato. En Lope, al revés, la reflexión se centra en torno a la elaboración de éste: tenía muy presente el envejecimiento de los recursos que empleaba, pero carecía del genio de Cervantes para inventar otros y se limitaba a manejarlos con aristocrático escepticismo. En realidad, la actitud de ambos es un reflejo de la situación ambigua del narrador entre la escritura y la sociedad, la vida y la literatura —y el *divertimento* y el juego son factores tan importantes como la seriedad en el seno de una novela, como el *Quijote* demostró de una vez para siempre.

Volvamos a María de Zayas: los temas de sus relatos son convencionales, como convencional es el modo de narrar y el arsenal de recursos que emplea. En rigor, el convencionalismo configura también a los personajes, meros símbolos de algo que les trasciende o, si se quiere, entidades funcionales cuyas acciones sirven para ilustrar los principios opuestos del amor y la honra. Dicha bipolaridad —lugar común de la literatura de la época— convierte al personaje, según la acertada expresión de Américo Castro, "en él más su nimbo", como las heroínas de las *Novelas* y *Desengaños* se encargan puntualmente de recordárnoslo: la vida, dice Jacinta en *Aventurarse perdiendo,* es "guerra y batalla campal, donde el amor comba-

te a sangre y fuego el honor, alcaide de la fortaleza del alma"
y, en *Al fin se paga todo,* Hipólita, al evocar sus desdichas,
refiere que "cuanto más apriesa subía mi amor, bajaba mi
honor y daba pasos atrás". Por regla general, en los relatos
de María de Zayas, el honor pierde la lid y el amor sale vencedor y triunfante, pero ello mismo obliga a las heroínas a
vengarse conforme a los criterios sociales de aquel tiempo:
"La mancha del honor, sólo con sangre del que ofendió sale",
dice Matilde antes de comenzar el relato de *La burlada
Aminta,* y la narradora de *La inocencia castigada* aconseja:
"no seas liviana, y si lo fuiste mata a quien te hizo serlo, y no
mates tu honra". Obedeciendo a este precepto, Aminta cose a
cuchilladas el cuerpo del infiel don Jacinto, y, en *Al fin se
paga todo,* Hipólita, al referir la ejecución de su lascivo cuñado, "le di —dice— otras cinco o seis puñaladas con tanta rabia
y crueldad, como si cada una le hubiera de quitar la infame
vida". Con todo, la mujer no aparece únicamente en un papel
justiciero sino asimismo, y más a menudo, como víctima
inculpable. En la línea divisoria que enfrenta a los defensores
de la ética individual con los de la tiranía de la opinión publica, nuestra autora, si bien expresa y defiende siempre los
valores de la casta cristianovieja, sale, en virtud de su feminismo ardiente, en defensa de las de su sexo: el afianzamiento y
progreso de esta actitud se hace patente si comparamos sus
dos libros de relatos, y, a lo largo de los *Desengaños,* María de
Zayas pinta, con truculencia granguiñolesca, un rico muestrario de castigos y muertes por veneno, emparedamiento, entie-
rro, sangría y garrote que maridos y deudos administran por
meras sospechas y en frío, con el enfoque crítico de un Cervantes, Mateo Alemán o Zabaleta. El propósito moralizador
es más que obvio y, otra vez aún, el lector debe admitir que el
didactismo primario de la autora, combinado con su empleo
servil de un molde narrativo que ahoga el diálogo e impide la
construcción del "carácter" del personaje, constituye un paso
atrás —como las *Novelas* de Lope— no sólo respecto de Cer-

dores inoportuna y embarazosa. La arraigada costumbre de juzgar las obras literarias en virtud de criterios ajenos a la literatura, según los apriorismos y simpatías más o menos personales del crítico, sigue imperando hoy, incluso como grotescos disfraces "marxistas", como en tiempos del padre Ladrón de Guevara.[24] Entre el cúmulo de complejos, frustraciones y miedos que tan a menudo establece la escala de valores del país según la óptica de la crítica oficial, la vieja saña cristiana (o, con mayor exactitud, ambrosiana) al sexo desempeña un papel primordial. Un día habrá que examinar por lo menudo la mentalidad represiva del común de nuestras autoridades literarias en lo que al tema erótico se refiere y aclararemos así la razón secreta de numerosos olvidos y promociones que de otro modo resultarían incomprensibles. Importa señalar igualmente que dicha mentalidad no es atributo exclusivo de los hijos de Sansueña y afecta también a bastantes hispanistas extranjeros (el mito español de la casta cristianovieja ha atraído siempre, como un imán, a puritanos y censores de toda especie): al tocar el tema, Amezúa señala con verdad los ejemplos de Ticknor y Pfandl, para quienes la "lubricidad" de María de Zayas empañaba gravemente sus méritos de narradora. "Aunque escrita por una señora de la corte —dice Ticknor, hablando de *El prevenido, engañado*—, es de lo más verde e inmodesto que me acuerdo haber leído nunca en semejantes libros." Para Pfandl, las *Novelas* y *Desengaños* constituyen "una libertina enumeración de diversas aventuras de amor de un realismo extraviado ... que con demasiada frecuencia degenera unas veces en lo terrible y perverso y otras en obscena liviandad".[25] Dichos cargos (y los de sus paisanos Hurtado y González Palencia) parecen haber quitado el sueño al bueno de don Agustín de Amezúa, y, en su encomiable empresa de salvaguardar el crédito de su dama (a los polemistas españoles les ha gustado siempre defender la pureza de algo, ya sea del "buen pueblo", ya de la Virgen Santísima), responde a su manera al juicio riguroso de sus críticos: "A la verdad, no se puede negar que los argumentos ... pecan muchas veces de escandalosos y lúbricos ... Pero Pfandl olvidaba que este realismo no era exagerado, sino verdadero ... Muy difícil es trazar en toda novela la línea divisoria entre lo que puede y no debe decirse; donde acaba lo lícito y donde comienza lo pecador en materia tan escurridiza de suyo como es el amor. Tengo para mí que doña María escribió estas novelas con absoluta pureza de intención ... De todos modos no es lectura para ser puesta en todas manos", etc.; y en el prólogo de los *Desengaños amorosos,* siempre con su idea fija, insiste en que "a doña María la indulta el hecho de que jamás pone intención lúbrica ni lasciva, ni busca de propósito tales situaciones, sino que éstas surgen como consecuencia lógica e inevitable de la acción, sin que nunca se recree maliciosamente en ellas ni incurra en pecador regodeo o morosa delectación". Como podrá apreciar el lector, la evaluación literaria del ínclito académico (y excúseseme la redundancia, puesto que todos los miembros de tan benemérita corporación son ínclitos, ya por nacimiento, ya por sus obras) adopta el tono peculiar de las hojitas de acción parroquial cuando clasifican semanalmente los espectáculos desde el punto de vista de su bondad o peligro respecto a las almas de los feligreses.

En realidad, Amezúa no araba terreno nuevo y se contentaba con seguir el surco abierto por predecesores de la talla de un Menéndez Pelayo, a quien, con excesiva frecuencia, los criterios susodichos anulaban u oscurecían unas facultades críticas a menudo notables. Mencionábamos antes su actitud represiva frente al "retrato" de Delicado: arrogándose unos poderes de tutor que nadie, que yo sepa, le había otorgado, el señor Menéndez pretendía privar a las generaciones futuras del acceso a una obra valiosa bajo tantos conceptos simplemente porque chocaba a su propio criterio moral. Las audacias de María de Zayas no justifican una terapéutica tan ruda, y, al responder a los reparos de Ticknor y Pfandl, Amezúa recurre a la graciosísima línea divisoria que establecía Valera entre "el sano realismo español y el sensual naturalismo francés"[26] a fin de dejar bien sentado que nuestra escritora nunca descendió "al pormenor salaz, al rasgo lúbrico y obsceno". En uno de los ensayos de *En torno al casticismo,* Unamuno había trazado una distinción parecida respecto de las heroínas del drama nacional y, hablando del arquetipo femenino de Lope, escribía: "entre esta mujer y su hombre los amores son *naturales,* con pocos intrincamientos eróticos".[27] Nosotros habríamos deseado preguntar al rector magnífico qué entendía por "amores naturales" y a qué "intrincamientos" se refería, pues como no lo aclara nos quedamos en ayunas. Lo que sí es patente es que el escritor vasco abundaba en la opinión de fray Felipe de Meneses, según la cual la "inclinación a lo sensual ... no es natural de la nación española". Para Unamuno, en efecto, "el realismo castellano es más sensitivo que sensual, sin refinamientos imaginativos y con fondo casto. Huele a bodegón más que a lenocinio, y cuando cae en extremo, más tira, aun en la obscenidad, a lo grosero que a lo libidinoso". Afinando la distinción de Valera, agrega: "No son castizos el sentimentalismo obsceno, ni los aderezos artificiosos del onanismo imaginativo del *amor* baboso. No sale de esta casta un marqués de Sade, que en su vejez venerable suelta con voz dulce una *ordure 'avec une admirable politesse'.* Nuestras mozas de partido no son de la casta de las Manon Lescaut y Margarita Gautier, rosas de estercolero".[28]

En fecha reciente, a lo largo de un cursillo centrado en torno a "Erotismo y represión en la literatura española", intenté dilucidar las causas que motivaron el extrañamiento del tema erótico de nuestras letras. La influencia islámica en la obra de Juan Ruiz, que, como tan agudamente captó Américo Castro,[29] hizo posible "la pacífica convivencia del erotismo y la religión", se manifiesta apenas en el libro del Arcipreste de Talavera, cuya sátira del amor y las mujeres, pese a sus deliciosos paréntesis y ambigüedades, se inclina ya, de modo evidente, del lado moralizador de la balanza. Significativamente, desde fines del siglo XV el asunto sólo hallará cabida en el *Cancionero de burlas* y la obra literaria de los conversos.* La subversión erótica que acomete el autor de *La Celestina,* fruto de su concepción ateísta del mundo como guerra, litigio y caos, en medio de los cuales el hombre vive solo y no admite otra ley que la fuerza soberana de sus pasiones, es tal vez el primer precedente serio del universo sadiano y, si exceptuamos el caso de *La Lozana,* publicada en Italia y prácticamente desconocida en la península hasta su descubrimiento por Gayangos, constituye un fenómeno único que, por razones obvias, no tuvo descendencia ni séquito. Como he apuntado en otras ocasiones,[30] la represión castellana del erotismo se esclarece en gran parte desde el instante en que la relacionamos con el contexto general de la lucha de castas: el miedo de los cristianos viejos de que se les tomara por hebreos ocasionó el abandono de los menesteres intelectuales y comerciales, precipitando así la ruina económico cultural del país, y razones idénticas explican la represión de la sensualidad que encarnaban los musulmanes. La mayor "tragedia" histórica de la península (la invasión sarracena y subsiguiente "destrucción de la España sagrada") fue atribuida por nuestros cronistas a un delito sexual (el amor adúltero del rey don Rodrigo por la hija del conde don Julián), y docenas de poemas celebran la penitencia impuesta al rey vencido de ser devorado por una culebra, allí "por do más pecado había". La ofensiva puritana no fue sólo resultado, como comúnmente se cree, del concilio de Trento: se remonta mucho más atrás. Conviene recordar que el texto del *Libro de Buen Amor* ha llegado a nosotros desgraciadamente incompleto: tutores celosos, arrogándose los poderes censoriales que invocaba el señor Menéndez, le arrancaron algunos folios y mutilaron pasajes y versos enteros de su primitiva versión: "La castidad de la expresión escrita —observa acertadamente Castro— fue primero un aspecto de la tarea defensiva de Castilla contra los

moros, y para proteger su ya inmutable carácter más tarde".[31] El lema turístico tan divulgado por los órganos de
propaganda del Ministerio de Información según el cual
Spain is different tiene sus ribetes de verdad: entre nosotros,
en efecto, la condena del erotismo no se llevó a cabo, como
sucedió posteriormente en Francia y, sobre todo, en los países
protestantes, en nombre de la nueva ética burguesa que contrapone la noción "racional" del trabajo a la "animalidad"
—moral contra la que se alzarán luego Sade, Baudelaire, Rimbaud y, en fecha más reciente, D. H. Lawrence y Henry
Miller—, sino en el vacío angustioso de un universo de seres
quietos, fantasmales, casi encantados, puesto que, por razones
de inmanencia castiza, los cristianos viejos desdeñaban el trabajo también. Lo hemos dicho otras veces, pero no nos cansa-
remos de repetirlo: España es la ilustración viva del hecho de
que reprimir la inteligencia equivale a reprimir el sexo, y viceversa: si no ha habido en la península una Enciclopedia ni
una Revolución como la de 1789, tampoco hallaremos en
ella la audacia destructora de un Sade. Una sociedad cuyos
miembros aprendan a disponer libremente de sus cuerpos es
una sociedad que tolerará difícilmente formas políticas opre-
soras: la reivindicación del Eros femenino adopta de inmediato un matiz subversivo en toda comunidad establecida
sobre los mitos del predominio viril y el culto místico de la
virginidad. La experiencia nos muestra que la sumisión a las
normas sexuales de una sociedad dada conduce inevitablemente a la sumisión general a los valores consagrados de
aquélla; la transgresión, por el contrario, desempeña una
"función denunciadora de las fuerzas oscuras camufladas en
valores sociales por los mecanismos de defensa de la colectividad".[32] Tal es, a fin de cuentas, la lección magistral de la tragicomedia de Rojas.

El propósito que guía la pluma de María de Zayas es desde luego bastante más modesto. Como antes dijimos, nuestra
escritora acepta los criterios y reglas de la sociedad de su

tiempo, especialmente en lo que toca a la incompatibilidad entre el amor y la honra y su estimación de la virginidad femenina: esta última, repite una y otra vez, es la joya de más valor que una mujer posee, y su pérdida, como en la leyenda de la Cava, puede acarrear grandiosos desastres, del orden de los que ocasionaron la "destruición" del reino visigodo. Doña Isabel, protagonista de *La esclava de su amante,* después de ser gozada contra su voluntad en el intervalo de uno de esos mortales desmayos que, según las convenciones del género, acometen frecuentemente a los personajes, "volví en mí —dice— y me hallé ... perdida y tan perdida, que no me supe ni pude ni podré ganarme jamás", lo que le infunde tal "furor diabólico" y "mortífera rabia" que, infructuosamente, intenta arremeter a su forzador con la espada. En su admirable ensayo sobre la poesía de Cernuda, Octavio Paz hablaba con ironía de esa empedernida concepción del machismo hispánico que, hoy como ayer, sitúa el honor de los hombres entre las piernas de las mujeres. Como es lógico, una localización tan precisa exige que la mujer se aperciba cuidadosamente para su defensa y elabore, si es preciso, una estrategia susceptible de confundir y admirar al más chulo oficial del Estado Mayor prusiano. "¡Qué peligrosa bala para el fuerte de la honestidad es la porfía!", exclama la hermosa Lisarda en *La más infame venganza.* Caído el bastión y ocupada la plaza, la situación, como saben muy bien los teóricos del *blitzkrieg,* ya no tiene remedio: "Rindióse Octavia, ¡oh mujer fácil! Abrió a Carlos la puerta, ¡oh loca! Entrególe la joya más rica que una mujer tiene, ¡oh hermosura desdichada!". La opinión común de la época no concebía sino un modo de resolver la ecuación dramática y despejar verosímilmente la incógnita. "Ya no sirven desvíos para quien posee y es dueño de tu honor", dice la burlada doña Isabel: fuera del matrimonio reparador la mancha de la honra sólo con sangre del ofensor sale.

Nuestra escritora rinde tributo en apariencia a los valores

consagrados pero, como vamos a ver, introduce en sus relatos una actitud moral que contradice y zapa de modo sutil los fundamentos del código que exteriormente respeta. Los estudiosos de su obra —en especial Lena E. V. Sylvania— han puesto de relieve el feminismo tenaz, precursor, que la emparenta con las modernas sufragistas inglesas. A la verdad, la polémica entre antifeministas (Jaume Roig, Pere Torrelles, fray Francesc Eiximenis, el Arcipreste de Talavera, etc.), y feministas (Juan Rodríguez Padrón, mosén Diego de Valera, don Alvaro de Luna, etc.) ocupa un lugar preeminente en las letras peninsulares desde los tiempos de *Il Corbaccio* y, si en el siglo XVII Quevedo se lanza a una violenta diatriba contra la mujer cuya morbosidad, en la *Hora de todos,* llega a los extremos de una descripción fisiológica que quiere ser repugnante, incluso un *homo hispanicus* del temple de Lope de Vega salía ocasionalmente en su defensa para atraerse quizá las buenas gracias de su querida Marcia Leonarda ("si esto saben hacer y decir los hombres, ¿por qué después infaman la honestidad de las mujeres? Hácenlas de cera con sus engaños y quiérenlas de piedra con sus desprecios"). No obstante, no cabe la menor duda de que el antifeminismo era entonces moneda corriente y, en la introducción al tenue hilo argumental que encuadra los desengaños amorosos del *Sarao y entretenimiento honesto*, la narradora tiene razón al señalar que la fama de las de su sexo se hallaba "tan postrada y abatida" que apenas había quien hablase bien de ellas, "pues ni comedia se representa ni libro se imprime que no sea todo en ofensa de las mujeres, sin que se reserve ninguna".

Blanco especial de las iras de la escritora es esa peculiarísima dialéctica viril que oscila entre el culto a la virginidad y el machismo, la defensa celosa del "virgonor" familiar y un celo idéntico en rendir el bastión ajeno. Pues al donjuán hispano no le basta con penetrar en la ciudadela de la honra, si el glorioso hecho de armas no se divulga y le vale el prestigio y autoridad de la fama: "Cierto es que vosotros las hacéis malas, y no sólo eso, mas decís que lo son. Pues ya que sois los hombres el instrumento de que lo sean, dejadlas, no las deshonréis". María de Zayas se rebela violentamente contra el estereotipo ideal que han forjado los hombres, quizá con el designio de destruirlo en la práctica y extraer un placer secreto del acto de la profanación: "Que no hay mujeres tórtolas que siempre lamentan el esposo muerto, ni Artemisas que mueran llorándole sobre el sepulcro", escribe y, saliendo al paso de las elucubraciones inanes sobre la especificidad del "alma femenina", observa que, si "las mujeres no son Homeros con basquiñas y enaguas y Virgilios con moños, por lo menos, tienen el alma y las potencias y los sentidos como los hombres". La reivindicación no se detiene ahí, y es interesante advertir que la novelista pone el dedo en la llaga cuando plantea el problema de la presunta inferioridad de su sexo, como lo hace hoy Susan Sontag,[33] en términos de vasallaje y colonialismo: "¿Por qué, vanos legisladores del mundo, atáis nuestras manos para las venganzas, imposibilitando nuestras fuerzas con vuestras falsas opiniones, pues nos negáis letras y armas? ¿El alma no es la misma que la de los hombres? ... ; y así, por tenernos sujetas desde que nacemos vais enflaqueciendo nuestras fuerzas con los temores de la honra, y el entendimiento con el recato de la vergüenza, dándonos por espadas ruecas, y por libros almohadillas". María de Zayas se burla —como Cervantes en *Los alcaldes de Daganzo*— de la opinión común sobre su sexo, según la cual "una mujer no había de saber más de hacer su labor y rezar, gobernar su casa y criar sus hijos, y lo demás eran bachillería y sutilezas, que no servían sino de perderse más presto". "Si ha de ser discreta una mujer —dice el necio de don Fadrique en *El prevenido, engañado*—, no ha de menestar saber más que saber amar a su marido, guardarle su honra, y cuidarle sus hijos, sin meterse en más bachillerías". La denuncia del *male chauvinism* y la increíble opresión intelectual bajo la que vive la mujer se tiñe a momentos de una virulencia sarcástica digna de las mejores páginas de *Le deuxième sexe*: "Y así, en empezando a tener discurso las niñas, pónenlas a labrar y hacer vainillas, y si las enseñan a leer es por milagro, que hay padre que tiene por caso de menos valer que sepan leer y escribir sus hijas". La deliberada voluntad de los hombres de rebajar a la mujer e inventarle "vocaciones" de esposa y madre con el objeto de condenarla para siempre a las labores caseras es expuesta crudamente por la narradora de *Tarde llega el desengaño*: "De manera que no voy fuera de camino en que los hombres de temor y envidia las privan de las letras y las armas, como hacen los moros con los cristianos que han de servir donde hay mujeres, que los hacen eunucos por estar seguros de ellos". Los hombres, se lamenta Matilde en *Amar sólo por vencer,* se han propuesto "afeminarnos más que Naturaleza nos afeminó", ya que las mujeres tienen el "alma tan capaz para todo como la de los varones".

Su imperio, añade, ha sido "tiránicamente adquirido", y, abundando en su opinión, la heroína de *Tarde llega el desengaño* exclama: "¡Ea, dejemos las galas, rosas y rizos y volvamos por nosotras: unas con el entendimiento, y otras, con las armas!". Este grito de protesta y rebeldía que hoy esgrimen las militantes del Women's Lib lo reitera nuestra escritora, con igual vehemencia, a lo largo de todos los *Desengaños*: al final del sarao, Lisis afirma que, del mismo modo que ha tomado la pluma en defensa de su sexo, empuñará la espada si es necesario, pues "los agravios sacan fuerzas de donde no las hay", y exhorta a las doncellas y damas allí reunidas a que sigan su ejemplo y combatan incluso con las armas para reivindicar sus derechos frente a los hombres que las calumnian y las tratan como objetos.

Algo más notable aún: la cruzada feminista de María de Zayas no descuida, como pudiera creerse, la exigencia sexual. Las heroínas zayescas no tienen sin duda la franqueza y osadía de la Lozana cuando, encomiando los buenos servicios de su amante Rampín, afirma que ella tenía apetito desde que nació; pero, como Aldonza, no se contentan con ser objeto pasivo del placer del hombre: es decir, no sólo son deseadas sino que desean, y, si son objeto erótico del varón, éste puede ser igualmente objeto erótico suyo. Como es obvio, las normas sociales y morales de la época andaban a mil leguas de las de la Roma que conoció Delicado, y el código que la autora y sus heroínas acatan imponía todo género de cautelas. No obstante, la procesión iba por dentro y el fuego que corroe a los personajes femeninos se trasluce en visiones, pesadillas y sueños que parecen directamente extraídos del consultorio siquiátrico de algún estudioso de Freud. En *Aventurarse perdiendo,* Jacinta refiere que, a los dieciséis años de edad, soñó en que tropezaba con un galán en medio de un bosque amenísimo y describe el encuentro en estos términos: "Traía cubierto el rostro con el cabo de un ferreruelo leonado, con pasamanos y alamares de plata. Paréme a mirarle, agradada del talle y deseosa de ver si el rostro confirmaba con él; con un atrevimiento airoso, llegué a quitarle el rebozo, y apenas lo hice, cuando sacando una daga, me dio un golpe tan cruel por el corazón que me obligó el dolor a dar voces, a las cuales acudieron mis criadas, y despertándome del pesado sueño, me hallé sin la vista del que me hizo tal agravio, la más apasionada que puedas pensar, porque su retrato se quedó estampado en mi memoria, de suerte que en largos tiempos no se apartó ni se borró de ella. Deseaba yo, noble Fabio, hallar para dueño un hombre de su talle y gallardía, y traíame tan fuera de mí esta imaginación, que le pintaba en ella, y después razonaba con él, de suerte que a pocos lances me hallé enamorada sin saber de qué, porque me puedes creer que si fue Narciso moreno, Narciso era el que vi". Cuando, más tarde, Jacinta topa con don Félix, descubre en él "el dueño de su sueño y su alma" y se abandona a su amor casi sin resistencia.

En las restantes obras del género publicadas en España, cuando los personajes femeninos entregan la fortaleza del honor y dan velazquianamente al vencedor las llaves de su rendida Breda, los autores mencionan sólo de pasada el hecho de armas o se limitan a darlo por supuesto, sin detenerse nunca o casi nunca a subrayar la índole sexual de sus relaciones. Si comparamos una vez más las *Novelas* de Lope de Vega con las de Zayas, advertiremos ahora que es esta última y no Lope quien elude y da el quiebro a las convenciones del género, obligando a descender a sus heroínas del plano literario ideal para infligirles las pasiones y achaques de los seres de carne y hueso. Las escenas y alusiones sexuales infunden un soplo de vida al material inerte de los recursos y esquemas de la novelista y salvan una obra que, sin ellas, naufragaría en los escollos de la trivialidad y redundancia: las narradoras del sarao dejan bien sentado que duermen en compañía de sus amantes y se lamentan de la prontitud con que éstos aplacan el fuego de su apetito (vgr., *La burlada Aminta*); cuando las doncellas se desvanecen, sus galanes aprovechan la ocasión para gozar de ellas o entregarse a mil amorosos atrevimientos ("componíale el revuelto cabello, enjugábale las tiernas lágrimas y recibía a vuelta de penosos suspiros, regalados favores, cogiendo claveles de aquel jardín de hermosura", ibid.); si el exceso en la posesión agota el caudal del amor, la heroína denuncia la ingratitud del amante y se queja amargamente de que falte a su lecho (*La fuerza del amor*); mientras Clara llora los desdenes de su don Fernando —atento sólo al cuidado y regalo de la engañosa Lucrecia—, apunta que, con la mitad de su "agasajo", se diera ella por pagada y contenta (*El desengaño andando*). La satisfacción sexual desempeña un papel primordial en la conducta de los personajes femeninos y el varón exhibe con orgullo sus capacidades amatorias: cuando la infantil doña Gracia descubre el placer en brazos de don Alvaro, dice a su esposo que su "otro marido" la regala más que él (*El prevenido, engañado*), y el crédulo don Diego, dando por cierto que la mujer que ha poseído a oscuras es su querida doña Inés, responde con el despecho del amor propio herido a los desaires de ésta: "¿Es posible, señora mía, que vuestro amor fuese tan corto, y mis méritos tan pequeños, que apenas nació cuando murió? ¿Cómo es posible que mi agasajo fuese de¦tan poco valor y vuestra voluntad tan mudable ..." (*La inocencia castigada*). Las enamoradas solicitan con lágrimas los favores y caricias de sus veleidosos amantes y, en el campo de pluma del lecho, tratan de hacerles confesar su pasión sobre "aquel amoroso potro" (*La más infame venganza*): "añudándome al cuello los brazos, me acarició de modo que ni yo tuve más que darle, ni él más que alcanzar ni poseer. En fin, toda la tarde estuvimos juntos en amorosos deleites", evoca doña Florentina en el *Desengaño* final.

María de Zayas alude siempre al vínculo erótico de sus personajes y, al tocar el tema del frecuente desvío de los varones y su descuido de los deberes conyugales, se burla finamente del donjuán que pregona sus triunfos extramuros mientras desatiende los derechos y apetitos legítimos de su media naranja: la narradora de *La inocencia castigada* define la privación sexual de la mujer como un "martirio" y, hablando de las caricias de los esposos, observa con ironía que, "a los principios, no hay quien se la gane a los hombres; antes se dan tan buena maña, que las gastan todas al primer año, y después, como se hallan fallidos del caudal del agasajo, hacen morir a puras necesidades de él a sus esposas, y quizá, y sin quizá, es lo cierto ser esto la causa por donde ellas, aborrecidas, se empeñan en bajezas, con que ellos pierden el honor y ellas la vida". Desesperada y falta de lo que ha menester, prosigue María de Zayas por boca de su protagonista, la mujer hará lo que no hará el demonio, y la culpa será de los galanes y maridos: "Piensan [éstos] que por velarlas y celarlas se libran y las apartan de travesuras, y se engañan. Quiéranlas, acarícienlas y denlas lo que les falta, y no las guarden ni celen, que ellas se guardarán y celarán, cuando no sea de virtud, de obligación".[34] La expresión no puede ser más clara, y la advertencia que transmite tampoco: por un lado, la autora ridiculiza a los amantes vanidosos en términos semejantes a los que emplea la tía de Rampín respecto al marido en el libro de Delicado; por otro, muestra que las mujeres no son meros instrumentos de la sexualidad de los hombres sino que gozan de una sexualidad propia y poseen el temple y valor necesarios para satisfacerla.

La autonomía sexual de las heroínas las libera de su pasividad tradicional y les confiere a veces el papel amoroso activo, ordinariamente atribuido al varón. En otras palabras, mientras la protagonista se viriliza, el héroe desempeña un papel pasivo y se convierte en el objeto erótico de su *partenaire,* con lo que la diferencia de sexos tiende a confundirse, borrarse e incluso desaparecer. Don Jaime, el castellano de *Tarde llega el desengaño,* refiere a don Martín que, años atrás, hallándose en Flandes recibió la misiva de una dama seducida por su talle y gracias, con la invitación de que fuera a visitarla con las condiciones que estipulara el mensajero. Don Jaime acepta y es conducido de noche, con los ojos vendados, a la mansión donde le aguarda su dueña. Esta le guía a su vez a un aposento oscuro y le desvenda los ojos:

> Yo, agradeciéndole tan soberanos favores, con el atrevimiento de estar solos y sin luz, empecé a procurar por el tiento a conocer lo que la vista no podía, brujuleando partes tan realzadas, que la juzgué en mi imaginación por alguna deidad.

Don Jaime añade: "Hasta la una estuve con ella gozando regaladísimos favores, cuantos la ocasión daba lugar", y la dama, para recompensar sus servicios, le dio "una cadena de peso de doscientos escudos de oro, cuatro sortijas de diamantes y cien doblones de a cuatro". Bendiciendo su dicha, el galán juega y departe liberalmente con sus amigos y, llegada la noche, vuelve, conforme a los deseos de su enamorada, al lugar de la cita y se somete de nuevo al ritual del incierto periplo y los ojos vendados:

Y con esto, de la misma suerte que la noche pasada, fui recibido y agasajado, y bien premiado mi trabajo, pues aquella noche me proveyó las faltriqueras de tantos doblones, que será imposible el creerlo.

De tal modo, dice, pasó más de un mes, sin faltar noche ninguna su guía, ni él de gozar su dama encantada, ni ella de cubrirle de dineros y joyas, "que en el tiempo que digo largamente me dio más de seis mil ducados", llevando de día una vida de príncipe y encaminándose luego a sus "oscuras glorias" hasta el punto en que una curiosidad más fuerte que él le impulsa a reclamar una bujía y descubrir el rostro de su enamorada:

Vi, no una mujer, sino un serafín ... Beséle las manos, por las mercedes que me hacía y las que de nuevo me ofrecía y ... colmado de dichas y dineros ... me vine a mi posada.

Error fatal: la noche siguiente, en lugar del sólito cicerone, el mantenido galán encuentra una banda de sicarios que arremeten contra él, y se ve obligado a salir del país para evitar la venganza de la temible y emprendedora dama.

Pero si la conducta de la misteriosa dueña flamenca se ajusta escasamente a los cánones del personaje femenino tradicional, la de doña Beatriz, protagonista de *El prevenido, engañado,* los desafía aún de modo más abrupto. Joven, bella, recatada, noble, su aspirante don Fadrique la tiene por un dechado de pureza y virtud hasta la noche en que, habiéndose introducido a hurto en su casa, a fin de disfrutar secretamente de su vista, se encuentra con que se dirige a las caballerizas con un candelabro de plata y penetra en un aposentillo minúsculo en el que apenas cabe un lecho:

[allí] estaba echado un negro tan atezado, que parecía hecho de un vocací su rostro ... Sentóse doña Beatriz en entrando, sobre la cama, y poniendo sobre una mesilla la vela, y lo demás que llevaba, le empezó a componer la cama, pareciéndole en la hermosura ella un ángel y él un fiero demonio; púsole tras esto una de sus hermosísimas manos sobre la frente, y con enternecida y lastimada voz le empezó a decir:

—¿Cómo estás, Antonio? ¿No me hablas, mi bien? Oye, abre los ojos, mira que está aquí Beatriz; toma, hijo mío, come un bocado de esta conserva, anímate por amor de mí, si no quieres que yo te acompañe en la muerte como te he querido en la vida. ¿Oyesme, amores, no quieres responderme ni mirarme?

Diciendo esto, derramando por sus ojos gruesas perlas, juntó su hermoso rostro con el del endemoniado negro, dejando a don Fadrique, que la miraba, más muerto que él, sin saber qué hacerse, ni qué decirse.

Dentro de la perspectiva de la época, la escena no puede ser más chocante: la heroína, mujer rica y noble, no sólo ejerce el papel activo sino que el varón objeto de sus deseos es nada menos que un esclavo africano. Bajo el molde convencional de un género gastado hasta la urdimbre por el uso y abuso, la subversión de los valores aceptados es total y completa:

Estando en esto, abrió el negro los ojos, y mirando a su ama, con voz debilitada y flaca le dijo, apartándole con las manos el rostro que tenía junto con el suyo:

—¿Qué me quieres, señora? ¡Déjame ya, por Dios! ¿Qué es esto, que aun estando yo acabando la vida me persigues? No basta que tu viciosa condición me tiene como estoy, sino que quieres que cuando ya estoy en el fin de mi vida, acuda a cumplir tus viciosos apetitos. Cásate, señora, cásate, y déjame ya a mí, que ni te quiero ver, ni comer lo que me das; morir quiero, pues ya no estoy para otra cosa.

Y diciendo esto, se volvió del otro lado, sin querer responder más a doña Beatriz, aunque más tierna y amorosamente le llamaba, o fuese que se murió luego, o no quisiese hacer caso de sus lágrimas y palabras.

Lo audaz e insólito no se detiene ahí: doña Blanca, protagonista de *Mal presagio casar lejos,* inquieta por los desdenes y caricias tibias de su marido, y sospechando en la existencia de una rival, decide entrar un día de improviso en sus aposentos y lo descubre en brazos de su paje:

> Vio acostados en la cama a su esposo y a Arnesto, en deleites tan torpes y abominables, que es bajeza, no sólo decirlo, mas pensarlo. Que doña Blanca, a la vista de tan horrendo y sucio espectáculo, ... se volvió a salir, quedando ellos, no vergonzosos ni pesarosos de que los hubiese visto, sino más decompuestos de alegría, pues con gran risa dijeron:
> —Mosca lleva la española.

Claro está que María de Zayas se cura en salud, y tranquiliza de paso a sus lectores, achacando la nacionalidad flamenca a los autores de "tan torpes y abominables pecados, que aun el demonio se avergüenza de verlos", con lo que el honor nacional queda a salvo.[35] Con todo, el episodio (como el del esclavo negro de *El prevenido, engañado*) infringía gravemente a la vez el verosímil del género y la opinión común o, si se quiere, "la amalgama perfectamente representada por la consabida ambigüedad (*obligación* y *probabilidad*) del verbo *deber*". Como ha mostrado muy bien Gérard Genette,[36] la inverosimilitud abarca tanto las acciones contrarias a las buenas costumbres como las que se oponen a toda previsión razonable. Verosimilitud y conveniencia, escribe, convergen en un mismo criterio, a saber: "todo lo que es conforme a la opinión pública". Lo que define la noción de verosímil, agrega, "es el principio formal de respeto a la norma, esto es, la existencia de una relación de implicación entre la conducta particular atribuida a un personaje y una máxima general implícita y admitida". Así, la conducta de doña Beatriz con el esclavo, como la del noble flamenco con el paje, resultaban inverosí miles por cuanto no se ajustaban a la doble acepción del verbo *deber* y eran en estricto rigor acciones sin máxima. Su improbabilidad e inconveniencia tenían que desconcertar y aturdir a don Fadrique y doña Blanca, y ello explica la reacción de esta última, tan absurda y excéntrica, de hacer que saquen al patio el lecho donde se consumó el delito y ordenar que le prendan fuego: enfrentada a una acción sin código, la desdichada señora carecía igualmente de regla de conducta y estaba condenada a actuar a tientas, de un modo anormal e incógnito.[37]

El erotismo que embebe y activa el tejido narrativo de la autora aparece a menudo entreverado con ramalazos de crueldad y violencia. Los relatos de María de Zayas abundan en escenas brutales, llenas de efectos truculentos y, si se me excusa el anacronismo, marcadamente sádicos: en *Al fin se paga todo,* doña Florentina muestra a don García sus cardenales y heridas después de haber sido azotada, desnuda, por su esposo don Gaspar; en *La más infame venganza,* don Juan fuerza el honor de Camila apoyando una daga en el pecho y matizando su punta "con la inocente sangre". Las vindictas de honra se llevan a cabo, por lo común, en una escenografía de "Grand Guignol" o "Spaghetti Western", con un esmero y aplicación exquisitos en la pintura de los menores detalles: don Alonso decapita de un tajo a la infeliz doña Ana, arroja su cuerpo a un pozo y, tomando la cabeza, sale con ella al campo y la entierra en una cueva (*El traidor contra su sangre*); mientras Rosaleta duerme y restaura sus fuerzas después de la sangría que le ha practicado un cirujano, don Pedro le quita la venda y le destapa la vena hasta desangrarla (*El verdugo de su esposa*). Esta muerte tan hispánica (no olvidemos que Ganivet cifraba el simbolismo nacional en las figuras de Séneca y el doctor Sagredo) se repite en *Mal presagio casar lejos* con la malhadada doña Blanca. Aunque los ejecutores (marido y suegro) son flamencos, el modo en que cumplen su cometido es mucho más español que propio de los Países Bajos:

Y entrando los dos con su sangrador y Arnesto, que traía dos bacías grandes de plata, que quisieron que hasta en el ser él también ministro en su muerte dársela con más crueldad. Mandando salir fuera todas las damas y cerrando las puertas, mandaron al sangrador ejercer su oficio, sin hablar a doña Blanca palabra, ni ella a ellos, mas de llamar a Dios la ayudase en tan riguroso paso, la abrieron las venas de entrambos brazos, para que por tan pequeñas heridas saliese el alma, envuelta en sangre, de aquella inocente víctima, sacrificada en el rigor de tan crueles enemigos. Doña María, por el hueco de la llave, miraba, en lágrimas bañada, tan triste espectáculo.

Desangrada como Séneca, doña Blanca "rinde la vida a la crueldad de sus tiranos",[38] pero la escena se queda corta si la comparamos con la degollina de doña Magdalena y toda una cáfila de doncellas, esclavas, criados y pajes que realiza el celoso don Dionís, antes de darse muerte, en *Engaños que causa el vicio*: la llegada de don Gaspar y don Miguel al lugar de autos y el descubrimiento sucesivo de los cadáveres evocan irresistiblemente en el lector de hoy los pormenores de la matanza de Sharon Tate y sus invitados por los *freaks* de Charles Manson. La afición de María de Zayas a lo atroz y violento se combina otras veces con elementos folletinescos de indudable sabor romántico. Sus relatos contienen, en efecto, numerosos episodios que anticipan el mundo novelesco de Walter Scott, Eugène Sue o Victor Hugo, con ahorcados, resurrecciones y criptas góticas: tal es el caso, por ejemplo, del paseo nocturno de Laura por el humilladero, con los cadáveres de los salteadores ajusticiados (*La fuerza del amor*); de la vuelta a la vida de la difunta doña Leonora al escuchar los lamentos de su enamorado don Rodrigo (*El imposible vencido*); del emparedamiento de doña Inés en *La inocencia vencida*; del encuentro salvador de don Juan con los ahorcados en recompensa de su devoción a la Virgen (*El verdugo de su esposa*), etc. En *Tarde llega el desdeño*, don Jaime, confundido por las calumnias de la esclava negra, ejecuta al presunto amador de su esposa y conserva su calavera para que sirva de vaso a ésta, "en que beba los acíbares, como bebió en su boca las dulzuras".

Hechicerías, conjuros y sueños premonitorios asoman igualmente a las páginas de los relatos, aunque a veces nuestra autora se burle graciosamente de ellos (como en la fingida aparición infernal de *El castigo de la miseria*). Pero, por lo común, María de Zayas cree en las fuezas sobrenaturales y, en sus obras, el diablo se deja ver con mayor frecuencia que Nuestra Señora (aquél, en *El desengaño andando, El jardín engañoso* y *La perseguida triunfante*; ésta, solamente en esta última). Los episodios de brujería de *El desengaño andando,* con la viva descripción del gallo con anteojos y la figura humana hecha de cera y, sobre todo, de la posesión carnal de doña Inés gracias a las artes diabólicas de un nigromántico moro, figuran sin duda entre las páginas más logradas de la pluma de la escritora. En ellas (y en algunos pasajes paródicos) el estilo se aligera y desembaraza de los clisés que lastran y dificultan la lectura de sus obras, consiguiendo a momentos una eficacia dramática (o cómica) digna de los mejores escritores de aquel tiempo. Sirvan de ejemplo de ello la sobrecogedora pintura de doña Inés, ciega, desnuda, con los cabellos blancos y el cuerpo plagado de miseria, llagas y parásitos al salir del hueco donde el marido y sus deudos la tabicaron, o la graciosísima exposición del despertar de don Marcos después de su boda con la que él cree joven y adinerada doña Isadora en *El castigo de la miseria*: "Abriendo a un mismo tiempo la ventana, y pensando hallar en la cama a su mujer, no halló sino una fantasma, o imagen de la muerte, porque la buena señora mostró las arrugas de la cara por entero, las que encubría con el afeite, que tal vez suele ser encubridor de años, que a la cuenta estaban más cerca de cincuenta y cinco que de treinta y seis, como había puesto en la carta de dote, porque los cabellos eran pocos y blancos, por la nieve de los muchos inviernos pasados ... Los dientes estaban esparcidos por la cama, porque como dijo el príncipe de los poetas, daba perlas de barato, a cuya causa tenía don Marcos uno o dos entre los bigotes ... doña Isadora, que no estaba menos turbada de que sus gracias se manifestasen tan a la vista, asió con una presurosa congoja su moño, mal enseñado a dejarse ver tan de mañana y atestóle en la cabeza, quedando peor que sin él, porque con la priesa no pudo ver como lo ponía, y así se le acomodó cerca de las cejas". Y mientras la dama se recompone en "el Jordán de su retrete", el acongojado don Marcos descubre que, por contera, la criada ha desaparecido con todos sus dineros y joyas.

El género literario que cultivaba María de Zayas se sitúa, como hemos visto, en los antípodas del documento social o costumbrista tan caro a don Agustín Amezúa. No obstante, pese a la armazón convencional del tema, los recursos gastados y el estilo envarado e inerte, la realidad española se cuela por los intersticios y la escritora deja traslucir las inquietudes de su casta y clase social ante el ocaso del poderío militar hispano y el desplome previsible del Imperio. Las alusiones a la lucha con Portugal y el levantamiento de Cataluña, así como el rumbo desastroso de las guerras con Francia revelan su desazón por la pérdida del espíritu caballeresco y ánimo combativo, y, fiel a sus convicciones feministas, lo achaca al desdén y abandono en que los hombres tienen a las mujeres: "¿De qué pensáis que procede el poco ánimo que hoy todos tenéis, que sufrís que estén los enemigos dentro de España, y nuestro Rey en campaña, y vosotros en el prado y en el río, llenos de galas y trajes femeniles ... ? De la poca estimación que hacéis de las mujeres, que a fe que si las estimarais y amáredes como en otros tiempos se hacía, por no verlas en poder de vuestros enemigos, vosotros mismos os ofreciérades, no digo yo a la guerra y a pelear, sino a la muerte, poniendo la garganta al cuchillo, como en otros tiempos, y en particular en el del rey don Fernando el Católico se hacía, donde no era menester llevar a los hombres por fuerza, ni maniatados, como ahora, ... sino que ellos mismos ofrecían sus haciendas y personas ... ¡Que esto hagan pechos españoles! ¡Que esto sufran ánimos castellanos! Bien dice un héroe entendido que los franceses os han hurtado el valor, y vosotros a ellos, los trajes".

Si exceptuamos el problema de la condición de la mujer, la óptica de la autora suele conformarse a los criterios y valores de la clase aristocrática y la casta cristianovieja (vgr.: "Los criados y criadas son animales caseros y enemigos no excusados que les estamos regalando y gastando con ellos nuestra paciencia y hacienda", dice la "divina" Lisis en el *Desengaño* final).[39] Sin embargo de eso, los estragos causados por el prurito de hidalguía —y el consiguiente menosprecio de los oficios y tareas tildados de moriscos o judaicos— alarmaban ya a los espíritus más lúcidos y nuestra autora lo denuncia en unos párrafos que —abandonando la escenografía de cartón del género— nos ofrecen una acertada instantánea de la realidad social: "En aquellos países, ni en Italia, ninguno se llama Don sino los Clérigos, porque nadie hace ostentación de los Dones como en España, y más el día de hoy, que han dado en una vanidad tan grande, que hasta los cocheros, lacayos y mozas de cocina le tienen, estando ya los negros dones tan abatidos, que las taberneras y fruteras son doña Serpiente y doña Tigre. Que, de mi voto, aunque no el de más acierto, ninguna persona principal se le había de poner. Que no ha muchos días que oí llamar a una perrilla de falda *doña Garifa*, y a un gato, *don Horro*. Que Su Majestad (Dios le guarde) echara alcabala sobre los Dones, le había de aprovechar más que el uno por ciento, porque casa hay en Madrid, y las conozco yo, que hierven de Dones, como los sepulcros de gusanos". Cuando, más de siglo y medio después, Blanco White describe para el público inglés la composición social de su país nativo menciona el anhelo de hidalguía de las clases más bajas en términos casi idénticos.[40]

Un análisis cabal y completo del mundo novelesco de María de Zayas debería incluir los episodios erótico-burlescos cortados del modelo boccacciano (especialmente las sustituciones en el lecho, amantes encerrados en la alacena y maridos burlados y estúpidos de *El prevenido, engañado*) y las sorprendentes conclusiones que coronan algunos de sus relatos (como la entronización del perverso Federico, a raíz de haber confesado *in extremis* sus culpas, en *La perseguida triunfante* o el cínico *happy end* de los bribones en *El castigo de la miseria*: "Y llegados a Nápoles él asentó plaza de soldado, y la hermosa Inés, puesta en paños mayores, se hizo dama cortesana, sustentando en este oficio en galas y regalos a su don Agustín"),[41] pero la falta de espacio nos impide hacerlo aquí. Nuestro propósito era, simplemente, situar el mundo literario de la autora en la perspectiva de su época e indicar las razones por las cuales mantiene su vigencia y es susceptible de alimentar la curiosidad y simpatía de los lectores de hoy. En un país cuya literatura ha servido desde siglos de vehículo transmisor —a menudo admirable— a la institucionalización de sus complejos y frustraciones sexuales, las novelas de María de Zayas se destacan de modo señero y nos conmueven aún con la frescura de su insólito y audaz desafío.

NOTAS

1. *Novelas amorosas y ejemplares de doña María de Zayas y Sotomayor,* Biblioteca Selecta de Clásicos Españoles, Real Academia Española, Madrid, 1948. *Desengaños amorosos, Segunda parte del sarao y entretenimiento honesto de doña María de Zayas y Sotomayor,* BSCE, Real Academia Española, Madrid, 1950.

2. La paulatina desaparición de la trama en favor de la introspección de los personajes coincide sin embargo con los cambios y agitaciones de la revolución industrial burguesa, y hoy, en la época de los vuelos espaciales y el turismo masivo, la vanguardia literaria abandona la descripción de la realidad exterior para centrar su atención en el murmullo discursivo del narrador. La realidad histórica ha sido siempre "rica y poliforme", y escribir, por ejemplo, como hizo recientemente un inspirado carpeto, que "el siglo XVIII fue un siglo de importantes

acontecimientos socioeconómicos" equivale a decir, ni más ni menos que "el sol veraniego calienta". La vida es una cosa y la literatura otra, y explicar, tras una apresurada lectura de Marx (o de la ideología del Maestro a través del evangelio según san Lukács), las formas y creaciones literarias como un mero reflejo de los fenómenos y luchas sociales conduce a los extremos de interpretar la fábula de la lechera a la luz de las preocupaciones "de los protocapitalistas de la sociedad semiburguesa (simbolizados por la lechera)".

3. Dentro de la misma óptica ingenua, el señor Rodríguez Marín se devanaba los sesos en averiguar si Cervantes "inventó" o "copió" *Rinconete y Cortadillo*, a fin de aquilatar el mérito del novelista en función del mayor o menor parecido entre la pintura y el original.

4. Véase Lena E. V. Sylvania, *Doña María de Zayas y Sotomayor. A contribution to the study of her work*, Columbia University Press, Nueva York, 1922; y, sobre todo, Edwin B. Place, "María de Zayas, an outstanding woman shortstory writer of seventeenth Spain", *The University of Colorado Studies*, XIII, n.º 1 (junio 1922). También Ricardo Senabre Sempere, "La fuente de una novela de María de Zayas", *RFE*, XLVI (1963).

5. Como dice Senabre Sempere, "resulta difícil sostener que los artificiosos personajes de *Las fortunas de Diana* o *El juez de su causa* provengan de la observación de un mismo natural. Son creaciones de ficción con un tenue y lejanísimo apoyo en la realidad. Pertenecen a un mundo convencional, artístico en casi igual medida que las novelas bizantinas ... " (art. cit., p. 168).

6. Los novelistas son los primeros interesados en mantener y reforzar la ilusion realista de lectores y críticos, y por ello mismo nos dicen de mil maneras que los sucesos y personajes descritos en sus novelas ocurrieron y existen, y ellos se limitaron a tomarlos del natural. Sobre la "ilusión realista" en Galdós me extendí en dos seminarios de teoría literaria en Boston University (1970) y New York University (1971).

7. Vaya como botón de muestra el comienzo típico de uno de sus relatos: "No ha muchos años que en la hermosísima y noble Zaragoza, divino milagro de la Naturaleza y glorioso trofeo del Reino de Aragón, vivía un caballero noble y rico, y él por sus partes merecedor de tener por mujer una gallarda dama, igual en todo a sus virtudes y nobleza, que éste es el más rico don que se puede alcanzar", etc. Podríamos citar muchísimos otros ejemplos del estilo "natural" (Amezúa *dixit*) de nuestra autora.

8. Cf. *Théorie de la littérature. Textes des formalistes russes*, presentados por Tzvetan Todorov y con prólogo de Roman Jakobson, Editions du Seuil, París, 1965; trad. castellana: Signos, Buenos Aires, 1971.

9. Véase la tesis doctoral de Caroline Brown Bourland,"Boccaccio and the *Decameron* in Spanish and Catalan literatures", *Revue Hispanique*, XII (1905).

10. Victor Shklovski, *Sobre la prosa literaria*, Planeta, Barcelona, 1971. Aunque la obra contiene capítulos de gran interés, constituye un paso atrás respecto a su célebre *Teoría de la prosa*, publicada en la URSS en 1925, y muestra que el autor no se ha repuesto nunca del gran miedo que desencadenó la ofensiva sectaria de 1931 contra los críticos del realismo socialista. Consúltese sobre el tema el documentado estudio de Victor Erlich, *Russian formalism. History-Doctrine*, Mou-

ton, La Haya, 1955; trad. castellana: *El formalismo ruso. Historia-Doctrina*, Seix Barral, Barcelona, 1974.

11. Los seriales televisados del tipo *Misión imposible, Los atrevidos, Ironside, Cannon, Mannix*, etc., suministran estupendos ejemplos de argumentos-crucigrama, constreñidos a un *ars combinatoria* de un reducidísimo número de elementos. El principio estético no difiere mucho del de la novela italianizante o bizantina, y en las *Novelas* de Lope encontramos también los mismos héroes invencibles, encargados de defender los sacrosantos valores patrios frente a la turba amenazadora de las gentes de piel oscura y ojos rasgados: "Aquí acudieron multitud de moros, como a la mayor causa de atrevimiento que jamás habían visto; pero don Felis, sin querer tomar armas de piedras o palos, con que le embistieron, a solas puñadas y mojicones hizo mayor defensa que pudieran con armas dieciséis (!) hombres: al que cogía del cuello arrojaba de sí por largo trecho, y adonde caía se estrellaba; al que daba mojicón bañaba en sangre y le quitaba la vista de los ojos" (*Guzmán el Bravo*, en *Novelas a Marcia Leonarda*, Alianza Editorial, Madrid, 1968, p. 164).

12. Yuri Lotman, "Sobre la delimitación lingüística y literaria en la noción de estructura", en *Estructuralismo y literatura*, Buenos Aires, 1964.

13. Cf. Tzvetan Todorov, *Poétique de la prose*, Editions du Seuil, París, 1971.

14. Véase *Théorie de la littérature*. Sobre el tema, puede consultarse igualmente la mencionada obra de Erlich, y Lee T. Lemon *Russian formalism criticism*, The Nebraska University Press, 1965. El lector español tiene a mano la antología *Formalismo y vanguardia*, con textos de Eikjenbaum, Tinianov y Shklovski, Editorial Alberto Corazón, Madrid, 1970; la obra de Shklovski, *Cine y lenguaje*, Anagrama, Barcelona, 1971, y el célebre ensayo de Propp, *Morfología del cuento*, Fundamentos, Madrid, 1971.

15. *Novelas a Marcia Leonarda*, en la ya citada edición de Alianza Editorial, con prólogo de Francisco Rico.

16. Véase Carmen Bravo-Villasante, *La mujer vestida de hombre en el teatro español. Siglos XVI-XVII*, Revista de Occidente, Madrid, 1955.

17. "Y es de creer que fue necesario el ánimo que el traje varonil le iba dando, para no mostrar su sobresalto y flaqueza", dice de su heroína María de Zayas en *La burlada Aminta*.

18. Véase Guillermo Cabrera Infante, "Una inocente pornógrafa", en *O*, Seix Barral, Barcelona, 1976.

19. En *Las fortunas de Diana*, Lope nos describe la conducta de su heroína que, disfrazada de mancebo, es requerida de amores por su ama Silveria en los siguientes términos: "Murmuraban los labradores el encogimiento de Diana; y ella, por no ser entendida, dio en hacer del galán con las villanas que venían a visitar a su ama. Y como por ser casa grande y de mucha gente de servicio luego se inventasen bailes, Diana dio en salir a ellos y despejarse, con que no desagradaba las labradoras, mayormente una hermana del estudiante referido, que era bachillera y hermosa y picaba en leer libros de caballerías y amores; pero desagradaba a Silveria, que, abrasada de celos, le comenzó a decir una tarde con algunas lágrimas que cómo había sido tan desdichada, que no había negociado su inclinación como las demás labradoras, y que supiese que no era justo que, ya que no la quisiese, por

111

ser ella más desdichada, la matase de celos con su vecina. Sintió tanto Diana el ver apasionada a su señora, que mil veces estuvo determinada de decirle que era mujer como ella; pero temiendo que se había de descubrir quién era, de lo que había de resultar tanto daño, móstrose agradecida y aseguróle los celos con decir que se atrevía a las otras y a ella no, por el debido respeto de ser su dueño, más que de allí, adelante se enmendaría en todo, de cuyas esperanzas quedó Silveria contenta y engañada".

20. Podemos distinguir tres fases en la utilización de un recurso artístico: (1) empleo "natural", cuando el escritor no se da cuenta de su deterioro o envejecimiento; (2) empleo paródico, cuando ha advertido éstos, y los pone voluntariamente al desnudo, y (3) invención de un recurso nuevo. En general, todo procedimiento resulta visible por dos razones: por haberse gastado en exceso y aparecer ya como algo engorroso o, al revés, por su total novedad, cuando su carácter insólito nos sorprende. Entre una y otra fase, no nos percatamos del procedimiento y nos parece "natural". Véase Tzvetan Todorov, *Poétique*, en *Qu'est-ce que le structuralisme?*, Editions du Seuil, París, 1968.

21. Por la misma razón funcional, en la escena capital de *Misericordia*, de Galdós, las palabras sencillas de la abnegada Benina no "llegan a penetrar" en el alma de doña Paca. Al lector ingenuo, la súbita y misteriosa impenetrabilidad de la buena señora no puede menos de sorprenderle, y, con todo, la explicación es muy simple: porque así lo requieren las necesidades de la intriga.

22. La literatura de todos los países y épocas nos procura abundantes muestras de la reflexión crítica del autor respecto a las convenciones del género que cultiva. Sirva de ejemplo el siguiente párrafo, espumado de *Pepita Jiménez* de Valera: "Al llegar a este punto no podemos menos de hacer notar el carácter de autenticidad que tiene la presente historia, admirándonos de la escrupulosa exactitud de la persona que la compuso. Porque si algo de fingido, como en una novela, hubiera de estos *Paralipómenos*, no cabe duda en que una entrevista tan importante y trascendente como la de Pepita y D. Luis se hubiera dispuesto por medios menos vulgares que los aquí empleados. Tal vez nuestros héroes, yendo a una nueva expedición campestre, hubieran sido sorprendidos por deshecha y pavorosa tempestad, teniendo que refugiarse en las ruinas de algún antiguo castillo o torre moruna, donde por fuerza había de ser fama que se aparecían espectros o cosas por el estilo. Tal vez nuestros héroes hubieran caído en poder de alguna partida de bandoleros, de la cual hubieran escapado merced a la serenidad y valentía de D. Luis, albergándose luego, durante la noche, sin que se pudiera evitar, y solitos los dos, en una caverna o gruta. Y tal vez, por último, el autor hubiera arreglado el negocio de manera que Pepita y su vacilante admirador hubieran tenido que hacer un viaje por mar, y aunque ahora no hay piratas o corsarios argelinos, no es difícil inventar un buen naufragio, en el cual D. Luis hubiera salvado a Pepita, arribando a una isla desierta o a otro lugar poético y apartado. Cualquiera de estos recursos hubiera preparado con más arte el coloquio apasionado de los dos jóvenes y hubiera justificado mejor a D. Luis. Creemos, sin embargo, que en vez de censurar al autor porque no apela a tales enredos, conviene darle gracias por la mucha conciencia que tiene, sacrificando a la fidelidad del relato al portentoso efecto que haría si se atreviese a exonerarle y bordarle con lances y episodios sacados de su

escena que, al lector de hoy, resulta no menos convencional que los recursos anticuados de que se burla.

23. *Sobre la prosa literaria*, pp. 138-177.

24. Algunos ejemplos de ello podrían figurar por su propio mérito, sin necesidad de comentario alguno, en los anales de *Celtiberia Show*.

25. Amezúa se refiere a los juicios de Ticknor y Pfandl expuestos, respectivamente, en sus obras *Historia de la literatura española*, Madrid, 1854, vol. III, p. 346, e *Historia de la literatura nacional española en el Siglo de Oro*, Gustavo Gili, Barcelona, 1933, pp. 368-370.

26. Si olvidamos el carpetovetónico distingo, el ensayo de Valera contiene algunas observaciones muy atinadas acerca de los elementos románticos y folletinescos presentes en el naturalismo de Zola y el celo neófito de su discípula Emilia Pardo Bazán. La advertencia de que al adoptar la doctrina literaria parisiense no "nos suceda como a los provincianos, que, al gastarse el dinero en vestirse de moda, lo hacen con retraso, y cuando tienen ya la ropa hecha, averiguan que la moda pasó y hay otra moda nueva", mantiene hoy día toda su vigencia en virtud de lo que Vicente Llorens ha denominado, con tanto acierto, la "discontinuidad española". Véase Juan Valera, "Sobre el arte de escribir novelas", en *OC*, II, Aguilar, Madrid, 1961.

27. *Ensayos*, Publicaciones de la Residencia de Estudiantes, Madrid, 1916, pp. 124-128.

28. El sentimiento que expresa Unamuno es bastante común. En la edad dorada de los prostíbulos, recuerdo haber oído decir a una de las pupilas de la célebre casa Rita de Barcelona —indignada sin duda por las propuestas que uno de los eventuales clientes acababa de susurrarle a la oreja—: "Calla, sucio. Aquí lo hacemos a la española. Si buscas vicios, vete con las francesas de enfrente".

29. Véase *"El libro de Buen Amor* del Arcipreste de Hita", en *España en su historia: cristianos, moros y judíos*, Losada, Buenos Aires, 1948.

* Una lectura sicoanalítica del *Lazarillo* nos ayudaría a descifrar la maraña de símbolos que se desprende de una lectura oblicua de la obra. Un excelente ensayo aún inédito de Javier Herrero resulta sumamente esclarecedor al respecto. [*N. de 1977.*]

30. Claude Couffon, "Don Julián ou la destruction des mythes", *Le Monde* (12 septiembre 1970). Véase también Xavier Domingo, *Erótica hispánica*, Ruedo Ibérico, París, 1972.

31. *Op. cit.* p. 380. Inútil precisar que los ejemplos abundan: de un "Informe del vicepresidente del gobierno al Pleno del Consejo Nacional" (*Ya*, 8 marzo 1972) extraemos los siguientes pasajes: "Para que la actividad universitaria sea la que España necesita ... es absolutamente indispensable que salgan para siempre de la Universidad los profesores y alumnos que lleven a cabo en ella la subversión ... La acción subversiva de la corrupción de las costumbres, del erotismo, de la pornografía, de los espectáculos decadentes, de la literatura soez e inmoral y con harta frecuencia atentatoria a nuestros ideales políticos y patrióticos, está haciendo verdaderos estragos"; el notario y consejero nacional Blas Piñar es aún más explícito: "La anti-España está penetrando en la juventud con las drogas, el erotismo,

113

la proliferación de salas de fiesta de mala nota, para crear una juventud afeminada que puede ser destruida por la llegada de los pueblos machos de Oriente" (*La Vanguardia*, 31 mayo 1972).

32. Véase Pierre Klossowski, *Sade, mon prochain*, Editions du Seuil, París, 1967; también Herbert Marcuse, *Eros y civilización*, traducción castellana, Seix Barral, Barcelona, 1969, y Xavière Gauthier, *Surréalisme et sexualité*, Gallimard, París, 1971.

33. Cf. *Libre*, n.º 4 (otoño 1972). Reproducido en *Ozono* (enero 1977).

34. El hábil empleo del eufemismo ("méritos", "favores", "regalo", "agasajo") y los circunloquios ("lo que les falta", "lo que han de menester") por parte de María de Zayas merecería un estudio aparte.

35. La xenofobia de nuesta autora se trasluce a menudo en sus relatos, en especial contra flamencos y portugueses. En *Engaños que causa el vicio* se refiere a Lisboa sin acompañar el nombre de la ciudad de la retahíla de adjetivos lisonjeros que habitualmente escolta la mención de las capitales peninsulares, y dice de los portugueses que, "con vivir entre nosotros, son nuestros enemigos". El veleidoso y cínico Esteban de *Amar sólo por vencer* es un converso ("No se le conocía tierra ni pariente, porque él encubría en la que había nacido, quizá para disimular algunos defectos de bajeza"), y, al retratar a la presunta Zelima, observa que "pudiera desdorar algo de la estimación de tal prenda el ser mora". El racismo de nuestra autora era tan obvio como el de la inmensa mayoría de sus contemporáneos, y se expresa a veces con candidez desarmante: "Aunque moro, soy de algún modo cuerdo", dice el traidor Hamete en *El juez de su causa*; "conozco, aunque negra, con el discurso que tengo, ya estoy en tiempo de decir verdades", murmura la esclava de *Tarde llega el desengaño*. El físico de esta última, como el del esclavo amante de doña Beatriz, es objeto de una descripción digna de la pluma del *Imperial Wizard* del Ku-Klux-Klan: al divisarla, don Martín juzgó "que si no era el demonio, que debía ser retrato suyo, porque las narices eran tan romas, que imitaban los perros bravos que ahora están tan validos, y la boca, con tan grande hocico y bezos tan gruesos, que parecía boca de león, y lo demás a esta proporción".

36. *Figures, II*, Editions du Seuil, París, 1969. También *Le vraisemblable, Communications*, n.º 7 (1968), artículos de Genette, Todorov, Barthes, Christian Metz, etc.

37. La reacción de doña Blanca me trae a las mientes la de cierto burgués catalán el día que descubrió la homosexualidad de su hijo. Enfrentado a un hecho, para él tan inconveniente e insólito, el caballero en cuestión decidió privar de comida al joven y enviarle a la cama sin cenar. Ignoro si la terapéutica paterna, modelo del *bon seny* del país, dio o no resultado.

38. Curiosamente, María de Zayas atribuye a la ejecución de su heroína la bárbara represión española en los Países Bajos, "pues los estragos, que tocaron en crueldades, que el duque de Alba hizo en ellos, fue en venganza de esta muerte". Dejamos a los historiadores belgas y holandeses la tarea de comentar como se debe tan peregrina interpretación del drama de sus países.

39. Resulta interesante comparar dicha opinión con la que expresa Areúsa en *La Celestina* respecto al trato de las señoras: el contraste no puede ser más flagrante.

114

40. José Blanco White, *Cartas de España,* Alianza Editorial, Madrid, 1972, pp. 64-65; id., *Obra inglesa,* traducción, selección, prólogo y notas de Juan Goytisolo, Formentor, Buenos Aires, 1972, y Seix Barral, Barcelona, 1974.

41. La recompensa del vicio remata igualmente dos obras maestras de la literatura española: el *Retrato de la Lozana andaluza* y la autobiografía picaresca de Estebanillo González. Sobre esta última, véase mi "Estebanillo González, hombre de buen humor", en *El furgón de cola,* Ruedo Ibérico, París, 1967; ahora en Seix Barral, Barcelona, 1976.

115

QUEVEDO: LA OBSESIÓN EXCREMENTAL

A Severo Sarduy

L'anus est toujours terreur, et je n'admets pas
qu'on perde un excrément sans se déchirer d'y
perdre aussi son âme.

ANTONIN ARTAUD

I

A L C O N C L U I R la guerra civil, la sirvienta que se hizo
cargo de mí y de mis hermanos y nos cuidó con el amor y la
solicitud de una madre, solía referirnos la historia de un tal
Quevedo que, habiéndose bajado las calzas para defecar en
un lugar público, de espaldas a los viandantes, fue sorprendido en dicha posición por un distinguido caballero italiano.
"¡Oh, *qué vedo*!", habría exclamado éste con horror al con-
templar el *corpus delicti*, si se me permite la expresión, con las
nalgas en la masa. A lo que habría respondido el español con
mal oculto orgullo: "Anda, ¡hasta por el culo me conocen!".
   Eulalia reía hasta saltársele las lágrimas cada vez que nos
contaba la anécdota. Ella, que con toda seguridad no había
leído una sola línea del autor del *Buscón* e ignoraba por completo su creación literaria, hablaba familiarmente de él, aso-
ciando siempre su cómica, extravagante figura al acto de
defecar u orinar, al excremento y las ventosidades. Mientras
los críticos y estudiosos de la obra de Quevedo acostumbran
a esquivar con un mohín de disgusto la obsesión escatológica
del escritor o la despachan con unas breves frases condescen-
dientes, cuando no francamente condenatorias, el ejemplo de

117

Eulalia muestra que, al revés, sus abundantes alusiones copró-
filas y la leyenda que las envuelve son conocidas y apreciadas
por la gran masa del pueblo, incluso por aquellos que, víctimas de la rígida estratificación social del país, viven enteramente al margen de la cultura. Esta dicotomía, muy común
en la vida española, revela con claridad meridiana el divorcio
existente entre la asepsia intelectual de una *élite* ajena a los
problemas y traumas de los seres humanos concretos y las
preocupaciones a menudo confusas de éstos, que, a falta de un
cauce de expresión adecuado, se manifiestan de modo tangencial y oblicuo en forma de bromas y chistes en torno a lo
indecible, excluido, negado. Fenómeno de carácter neurótico
que divierte a la cultura del terreno fecundo del que normal-
mente debería extraer su savia y al pueblo de la posibilidad
de acercarse a ella en razón de su anemia, atmósfera enrareci-
da, abstrusa jerga erudita, absurdo mandarinato con el resultado archiconocido: un pueblo desprovisto de una cultura
auténticamente suya, en la que se vea reflejado de cuerpo
entero y una cultura antipopular, que prescinde del ser de carne y hueso y lo convierte, en nombre del viejo cristianismo
opresor o la actual religión del progreso, en una mera entidad
abstracta.

II

El examen de la actitud tradicional de la cultura española con
respecto al cuerpo, desde los Reyes Católicos hasta la fecha,
merecería un estudio aparte. El odio a la felicidad corporal de
la mayoría de nuestros escritores es realmente prodigioso, y
un estudio sicoanalítico de autores como Menéndez Pidal o
Unamuno nos reservaría sin duda grandes sorpresas. Ahora
bien, como sabemos desde Freud, gracias a su discutible pero
penetrante análisis de la cultura como neurosis o satisfacción
sustitutiva del goce corporal, la represión actúa todavía con

mayor fuerza sobre el excremento que sobre lo propiamente sexual. A partir de ello es posible comprender e interpretar las fobias, complejos, repulsas de una cultura que ha procedido siempre a cubrirse y a cubrirnos de esta realidad fisiológica por medio del silencio, la ocultación, el desprecio. El simple hecho de que el tema, fundamental en la obra de Quevedo, no haya sido tratado aún con la seriedad que merece, indica hasta qué punto estas represiones y censuras siguen actuando hoy incluso entre nuestros críticos más avanzados. Bajo este concepto, una exploración minuciosa de la mente de algunos quevedistas resultaría tan significativa para nosotros como la del propio Quevedo. Consciente o inconscientemente, y so capa de la presunta asepsia científica, nuestros investigadores han pretendido escamotear la obsesión excremental del autor del *Buscón* en razón de que no cuadra con el esquema de sus altos valores intelectuales. El silencio de numerosos estudiosos de *La Celestina* acerca de los orígenes judíos de Rojas, como su rechazo de la coprofilia de Quevedo son el mejor ejemplo, en el campo de la crítica literaria, de la persistencia y fuerza de los tabús con los que aquéllos se enfrentaron. La negación, decía Freud, es un modo de tener en cuenta lo que está reprimido: la supuesta superioridad cultural y moral que esgrime, por ejemplo, Menéndez Pidal al abordar los campos léxicos tabús en la obra de Góngora o Quevedo disfraza apenas el carácter estrictamente emotivo de sus reacciones —como la de negarse a transcribir para los lectores, a causa de su índole "repugnante", la comparación burlona, trazada por el primero, entre los ojos de una dama y dos orinales.

El tabú que envuelve en la mayoría de expresiones culturales del *homo erectus* la actividad sexual y las deyecciones corporales obedece tal vez, como ha observado Leach, al deseo de suprimir las categorías intermedias entre el "yo", lo "mío", y el "no yo", lo "ajeno". En un sugestivo comentario a sus investigaciones, el hispanista norteamericano Larry Grimes señala con razón que "las excreciones corporales (la orina, el excremento, el semen) forman una categoría de suma ambigüedad; son productos del cuerpo que se separan y expelen al mundo exterior. Puesto que tienen las características tanto de A [es decir, yo, lo mío], como de B [no yo, ajeno] las expresiones referentes a estas sustancias forman parte de la categoría mediadora C, y son objeto de una fuerte interdicción tabú. Lo mismo con la actividad erótica y los órganos sexuales, que representan una zona de confluencia y confusión por contacto directo de dos entes físicos".[1] Esta necesidad de distinguir entre dos posibles objetos del deseo infantil, entre el yo y el no yo, se extendería igualmente a los individuos del mismo sexo y familia, incluyéndolos así en la categoría proscrita y creando los tabús de la homosexualidad y el incesto.

La conducta de la sociedad tocante al tabú lingüístico oscila según las épocas y países. A veces, la actitud severamente moralista del pueblo contrasta con la laxitud y tolerancia de los escritores y en general de las minorías cultas; otras, la posición rígida y puritana de éstas es un fenómeno de reacción contra la tolerancia de los sectores populares respecto a las realidades molestas e impone una evasión eufemística que extiende los campos léxicos tabús hasta límites inimaginables. Como es lógico, dichas oscilaciones no atentan a la vigencia inalterable del tabú; se trata tan sólo de un problema de gradación en el ámbito de la neurosis. En contra de lo que suele decirse, la coprofilia de Quevedo, en vez de ser reflejo de una mente enferma, es, paradójicamente, un síntoma de buena salud: el autor del *Buscón* expresa a su modo la neurosis general de la humanidad, dando libre cauce a las obsesiones y fantasmas ligados al reconocimiento de nuestra realidad corporal —y son precisamente quienes la desdeñan y miran por encima del hombro los que descubren la profundidad incurable de su mal al negarse a admitir aquélla ocultando con verdadera histeria el acto "vergonzoso" de defecar. La escatología de Quevedo nos permite encuadrar en su verdadera perspectiva todos aquellos elementos de su obra que la exceden, complementan o contradicen; *velis nolis*, la asepsia del intelectual puro, en virtud de la consabida dialéctica de la negación y el retorno de lo reprimido, excrementiza y marca con un sello visceral la totalidad de su visión creadora en el campo de la cultura. La neurosis de Quevedo deviene así en el caso de muchos quevedistas una neurosis al cuadrado —una abstracción que deshumaniza al hombre y lo aleja todavía del cuerpo delictuoso que eructa, babea, escupe, orina, defeca y emite ventosidades.

III

Humillación paulatina del valor del cuerpo desde la sociedad peninsular de Al-Andalus hasta el mal llamado Siglo de Oro —de la exaltación jubilosa del placer carnal que embebe la obra de Ibn Hazm y el Arcipreste de Hita, pasando por la actitud ambigua y cínica del de Talavera, para llegar a la traumatizada visión quevediana de la mujer en algunos pasajes sobrecogedores de *La hora de todos*: mientras la pintura del edén coránico cautiva la mente del musulmán con el colorido y sensualidad de su paleta, el cristianismo ha fracasado de modo lamentable en su tentativa de representarnos el cielo. Sólo la imagen del infierno, trazada por sus predicadores con un lujo aterrador de detalles, adquiere un carácter consistente y gráfico. La abstracción y la insipidez de las descripciones del fastidiosísimo reino de los bienaventurados establece una neta separación entre la religión que rehusa el cuerpo y la felicidad de los sentidos y otra que los prolonga y perpetúa en la vida ultraterrenal. Religión y erotismo no son términos antagónicos para el musulmán; su ley no le veda las satisfacciones del placer físico y su paraíso es una condensación portentosa de todas las fantasías y quimeras del hombre del desierto: jardines de voluptuosidad con frutas, palmeras, granadas; aguas que corren mansamente; vino exquisito que no embriaga; lechos nupciales; muchachas de ojos negros, grandes y cándidos, que ningún hombre habrá desflorado antes y que, aun después de ser poseídas, seguirán siendo vírgenes; mancebos hermosísimos que estarán siempre en la flor de la edad, etc.[2] Gracias a la simbiosis vital de Juan Ruiz, el *Libro de Buen Amor* es una obra típicamente mudéjar, en la que los términos cuerpo y espíritu, en lugar de contraponerse y excluirse, actúan de modo armonioso y complementario. Pero la derrota del Islam y el largo proceso de erradicación de sus valores del ámbito de la sociedad hispana abren camino al violento antifeminismo y la represión del cuerpo que configurarán nuestra cultura desde fines del siglo XV hasta la fecha. La línea divisoria se sitúa, como es obvio, en el reinado de Isabel la Católica: durante éste, no sólo se expulsa a los judíos y se crea la Inquisición para vigilar a los conversos: se prohíbe también la importación de libros (es decir, la libre circulación de ideas) y se condena a bígamos y sodomitas a la hoguera (esto es, la soberana disposición del cuerpo). Lentamente, la vida cultural del país deriva hacia la esquizofrenia cotidiana de vivir entre dos planos adversos e incompatibles —amor bajo y amor cortés, poesía elevada y cancionero de burlas provocantes a risa.[3] La obra genial de Quevedo muestra mejor que ninguna otra la gravedad del insoluble conflicto —la imagen adorable de la mujer deseada destruida por la evocación de lo que expele: sangre, excremento u orina. "Considérala padeciendo los meses —escribe en *La hora de todos*—, y te dará asco, y cuando esté sin ellos, acuérdate que los ha tenido, y que los ha de padecer, y te dará horror lo que te enamora, y avergüénzate de andar perdido por cosas que en cualquier estatua de palo tienen menos asqueroso fundamento."

Dicho proceso de abstracción y envilecimiento no es exclusivo de la literatura. La vieja saña del catolicismo a la limpieza del cuerpo —por cuanto acentúa su condición de objeto erótico— se manifiesta desde fecha temprana en forma de una ofensiva general contra los baños y la elaboración de un conjunto de doctrinas que excusan la suciedad física en nombre de la limpieza moral de las costumbres. "Aunque los baños existiesen a veces en Hispania como tradición romanovisigoda antes de la llegada de los musulmanes —escribe Américo Castro—, su presencia entre los cristianos de las tierras reconquistadas era reflejo de usos musulmanes. Cuando en 1086 pereció en la batalla de Zalaca el infante Sancho, hijo de Alfonso VI, el rey preguntó a sus sabios por qué se había debilitado el esfuerzo bélico de sus caballeros; 'respondiéronle ellos que porque entravan mucho a menudo en los bannos et se davan mucho a los vicios. El rey fizo entonces derribar todos los bannos del reino' (*Crónica general*, p. 555). No todos los baños serían derribados, y probablemente se trata de una leyenda. Queda, de todos modos, la idea de ser los baños, muy practicados por los moros, una causa de debilidad y vicio."[4] Nietzsche, por su parte, menciona en el *AntiCristo* que la entrada de los reyes castellanos en Córdoba se acompañó con la destrucción de todos los establecimientos de baños de la ciudad. Poco a poco, éstos cayeron en desuso entre los cristianos, "y desde 1526 —añade Castro— se procuró suprimir los de los moriscos ... En 1576 tuvo lugar una solemne ceremonia y fueron derribados 'todos los baños artificiales' que había en Granada. La gente olvidó la costumbre de lavarse a menudo, en España lo mismo que en Europa, hasta bien entrado el siglo XIX".

Los personajes femeninos del Arcipreste de Talavera mencionan todavía en sus sabrosos monólogos su asistencia a las termas. Un siglo más tarde, en una de las *Patrañas* de Timoneda, el narrador incluye en la descripción idealizada de una bellísima muchacha, a quien contempla a hurtadillas, la siguiente frase: "estando la doncella espulgando a Finea ... ". El acto de quitar las pulgas a la amada cabía, pues, en una pintura sublimada de la misma. La suciedad corporal abarca a todas las clases sociales y aguarda, por así decirlo, la llegada de un genio que la describa. Quevedo representará entonces la apoteosis vengadora de lo fisiológico y visceral —la toma de conciencia del cuerpo negado con su mugre, deyecciones, saliva.

IV

Represión sistemática del cuerpo mediante su radical desposesión del verbo. Expansión omnímoda de un pensamiento opresor que lo niega, rebaja, insulta. Hasta llegar a la situación límite que desdichadamente conocemos: la realidad de un organismo mudo, inerme, culpable, condenado sin apelación por el lenguaje —pulsión rebelde que no puede nombrarse, que debe combatir a cada paso el monopolio del diccionario, que necesita pensar y afirmarse contra su propio instrumental expresivo. Devolver la voz al cuerpo nos parece todavía una empresa quijotesca, casi descabellada —incursión temeraria en terreno minado, en el corazón del campo enemigo: tomar uno a uno los vocablos condenatorios, emprender con ellos un violento forcejeo, darles la vuelta como a un calcetín, transformarlos en boomerang que acomete y pilla por sorpresa a los celosos guardianes de la palabra.

La universalidad del deseo, la búsqueda de un placer ajeno a los límites miserables que impone la realidad choca inevitablemente con los grandiosos edificios "racionales" erigidos por credos, religiones, ideologías. La civilización, como sabemos, ha sido el resultado de una lucha feroz por la existencia que ha supeditado la satisfacción de los impulsos primarios del individuo a imperiosos objetivos sociales. En virtud de la vieja oposición entre libido y productividad —de la que un pensador como Ibn Hazm fue plenamente consciente—, el hombre pierde poco a poco el contacto con su realidad corporal —orgánica, evacuatoria y sexual— en nombre de una serie de valores inhumanos y abstractos —esquemas aparentemente racionales que desembocan a fin de cuentas en monstruosas tiranías. La ideología monolítica y su criatura, el estado totalitario, prescinden de la realidad física del hombre, lo metamorfosean en cuerpo glorioso, lo deshumanizan: mera cifra o entidad incorpórea cuya salvación o bienestar requiere la eliminación de quien se proclama distinto, marginal o inasimilable; simple instrumento al servicio de la intangibilidad del credo o de la doctrina.

Ni el nazismo ni el estalinismo inventaron nada. La expulsión de los judíos, la persecución y quema de apóstatas, herejes o sodomitas implica ya el triunfo de una concepción "racional" que deja de lado a los hombres de carne y hueso en aras de la pureza de los principios. El réprobo relajado al brazo secular no es un ser humano que se retuerce de dolor y grita. Es un alma proterva, una entidad totalmente abstracta e irreal. La España que conoció Quevedo es el paradigma perfecto de un proceso de sublimación fríamente elaborado, en el que los detentadores del poder, los custodios de la doctrina pueden discutir, por ejemplo, de la suerte de sus paisanos moriscos en términos parecidos a los que emplearán tres siglos y medio después los nazis al plantearse, con perversa lógica, la inevitable "solución final": la documentación publicada por Boronat nos muestra a la clase dirigente de la época —gobernadores, nobles, altos dignatarios eclesiásticos— preconizar por turno, para aquella "maldita cizaña", el exterminio puro y simple, la muerte de los padres y esclavitud de los niños, "el que se les metiese en bajeles barrenados sin remos, timones, garfios ni velas", el destierro a alguna isla desierta e incluso la castración y subsiguiente envío a las zonas más desoladas de Labrador o el estrecho de Magallanes —todo ello sazonado con protestas de ferviente caridad cristiana e invocaciones a la divinidad.[5] Sometido a la tiranía implacable del discurso enemigo, el cuerpo resiste como puede al proceso sublimador que lo oculta y abstrae, sin enfrentarse con todo —lo que sería imposible— a la ideología dominadora. Evocar el excremento, saliva u orina será una forma discreta de recordarnos su presencia, de hacernos sentir que "está ahí". Vista desde tal perspectiva, la discutida coprofilia de Quevedo traduce la protesta de un cuerpo que rehusa la condición de "glorioso" y asume provocativamente su *inmunda culpabilidad*.

V

En un conocido episodio del *Buscón*, durante la estancia de Pablos y don Diego en Alcalá, los compañeros de habitación de la posada en que se hospedan gastan al primero una terrible novatada: defecan en su cama. El descubrimiento de las deyecciones y el olor que despiden llenan de vergüenza y congoja al desdichado protagonista del relato. Cuando entra su amo y advierte el olor, Pablos intenta ocultar las heces que le envuelven. Don Diego porfía en sacarle del lecho y le tira tan fuerte de un dedo que se lo descoyunta, con lo que obliga a Pablos a destapar el excremento vertido en medio del regocijo y burlas de la maligna cofradía de estudiantes.[6]

La abundancia de lances y alusiones escatológicas a lo largo del libro me exime de la enojosa tarea de enumerarlos: los orines, materias fecales, salivajos son ingredientes esenciales de la trama novelesca y desempeñan sin lugar a dudas una función primordial. Aunque dichos elementos son bastante comunes en la literatura de la época —y se convierten a menudo en un caso de formalismo temático—, la importancia que asumen en la obra de Quevedo, no sólo en razón de sus implicaciones sociales sino asimismo sicoanalíticas, reviste un carácter verdaderamente excepcional.

Para Maurice Molho —a quien corresponde el mérito bastante raro de abordar sin remilgos dicho sujeto—, la complacencia quevediana en mostrar a los personajes en el acto de defecar, orinar, hablar o escupir, y en general de aprehender al ser humano como cuerpo esencialmente excremental, responde a un proceso de cosificación y revela un "insuperable desprecio del hombre". Al comentar el episodio en que los estudiantes bromistas cubren a Pablos de gargajos, dejándole nevado de cabeza a pies, nos dice que vemos "degradarse al hombre hasta aparecer bajo la cosificante imagen de un organismo, o más bien de un autómata fisiológico, defecador y esputador, capaz de secretar a voluntad el excremento y los mocos de los que está henchido"; y el pasaje en el que el narrador come con unos truhanes y éstos se emborrachan y beben de bruces en una artesa de vino le sugiere la siguiente observación: "la degradación consiste aquí en hacer descender la persona fisiológica al nivel del animal que bebe en el pilón, revolcado en el suelo, como si la posición erecta, atributo específico del hombre, le estuviese prohibida".[7]

Ni que decir tiene que Molho acierta en el propósito del gran escritor de representarnos al ser humano a un nivel estrictamente fisiológico y visceral —pero nuestra interpretación de dicho designio será diametralmente opuesta a la suya. Frente a una ideología monolítica que hace abstracción del ser de carne y hueso y lo sustituye con una entelequia, recordarnos que el hombre es un animal que engulle, orina, esputa y defeca, lejos de rebajar al ser humano y transformarlo en objeto, contribuye, como vio muy bien Bataille, a preservar su conciencia de existir en sí y para sí. Mientras la ideología tiránica niega el cuerpo a fin de ganar el cielo o lo reduce a la condición de un instrumento de trabajo al servicio de la productividad, la presunta animalidad evita al individuo la pesadilla de la abstracción judeo-cristiana y de la reificación capitalista y burocrática. Dado el estigma que envuelve al goce sexual a ojos del catolicismo —más de una vez los héroes de la picaresca, engañados por alguna dama de escasa virtud, escapan a toda prisa de la alcoba de ésta y caen en un balde o barril lleno de excrementos—, las funciones fisiológicas y excretoras del ser de carne y hueso devienen, por así decirlo, un último reducto de resistencia indómita que, en vez de rebajarle y cosificarle, le afirma y humaniza. La coprofilia de Quevedo se nos ofrece entonces bajo una luz diferente: como respuesta del cuerpo mortificado al proceso alienador que lo sublima.

La índole subversiva del pensamiento quevediano aparece todavía con mayor claridad en su poesía satírica. Quevedo expresa a su manera el *inter urinas et faeces nascimur* en uno de los versos más crudos y sugestivos de nuestra lengua: "La vida empieza en lágrimas y caca" —pero, dejando de lado las numerosas referencias al excremento y ventosidades que salpican sus poemas, me referiré tan sólo a la audacia sacrílega con que empareja la cara con el culo, imponiendo sobre la pirámide de diferencias intelectuales y sociales del ser humano una visión radicalmente igualitaria y anárquica:

> Que tiene ojo de culo es evidente,
> y man   , de llaves, tu sol rojo,
> y que tiene por niña en aquel ojo
> atezado mojón duro y caliente.

> Tendrá legañas necesariamente
> la pestaña erizada como abrojo,
> y guiñará, con lo amarillo y flojo,
> todas las veces que a pujar se siente.

> La voz del ojo, que llamamos pedo
> (ruiseñor de los putos) detenida ...

> La llaneza de tu cara
> en nada la disimulo,
> pues profesara de culo,
> si un ojo no le sobrara.

La jerarquía de los rostros, nos dice Quevedo, es una simple máscara destinada a hacernos olvidar la condición uniforme, común de la escamoteada *faz inferior*. Equiparar cara y culo, evocar la estrechísima relación entre los dos rostros —el exhibido y el oculto, el libre y el preso— equivale a impugnar de raíz el arduo proceso sublimador, y es un primer paso en el camino que nos conducirá algún día a la indispensable reapropiación del cuerpo. En este y otros puntos que no puedo tocar aquí, la obra de Quevedo —independientemente de aquellos factores que, como veremos luego, nos la hacen odiosa— refleja con lucidez el insoluble conflicto entre cuerpo y razón y es un grito de alarma de aquél contra la tentativa de convertirnos en ángeles o máquinas —proceso de abstracción o cosificación que dignifica por contraste la llamada animalidad y confiere un carácter humano a sus humildísimas deyecciones.

VI

La obsesión escatológica de Quevedo sólo puede compararse con la de otros dos grandes escritores europeos: Rabelais y Jonathan Swift. Pero mientras las referencias a las funciones fisiológicas y sus productos se integran, en el primero, en una concepción unitaria de la vida más propia de la Baja Edad Media que del Renacimiento —y de ahí sus numerosos puntos de contacto con el mundo del Arcipreste de Hita, Chaucer y Boccaccio—,[8] en el caso de Swift, su neurosis parte de la misma raíz traumática que la del poeta español y sus diferencias de matiz obedecen únicamente al rumbo divergente de las dos sociedades en cuyo seno vivieron y crearon.

Debemos a Norman Brown el primer estudio serio y sistemático de la visión excremental del irlandés —monomanía que se manifiesta especialmente en la cuarta parte de *Los viajes de Gulliver* y en sus últimos poemas "The lady's dressing room", "Strephon and Chloe" y "Cassinus and Peter". La materia subyacente de éstos es la oposición irreductible entre nuestra animalidad, patente sobre todo en el acto de evacuar, y las orgullosas pretensiones de un amor sublimado y platónico. "El rasgo peculiar swiftiano en el tema de Caelia —dice

Brown— es la idea de que existe una absoluta contradicción entre el estado de enamoramiento y la conciencia de la función excremental del ser amado."[9] Nos referíamos antes al horror de Quevedo ante la evocación del cuerpo femenino "padeciendo los meses". Swift reemplazará la imagen profanadora del achaque con la de la evacuación. Al enfrentarse al hecho, el irlandés admite y nos fuerza a admitir que la sublimación platónica de la amada se funda en una represión implacable de la analidad, con lo que la revelación de la verdad adopta necesariamente un carácter traumático. En cuanto al retrato de los Yahoos durante el periplo de Gulliver, los reiterados episodios fecales en que Swift se deleita —por ejemplo, el ritual de la tribu de descargar los excrementos sobre la cabeza del jefe depuesto— nos traen irresistiblemente a la memoria otros lances y pasajes de Quevedo, en los que la coprofilia alcanza las dimensiones de una auténtica apoteosis. Compendiando las cosas, podemos decir que la relación que establecen uno y otro escritor entre el cuerpo y el alma, lo fisiológico y espiritual, explora el vasto campo de sublimaciones culturales que el sicoanálisis estudiará más tarde y rompe a su manera el círculo vicioso opresor en el que el hombre se encierra.

Las discrepancias que existen entre ambos responden —como ha visto muy bien Octavio Paz—[10] a la diversa actitud ante el cuerpo y el trabajo corporal del catolicismo español y el puritanismo inglés. Para uno, la persona humana es un campo de batalla entre Dios y el demonio; para otro, un útil sometido al imperativo racional del trabajo. El catolicismo culpabiliza al cuerpo y lo humilla; el puritanismo lo cosifica y abstrae. Por eso, en el caso de Swift, el escándalo de las buenas conciencias será todavía mayor. La represión intelectual del catolicismo hispano niega la realidad corporal del sodomita o el hereje hasta el extremo de aniquilarlos en el ritual purificador de la pira, pero excusa la bajeza y abyección del ortodoxo atribuyéndola al pecado original y a la naturaleza caída del hombre. El protestantismo inglés —aunque mucho menos rígido en la esfera de la ideología— actúa en cambio con mayor violencia contra el goce sexual aun "legítimo" y procede por primera vez en la historia a la ocultación neurótica del acto de defecar. El triunfo de la estética y la asepsia olfativa traerá como inevitable corolario la inmundicia y hedor de la mente: en el suave, gratísimo reino del WC, papel higiénico y desodorantes, todos somos deudores de un modo u otro a las liberadoras fantasías excrementales de escritores como Quevedo y Jonathan Swift.

VII

En el prólogo a su excelente edición de las *Obras completas* de Quevedo, el profesor Blecua, al examinar las composiciones satíricas de nuestro autor, dice que "tres o cuatro temas se vuelven obsesivos, como el de las doncellas pedigüeñas, el de los cornudos y el del poder del dinero".[11] Si bien ello es cierto en términos puramente cuantitativos, es de lamentar que Blecua haya desdeñado ocuparse en otras materias mucho más personales y significativas, cuya repetición a lo largo de la obra quevediana frisa en la idea fija —no sólo en la ya citada del excremento, sino también en varias manías y fobias tenaces que descubren algunos recovecos y entresijos de la compleja, tortuosa figura del gran escritor: repugnancia y temor a las enfermedades venéreas (y de ahí las alusiones al hospital de Antón Martín y los juegos de palabras con el "mal francés"); racismo virulento dirigido en primer lugar contra lo judío, pero igualmente contra moros (véanse sus poemas "A una mujer afectada", "Matraca de paños y sedas", "A un morisco llamado Moisés") y aun africanos ("A un ermitaño mulato", "Boda de negros"); aversión enfermiza, en fin, al "abominable" *crimine pessimo* ("A un bujarrón", "Epitafio a un italiano llamado Julio"). Estos asuntos —que

131

afloran asimismo en los escritos y actitudes sicópatas del autor de *Mein Kampf*— constituyen tal vez la clave secreta del pensamiento reaccionario, edificado siempre sobre una ciénaga de temores, repulsas y odios —menos contradictorios de lo que a primera vista parece— a la promiscuidad (goce sexual), lo inasimilable y ajeno (razas, culturas diferentes) y la realidad traumática del ano y la atracción latente hacia lo fecal (sodomía).[12]

Las fobias íntimas de Quevedo —personaje repulsivo y fascinador como pocos, mezcla fantástica de anarquista, guerrillero de Cristo Rey y agente de la NKVD o de la CIA— aparecen resumidas en los numerosos poemas —más insultantes que satíricos— que escribió contra su rival y enemigo el poeta don Luis de Góngora. La saña persecutoria del madrileño le conduce a centrar sus venenosos ataques en aquellos puntos susceptibles de desacreditar al cordobés a ojos de sus paisanos e incluirlo en el ghetto infamante de los proscritos: judaísmo y homosexualidad —imagen espantajo por excelencia que los centinelas de la fe y buenas costumbres se esforzaban en exorcizar en aquellos benditos tiempos mediante el envío de los culpables a las mazmorras y quemaderos del Santo Oficio. Veamos unos pocos ejemplos:

¿Por qué censuras tú la lengua griega
siendo sólo rabí de la judía,
cosa que tu nariz aun no lo niega?

En lo sucio que has cantado
y en lo largo de narices,
demás de lo que tú dices,
que no eres limpio has mostrado.

Muy dificultoso eres,
no te entenderá un letrado,
pues, aborreciendo puercos,
lo puerco celebras tanto.

Yo te untaré mis obras con tocino,
para que no me las muerdas, Gongorilla.

Si las referencias antijudaicas son casi continuas, las antiso-
domíticas no abundan menos:

De vos dicen por ahí
Apolo y todo su bando
que sois poeta nefando
pues cantáis culos así.

Poeta de bujarrones
y sirena de los rabos,
pues son de ojos de culo
todas tus obras o rasgos,

Bosco de los poetas,
todo diablos, culos y braguetas,

y dicen lenguas ruines
que de atrás os conocen florentines,

éste, en quien hoy los pedos son sirenas,
éste es el culo, en Góngora y en culto,
que un bujarrón le conociera apenas.

En estos y otros pasajes, Quevedo insiste en la índole
excremental del pecado nefando ("dejad de ventosidades",
"albañal por do el Parnaso", "almorrana de Apolo", "doctor
en mierda y graduado en pujos", etc.) en virtud de la cual
aquél es condenado menos por el hecho de ser un placer
horro de fines procreativos (como es el caso, por ejemplo, del
onanismo o *coitus interruptus*) que por conjugar en el acto de
la cópula (ya sea heterosexual u homosexual) el falo y el ano,
el semen y las heces —imagen doblemente traumática para
una conciencia que niega la realidad del cuerpo y oculta, con
asco, sus "servidumbres" fisiológicas. Con la ejemplaridad
única en que expresa la alienación en una forma totalmente

alienada, Quevedo transforma el ano en ojo y la boca en ano, imponiéndonos así, aun para estigmatizarla, la identidad del rostro inferior y superior, del culo y la cara:

> Hombre en quien la limpieza fue tan poca
> (no tocando a su cepa),
> que nunca, que yo sepa,
> se le cayó la mierda de la boca.

> Dícenme tienes por lengua
> una tripa entre los labios,
> viendo que hablas con ella
> ventosedad todo el año.

Su aversión antisodomítica será tanto más fuerte cuanto mayor haya sido el poder de atracción secreto que sobre él ejercen el ano y la materia fecal. No es necesario ser un experto en asuntos de sicoanálisis para saber que lo que se veda o censura es forzosamente objeto de un deseo: sería absurdo prohibir —e incluir en el campo léxico tabú— lo que nadie —ni aun en sueños— tiene el menor deseo de realizar.

VIII

Si el inconsciente reprimido que ocasiona la neurosis es, como piensan algunos, un inconsciente colectivo, cabe la posibilidad de interpretar la literatura española, aún como mera hipótesis de trabajo, en términos de retención, de estreñimiento. Así, los escasísimos y amazacotados frutos —en verdad coprolitos— de nuestras letras por espacio de dos siglos —exceptuando los de media docena de autores conocidos de todos— y las presuntas cualidades de un estilo conciso, duro, escueto, seco —que se suele atribuir a la gravedad y adustez de la meseta castellana—, serían en realidad producto de una actitud paliativa y avara respecto a la materia que expelemos.

La estrecha relación entre escritura, impulso sexual y excremento no puede ser ya ignorada por nadie. Estudiar la coprofilia de Quevedo sin anteojeras ni repugnancia —arrancándola de las pinzas y gasas de una erudición que tan a menudo la esteriliza— puede constituir un excelente punto de partida para la comprensión y cura eventual de nuestras seculares heridas y traumas.

NOTAS

1. Larry Grimes, "El tabú lingüístico: eufemismo, disfemismo e injuria en México", estudio todavía inédito.

2. Las descripciones más circunstanciadas del paraíso figuran en las suratas 37, 47, 52, 55, 56 y 76 del *Corán*. Inútil precisar que dichos fantasmas son exclusivamente masculinos.

3. La cuestión de los géneros literarios no tiene nada que ver con esto.

4. A. Castro, *La realidad histórica de España*, Porrúa, México, 1966[3], p. 271.

5. Pascual Boronat, *Los moriscos españoles y su expulsión*, Valencia, 1901.

6. Como *La Celestina*, el *Buscón* es una obra sin héroes ni villanos —una lucha de intereses egoístas sometida a la ley del más fuerte. El reciente análisis de Carroll B. Johnson, "*El Buscón*: D. Pablos, D. Diego y D. Francisco", *Hispanófila* (1974), arroja, a mi modo de ver, nueva luz sobre los designios secretos de su creador.

7. M. Molho, *Introducción al pensamiento picaresco*, Anaya, Salamanca, 1970.

8. Como dice Mijail Bajtin en su admirable ensayo sobre Rabelais, "la materia fecal y la orina personificaban la materia, el mundo, los elementos cósmicos ... Orina y materia fecal transformaban al temor cósmico en un alegre espantajo de carnaval". Cf. *La cultura popular en la Edad Media y en el Renacimiento*, Barral Editores, Barcelona, 1974.

9. N. O. Brown, *Eros y Tánatos*, Joaquín Mortiz, México, 1967.

10. Véase mi ensayo "El lenguaje del cuerpo", más adelante, pp. 171-192.

11. Francisco de Quevedo, *Obras completas*, I, Planeta, Barcelona, 1963.

12. La referencia a Reich y a sus análisis del fascismo me parece aquí indispensable.

SUPERVIVENCIAS TRIBALES
EN EL MEDIO INTELECTUAL ESPAÑOL

PARA EL INVESTIGADOR o antropólogo even-
tualmente interesados en el tema, la actitud de un vasto sector
de la intelectualidad hispana hacia la persona y la obra de
Américo Castro pudiera constituir una valiosa indicación
acerca de los usos y costumbres, tabús y reglas que, a lo largo
de décadas, lustros, casi centurias mantienen incólume, recia,
asombrosamente viva, la cohesión y estructura de tan estupenda fauna. En un medio social y moral en el que, por razones no siempre claras, asistimos a una enfermiza exaltación de
cuantas figuras (decretadas previamente intocables) pueblan
(con razón o sin ella) el menguado panteón de nuestras glorias, la excepción operada con algunas resulta, en efecto,
demasiado estridente para que podamos, de buena fe, pasarla
por alto. Quien tomara por moneda de ley la opinión escrita
de nuestros críticos, eruditos e investigadores concluiría razonablemente que la lista mayoritaria de figuras casi enterradas
bajo el peso de los elogios es objeto de una general devoción
no menos unánime. Nada más lejos de la verdad: en España,
como en los tiempos de Moratín o de Alas, una cosa es lo que
se piensa, otra lo que se dice, otra muy distinta aún lo que se
escribe, y otra, finalmente, lo que por *a* o por *b* aparece publicado. Existe entre nosotros, como es sabido, una crítica
hablada que, si no siempre sincera, resulta cuando menos infinitamente más real que el compacto, indigestísimo *corpus* de
la crítica escrita. El culto indiscriminado que, a través de los
periódicos y publicaciones, se tributa a las figuras consagradas (y a su cohorte de figurones y figurillas) nos trae a la
memoria, regularmente, aquella burlona pregunta de Larra:

137

"¿Qué significa escribir elogios en los que no creen ni quien los da ni quien los recibe?". Bien es verdad que, como observara ya Blanco White, los escritores españoles apenas parece que hablan de veras sino cuando se atacan unos a otros. Los usos y costumbres de la república de las letras sancionan esta dicotomía y sus componentes la admiten, por lo general, de buen grado. Ahora, como siempre, la vida intelectual del país oscila, según la conocida frase de Octavio Paz, entre el panegírico y el chisme, la tertulia de café y la Academia. Marginados de la vida pública por espacio de más de treinta años, diríase que los intelectuales hemos aprovechado "el tiempo de silencio" para reglamentar con escolástica minuciosidad los estatutos y leyes que deberían regir el buen funcionamiento de la tribu.[1] Y los castigos y recompensas también: para quien (exteriormente al menos) acata sus mitos y valores, las flores, el incienso a mansalva; para quien prescinde de ellos (o, lo que es peor aún, los combate), la guerra ritual, el hispanísimo "ninguneo".

Las razones del común tirar a degüello contra don Américo Castro resultan perfectamente claras para todos aquellos (tal es el caso del autor de estas líneas) cuyo primer contacto con el mundo de la cultura se remonta al período sombrío de los años cuarenta. La visión providencialista de la historia de España que se nos inculcara entonces debía acompañarnos (como tantos otros esquemas religiosos, políticos o culturales inválidos) hasta muy entrada ya la década siguiente —cuando, a pesar del negro bloqueo a que seguíamos sometidos, la realidad y la experiencia se encargaron, poco a poco, de abrirnos los ojos. Pero, por aquellas fechas, el bachiller español no podía procurarse como hoy los materiales necesarios para analizar por su cuenta los hechos y las preguntas que se planteaba a solas quedaban forzosamente sin respuesta. Se nos había enseñado desde niños que los primitivos moradores de la península presentaban rasgos comunes a los de los tiempos modernos, prueba de la perduración secular de ciertos caracteres étnicos imborrables: de esa línea guadianesca (soterrada) que correría desde Sagunto y Numancia (pasando por don Pelayo, el Cid e Isabel la Católica) a la epopeya del Alcázar de Toledo. Un ángel tutelar velaría por nuestra privilegiada "esencia" a prueba de milenios, por nuestro espíritu "unido por las raíces a lo eterno de la casta". La defensa de esta esencia, de este espíritu, de esta casta habría determinado, a lo largo de los siglos, la existencia de una lucha biológica, necesaria contra la mortal agresión de los "anticuerpos": judíos, moros, protestantes, enciclopedistas, liberales, masones, anarquistas, marxistas...

Recién entrado en la universidad, recurrí, como muchos otros jóvenes de mi edad, a la lectura de los autores que el *establishment* consideraba "respetables" (Américo Castro no figuraba entre ellos: cuando leí por vez primera su obra fundamental había abandonado definitivamente el país y me hallaba en el límite de cumplir —si no los había cumplido ya— los treinta años). Debo decir que mi desilusión fue completa. Sin olvidar la deuda que desde entonces contraje con algunos de estos escritores, lo que me llamó en seguida la atención fue la básica concordancia de sus tesis (de sus visiones) con las que, en forma esquemática y un tanto ingenua, me habían enseñado en las aulas. Como la dudosa autoridad de los manuales excluía toda posible influencia suya sobre tan encumbrados maestros, no tenía más remedio que inclinarme a la hipótesis contraria: la obra de los maestros había inspirado la pluma del torpe profesor universitario según el cual los españoles de hoy descenderíamos poco menos que de Túbal, hijo de Jafet y nieto de Noé. Salvando la distancia existente entre uno y otros, hallaba en todos ellos las mismas "esencias" irreductibles y mitos, las mismas antipatías y prejuicios, la misma arbitrariedad cargante: favoritismo infantil por romanos y visigodos, fobia morbosa contra hebreos y musulmanes, concepción mesiánica de los hechos, admisión expresa o tácita de una presunta intervención celeste en los destinos

139

de nuestra comunidad.[2]

En un país en el que se escribe impunemente acerca del "sevillano" emperador Trajano y de la "españolidad" de Séneca (Ortega y Gasset, Menéndez Pidal), sobre el carácter "pasajero" de la islamización de España (Menéndez Pidal), en el que se sostiene que los musulmanes —esos mismos musulmanes calificados aún recientemente de "invasores" y "depredadores" nada menos que por Emilio García Gómez— no fueron "ingrediente esencial" en la historia de España (el ya citado Ortega) y se edifican teorías superferolíticas respecto al caballero español y cristiano, "paladín defensor de una causa, deshacedor de entuertos e injusticias que va por el mundo sometiendo toda realidad al imperativo de unos valores supremos, absolutos, incondicionales" (García Morente)[3] —elucubraciones y entelequias diariamente repetidas hasta el paroxismo por tanto plumífero irresponsable—, la obra de A. Castro escandaliza y escandalizará. Los mismos críticos que, con quisquilloso puntillismo, han consagrado su tiempo a formular toda clase de reparos a la interpretación castrista de la historia de España aceptan en cambio, sin un pestañeo, los planteamientos "medioevales" y místicos más infundados. Cuando Menéndez Pelayo escribe: "Sin unidad de climas y producciones, sin unidad de cultos ... , sin conciencia de nuestra hermandad ni de sentimiento de nación, sucumbimos ante Roma",[4] dando por supuesto que había ya españoles en Sagunto, Numancia y hasta en la negrísima cueva de Altamira; cuando, en su prólogo al tomo II de la *Historia de España* dirigida por él, Menéndez Pidal dice: "España, reprimiendo su iberismo [¡como quien reprime un flujo de vientre! *J. G.*], viene a ser pronto un país plenamente asociado al orbe latino" y descubre en los dos Sénecas "la primera raíz de ciertas propensiones artísticas españolas, que muy particularmente se desarrollan diecisiete (!) siglos después con los nombres de culteranismo y conceptismo" o ve en Lucano "un primer brote del realismo [español] que va de Cervantes a Goya";[5]

140

cuando García Morente escribe: "La serie de los emperadores, de los filósofos, de los poetas, de los oradores españoles que marcaron rumbos en la política y en la cultura del Imperio [romano] está en la mente de todos. España, en su primer encuentro con un elemento extraño, supo, pues, maravillosamente asimilar lo necesario, conservando, empero, y afirmando la peculiaridad de sus propias esencias populares";[6] cuando Sánchez Albornoz llega a afirmar que "lo arábigo cultural y vital hubo de ser insignificante ... en una España de raza, de vida y de cultura occidental",[7] el ingenuo lector espera razonablemente que los mordaces críticos de la obra de Castro eleven alguna objeción a afirmaciones e hipótesis tan discutibles. Esperanza ilusoria y que muestra por parte de quien incurre en ella una total incomprensión de los criterios y estimaciones vigentes en nuestra comunidad intelectual: dichos autores son, han sido, seguirán siendo objeto de culto y de mimo por los aborígenes de la tribu. Lo que en ésta cuenta es la fidelidad al mito cristiano viejo tras el cual, a partir del siglo XVI, los españoles nos guarnecimos y enmascaramos.[8] Perfectamente normal, pues, la disociación entre "las tareas historiográficas y las exigencias de cierto rigor mental, previo a todo trabajo de erudición" que señalara Castro. Como los matemáticos, nuestros historiadores y eruditos anteriores a él solían dar por supuesta la validez de las premisas en las que fundaban sus investigaciones y concentraban todo su rigor e interés en las operaciones de cálculo: sobre algo tan brumoso e incierto como la continuidad secular de "España" desde los tiempos de la conquista romana hasta hoy, algunos de ellos levantaron hermosos edificios armoniosamente estructurados, con decorados y adornos a menudo admirables, sin preocuparse jamás por averiguar la solidez del terreno. Pero tales problemas no son objeto de discusión por parte de los impugnadores de Castro: la crítica de los maestros constituiría no sólo una notoria falta de respeto a los usos y buenas costumbres (algo así como hurgarse la nariz en público); sería, asimismo, sacrílega. Tal actitud, incomprensible en otro país que no fuere España, explica la fantástica proliferación de dislates que, a la sombra de los intocables, hormiguea en periódicos, revistas y publicaciones sin que nadie, en el anestesiado país, se tome la molestia de rebatirlos. Si Séneca y Trajano fueron "españoles" y la "pasajera" invasión musulmana no constituyó siquiera un "ingrediente esencial" en la historia de España, desembocamos fácilmente, gracias a nuestra "sinrazón congénita", en aquello de que el emperador Trajano hablaba latín con fuerte acento de Sevilla, en la pregunta planteada por un distinguido colaborador de *ABC*: "¿Era andaluz uno de los Reyes Magos?", o en el reciente libro del señor Ignacio Olagüe, cuyo título nos exime de todo comentario: "Los árabes jamás invadieron España". No, no la invadieron, y lo de la mezquita de Córdoba, la Giralda y la Alhambra fue simplemente producto de una caprichosa moda oriental.[9]

Rompiendo con los prejuicios y anteojeras de nuestra historiografía, Américo Castro ha respondido con audacia, originalidad y fuerza a la vieja pregunta que desde mozos nos planteábamos: ¿Cómo se produjo la peculiaridad nacional española y a partir de qué época? El valiente, innovador enfoque por él adoptado llevaba consigo, desde sus comienzos, el necesario enfrentamiento con el inmenso aluvión de tópicos acumulados en los libros de historia y manuales al uso y, a partir de la primera versión de su obra fundamental, se ha consagrado a tan ardua tarea sin vacilación ni desmayo. "Las visiones e interpretaciones del pasado humano —escribe en *Los españoles, cómo llegaron a serlo*— dependen de las ideas y prejuicios de quienes lo contemplan ... Por ser esto así, la historiografía española era antes un informe tapiz, tejido de exaltaciones patrióticas, complejos de inferioridad, antipatías hacia el Islam y los judíos; en suma, más por el criterio valorativo del historiador que por el sereno juicio de qué es y no es real." Si va a decir verdad, la búsqueda del "glorioso linaje español" por parte de nuestros historiadores recuerda la de ciertos hombres de negocios sospechosamente enriquecidos que, para hacer olvidar los orígenes turbios de su fortuna, se fabrican una genealogía que se remonta a la época de las Cruzadas. Este afán de magnificar los orígenes coincide, en efecto, con el secreto deseo de borrar una afrenta: la "continuidad" española, mantenida desde tartesios e íberos hasta nuestros días, sufre, misteriosamente, una interrupción: cuando el ejército visigodo de don Rodrigo es derrotado en el Guadalete por las huestes de Tariq, los invasores árabes no son ni devendrán nunca "españoles" a pesar de haber permanecido en la península, sin interrupción, por espacio de nueve siglos. Con la toma de Granada por los Reyes Católicos se cierra, pues, para muchos, un largo y vergonzoso paréntesis de la historia de España: la casi simultánea expulsión de los judíos no conversos y la que se operará en 1610 con los moriscos en aras de la unidad religiosa, equivalen, según el criterio tradicional, a la eliminación de dos comunidades extrañas a la "esencia" del país no obstante su dilatada convivencia con la cristiana vencedora. Libre de moros y judíos, España recupera su identidad, deviene de nuevo España...

Esta interpretación de nuestro pasado histórico no se ajusta, como hoy sabemos, a la verdad de los hechos. Como ha señalado con pertinencia A. Castro, íberos, celtas, romanos y visigodos no fueron nunca "españoles", y sí lo fueron en cambio a partir del siglo X los musulmanes y judíos que, en estrecha convivencia con los cristianos, configuran la peculiar civilización hispánica, fruto de la triple concepción islámico-cristiano-judaica. El esplendor de la cultura de Al-Andalus y el papel desempeñado por los hebreos en los reinos cristianos de la península modelaron de modo decisivo la futura identidad de los españoles, diferenciándolos radicalmente de los restantes pueblos del Occidente europeo. Esta herencia semita explica, en gran parte, nos guste o no, el peso de la religión en la vida del país, el influjo y poder de la Iglesia y la escasa predisposición nacional por los gobiernos de esencia democrática.

La ingente labor mitoclasta de Américo Castro resulta absolutamente excepcional entre nosotros y, para hallarle antecedentes, deberíamos buscarlos entre los raros escritores que, como él, construyeron su obra al margen o en oposición a los valores hipnóticos de la comunidad. En fecha reciente, repasando los artículos en lengua inglesa del escritor español de mayor talla intelectual de la primera mitad del siglo XIX —me refiero al silenciado Blanco White, cuya obra, como dice con razón Vicente Llorens, constituye "la confesión más angustiosa y personal que haya escrito un español en los tiempos modernos"— tropecé con unos pasajes en los cuales, con su inteligencia e intuición habituales, el autor de las *Letters from Spain* explica para el lector de orillas del Támesis las razones de la proverbial intolerancia hispana en unos términos que, curiosamente, hacen presentir la esclarecedora teoría de Castro:

> Las circunstancias que acompañaron al crecimiento de la nación española desde el tiempo de Pelayo a la conquista de Granada por Fernando e Isabel, produjeron necesariamente el espíritu de fanatismo e intolerancia religiosa que constituye aún hoy el rasgo más característico de este pueblo ...
>
> Mientras los moros fueron poderosos, sus hazañas militares les preservaron del desdén de sus adversarios: en realidad, las alianzas entre los reyes moros y cristianos, aunque siempre deshonrosas para éstos, fueron frecuentes en el primer período de la historia de España. Los habitantes mahometanos de las ciudades conquistadas disfrutaban en dicha época de un cierto grado de tolerancia, bien que inferior a la que habían otorgado originariamente a los cristianos. Pero la decadencia del poder de los moros después de su señalada derrota en las Navas de Tolosa en 1212 abrió plenamente el cauce al orgulloso celo de los castellanos ...
>
> Cuando fue conquistado el último de los reinos moros y los mahometanos que no habían querido abandonar el país

de su nacimiento quedaron a la merced de sus vencedores, el antiguo espíritu de rivalidad marcial cedió completamente el paso a una extraña mezcla de odio, temor y desprecio que transformó la diferencia de credos en una fuente imaginaria de polución e hizo de la ortodoxia el fundamento de una presunta superioridad de naturaleza que distinguía la casta superior de las inferiores y degeneradas. Hasta entonces, solamente los judíos habían vivido en una condición suficientemente abyecta para crear esta clase de aversión. Pero conforme aumentaba el número de esclavos moros, y ni judíos ni mahometanos eran santificados con la ceremonia del bautismo, los españoles cristianos dejaron de distinguir a unos de otros. La noción de *pureza de sangre*, que había influido escasamente en el espíritu público de los primeros tiempos de la monarquía, creció hasta convertirse en el prejuicio nacional más arraigado. La denominación de *honrado*, que la pureza de origen confiere al español, incluso al de condición humildísima, y que, aunque habitualmente emparejada con la calificación de *hombre de bien*, se suele juzgar muy por encima de este elogio, creó una especie de señorío entre las clases bajas. El último de los menudos se sintió más orgulloso de su sangre cristiana impoluta y genuina que los Grandes de sus pomposos títulos. Tanto los labriegos como las clases medias estaban en realidad más apegados a esta distinción imaginaria, porque los miembros de la alta nobleza e incluso los monarcas, seducidos por las amables partes de algunas hermosas infieles, habían transmitido con harta frecuencia a su posteridad el reproche tan español de contar entre sus antecesores con alguno que *recibió el bautismo de pie.*

... Honra y deshonra son realmente hijas de la opinión y ningún poder en la tierra puede conceder una u otra contra la voluntad mayoritaria de la nación: el liberal más exaltado de hoy escaparía santiguándose de descubrir alguna mezcla de sangre en sus venas y las Cortes de Cádiz rehusaron el derecho de ciudadanía a todos los naturales de España de quienes se supiera que descendían de africanos o indios.[10]

El amable lector nos excusará la latitud de la cita que he

traído únicamente a colación con el propósito de mostrar que los factores y hechos a los que Blanco alude no sólo existieron realmente, sino que preocuparon también a los españoles más lúcidos de todos los tiempos.

Como es de suponer, las observaciones de Blanco cayeron en el vacío y sus paisanos tuvieron que esperar bastante más de un siglo para poder interpretar con mayor corrección, gracias a la obra de Castro, su auténtico pasado historiable.

Agradezcamos a Américo Castro su "irreverencia"; el que en lugar de postrarse ante el mito aborigen y rendirle idolátrica adoración, haya ayudado eficazmente a despejar la espesa nube de tinta con la que los enojados calamares pretendían escurrir el bulto, cubriéndonos, al mismo tiempo, los ojos.[11] El lector honesto debe reconocer hoy que su obra significa una auténtica revolución en el campo de nuestra historiografía: una revolución que no se detiene y continuamente revisa y somete a crítica sus propios planteamientos (rasgo éste insólito en un país en donde las opiniones se suelen emitir de una vez para siempre). Los miembros del *establishment* que con tanta complacencia se detienen a señalar "lo flaco de sus cimientos", "lo aventurado de sus conjeturas", "la frecuente variación de sus juicios y opiniones", etc., no parecen caer en la cuenta de que el valor de un trabajo científico no puede reducirse en modo alguno a su resultado final: su fecundidad verdadera radica igualmente en sus tanteos, los cambios de rumbo, las direcciones brevemente apuntadas, los grados sucesivos de elaboración. Unicamente los dogmáticos de toda laya (en España, legión) aspiran a un sistema de conclusiones y fórmulas acabadas y perfectas (que sean o no fundadas es harina de otro costal); no el espíritu investigador que busca en la obra de sus predecesores las pistas, orientaciones, *impasses*, dificultades, descubrimientos, sugerencias que le permitirán caminar más tarde por su propio pie.

En su fino ensayo sobre "La evolución del pensamiento histórico de Américo Castro",[12] Guillermo Araya observa

146

con acierto que una "producción intelectual en perpetuo reajuste y cambio no es muy frecuente" y, tras analizar el espíritu de "insatisfacción y renovación" que la guía, concluye su examen diciendo: "O hay que plegarse a la doctrina de D. Américo o hay que tener muy buenas razones para no hacerlo, pero siempre hay que decidirse al respecto". Nosotros no podemos sino suscribir esta conclusión al asociarnos al homenaje que hoy se le rinde. La figura de nuestro historiador se destaca admirablemente entre el escaso número de personalidades españolas cuyo sano inconformismo debemos defender dentro y fuera de nuestras fronteras. Sólo un conocimiento más cabal del pasado puede ayudarnos a comprender el presente y evitar así que éste se repita en el porvenir. Impugnadora de un mito multisecular, la obra histórica de Castro —y éste es un mérito que ni siquiera sus adversarios podrán en adelante negarle— habrá contribuido decisivamente a centrar el problema.

NOTAS

1. Momentáneamente arrancados al soliloquio, al parloteo inútil o al desplante teatral o taurómaco vacíos de todo significado, los miembros de la comunidad literaria hispana fueron invitados a designar el pasado año, por un conocido mensual, las tres obras de creación más valiosas de la postguerra, un poco como quien designa las señoritas más aventajadas de la región valenciana o los ganadores de un concurso de pesca. Juego revelador, ya que no de la verdad, al menos de los criterios que orientan la estrategia de esta curiosa variedad de nuestra tradicional guerrilla urbana: unos citaban a tal poeta, influyente por su posición o trato social, sencillamente porque aún vive; otros a Cernuda, éste porque ya ha muerto; todos silenciaban a Alberti porque el compromiso se pasó de moda; tal novelista cincuentón mencionaba únicamente a los setentones; tal poeta provecto a sus jóvenes admiradores y epígonos; quienes, en fin, se nombraban mutuamente, en un risueño y gentil intercambio de flores... En general, los fallecidos y los que aparentemente han dejado de escribir (léase de molestar) recogían el mayor número de sufragios. Como decía el desaparecido Martín-Santos, ¿para qué diablos ir a la antipódica isla de Tasmania?

2. "¡Qué vano derroche de ingenio se ven forzados a hacer para explicar el origen de las culturas y sus avances, a veces paralelos y sincrónicos, desde su cam-

147

po de visión, quienes niegan cualquier género de intervención de la Divinidad en el ayer del hombre!" (C. Sánchez Albornoz, *España, un enigma histórico*, Sudamericana, Buenos Aires, 1962, p. 51). Asimismo: "España, a quien la Providencia confirió la misión de salvar la cultura cristiana europea, asume su destino con plenitud cristiana de valor y de humildad" (M. García Morente, *Idea de la hispanidad*, Espasa-Calpe, Madrid, 1961, p. 17). La obra de este último merece ser releída con atención. Rematando su alucinada visión mesianista de la historia española, he aquí cómo resume para el público de habla hispana su visión de la Segunda República y de la guerra civil: "Las necesidades políticas de un Estado extranjero y las obligaciones ideológicas de una teoría social exótica determinaron que desde 1931 España fuese invadida, sin previa declaración de guerra, por un ejército invisible, pero bien organizado, bien mandado y abundantemente provisto de las más crueles armas. La Internacional comunista de Moscú resolvió ocupar España, destruir la nacionalidad española, borrar del mundo la hispanidad y convertir el viejísimo solar de tanta gloria y tan fecunda vida en una provincia de la Unión Soviética" (*op. cit.*, pp. 20-21).

3. ¿Hubiera calificado así nuestro filósofo a los obreros emigrados al servicio de los magnates negreros del Ruhr o a los *valets de chambre* del *Seizième Arrondissement*?

Los resultados de la carpetovetónica opinión de Quevedo (¡tan unamuniana *avant la lettre*!), que los dignos españoles sólo iban a Francia a guerrear y cubrirse de gloria mientras los rastreros y bajos franceses venían a la península a trabajar, los comemos ahora: los franceses vienen hoy a España a pasar sus vacaciones y son los españoles quienes van a buscarse los garbanzos a Francia.

4. *Historia de España*, 1934, p. 352.

5. *Mis páginas preferidas*, Gredos, Madrid, 1957, pp. 112-115.

6. *Op. cit.*, p. 16.

7. "El Islam de España y el Occidente", *Settimane di Spoleto*, XII, vol. 1 (1965).

8. La lectura del último ataque del señor Asensio causó las delicias de uno de esos típicos representantes de nuestra fauna que, lejos del caldo de cultivo nacional, suspiraba por su regreso a Sansueña, dado que, según su propia confesión, "no podía vivir lejos de su tertulia". En el curso de nuestra conversación, recuerdo que el personaje de marras (mezcla fantástica de tradicional cacique, modernísimo *computer* y "necrófago indotado", según denominara Dámaso Alonso a los de su especie) se refirió a Cernuda en estos términos: "Lo conocí. Un tonto, un antipático y un atravesado. Manolito Altolaguirre y Emilito Prados ya otra cosa. Manolito, sobre todo, fue un gran conversador".

De haber tenido oportunidad de conocer al señor Asensio, le hubiese aconsejado que, con la misma ingeniosidad que demuestra en manipular los argumentos de Castro para "probar" el origen cristianonuevo de Quevedo, se sirviese, por ejemplo, de los argumentos de Menéndez Pidal en favor de la milenaria continuidad histórica de España para deducir a su vez, fundándose en las palabras de Estrabón y de Trogo, el origen hispánico (numantino o saguntino) de los desdichados habitantes de Biafra.

9. En una obra anterior, dedicada a Ramiro Ledesma Ramos, *La decadencia*

española (Librería Internacional, San Sebastián, 1939), el señor Olagüe, después de calificar de "solemne embuste" y "patraña" la idea de ser el judío un hábil productor de riqueza y el árabe un maestro del regadío ("Ningún historiador que trate de asuntos españoles debe ignorar que la técnica del regadío data en España nada menos que del Neolítico"), celebra así los decretos de expulsión de 1492 y 1610: "Quien hubiera visto un siglo antes a nuestra península, poblada de seres tan varios, multicolores y corruptos, no hubiera podido menos de asombrarse al reconocerla más tarde formando la masa más homogénea que existiera en Europa, y que puesto a prueba en las más difíciles circunstancias, hizo la maravilla de propios y extraños" (vol. I, p. 236). Precisaremos (por si las cosas no estuvieran claras) que, para el señor Olagüe, "un cristiano judío suele ser tan judío y nefasto como un hebreo judío" (ibid., p. 224).

10. "A visit to Spain", *The Quarterly Review*, vol. XXIX, n.º LVII (1823), pp. 242-243. Incluido en *Obra inglesa*, Formentor, Buenos Aires, 1972, y Seix Barral, Barcelona, 1974, pp. 283-285.

11. "En España se decía que yo carezco de respeto; no me interesa mucho opinar sobre si carezco o no de sentido reverencial, pero sí indicar que para sentir respeto ante algo o alguien estimo indispensable ... que este algo o alquien sean previamente respetables" (Luis Cernuda, *Poesía y Literatura II*, Seix Barral, Barcelona, 1964, pp. 235-236; ahora en *Poesía y literatura I y II*, Seix Barral, Barcelona, 1971, p. 379).

12. *Estudios Filológicos*, n.º 3 (1967).

LA NOVELA ESPAÑOLA
CONTEMPORÁNEA

"¿QUÉ ESPECIE DE FATALIDAD domina hoy en la literatura española? ¿Por qué los que debían escribir callan cuando los que aún no saber leer escriben?" Muchas veces, en el curso de la pasada década, he pensado en la amarga exclamación de Moratín que confirma una vez más el irónico cumplido que Larra solía dirigir a la madre patria: "Para Vd. no pasan días". No, para España no pasan días: nuestra Historia es un "Bolero" de Ravel interminable en el que las mismas situaciones se repiten de modo indefinido, y para ser profeta —para emitir juicios que la realidad se encargará de confirmar años, lustros, siglos más tarde— basta con ser simplemente lúcido y pesimista.

La muerte brutal de Luis Martín-Santos, el silencio prolongado de Rafael Sánchez Ferlosio coinciden en efecto con la crisis y colapso de la que, de modo muy ambiguo por cierto, ha dado en llamarse "novela social española". Digo de modo muy ambiguo pues la literatura, en cuanto lenguaje, es siempre, entre otras muchas cosas, un hecho social, y aun aquel sector de ella caracterizado por el propósito de centrar la atención, no en lo designado, sino en el signo mismo, no puede prescindir totalmente de las funciones de representación, expresión y llamada inherentes al lenguaje común. Pero conviene no perder de vista el axioma de Eikjenbaum cuando, oponiéndose a los abusos de la crítica histórica y sociológica, precisaba que "el objeto de la ciencia literaria debe ser el estudio de las particularidades específicas de los objetos literarios que las distingue de cualquier otra materia, independientemente del hecho que, por sus rasgos secundarios, esta materia pueda dar pretexto y derecho de ser utilizada en otras

ciencias como objeto auxiliar".[1] Tanto la praxis de los formalistas rusos como el desenvolvimiento de la lingüística a partir
de la publicación póstuma de los cursos de Ferdinand de
Saussure nos enseña que las palabras no son los nombres dóci-
les de las cosas sino que forman una entidad autónoma, regi-
da por sus propias leyes. Ello no quiere decir, naturalmente,
que las relaciones entre literatura y realidad social no existan;
pero no tienen, desde luego, el carácter determinista y mecá-
nico que el sector mayoritario de la crítica española les ha
querido dar. Cuando la vida entra en la literatura se convierte
a su vez en literatura y hay que juzgarla como tal. Por eso, si
hablamos de "novela social española" y pretendemos juzgar
el valor de sus frutos, no por su relación con las restantes
obras del género, sino en la medida en que reflejan aspectos
interesantes de la sociedad española contemporánea, esto es,
mediante un recurso a hechos heterogéneos al hecho estudiado, rompemos "la jerarquía de valores de la estructura objeto
de nuestro estudio".[2] Concluyendo su brillante análisis de las
relaciones existentes entre el texto literario y el contexto
social en el que aparece, Tzvetan Todorov propone un enfoque crítico según el cual, para calibrar la obra literaria, habrá
que considerar que en ella "el contexto forma parte del texto"
y "ciertos rasgos estructurales del texto son elementos auténtico del contexto".[3] Como vamos a ver al analizar la llamada
"novela social" que se cultivó entre nosotros entre 1950 y
1965, para comprender de modo idóneo la sintaxis narrativa
de sus obras estamos obligados a referirnos al contexto social
y político en el que aparecieron. Este "índice situacional",
según lo designa Georges Mounin, resulta necesario para la
lectura óptima del texto, dado que nos permite aclarar las
situaciones en cuyo marco el texto estudiado adquiere su pleno sentido. No obstante, insistimos en que éste no puede ser
el criterio único ni siquiera predominante. La llamada "novela social española" es una de las múltiples ramas del árbol
general de ese tipo de discurso literario que ha recibido en el

curso de los siglos el nombre de novela y es, por consiguiente, la simple manifestación de una estructura abstracta mucho más general y de la que es solamente una de sus realizaciones posibles. Pero abandonemos aquí esas reflexiones que nos divierten del tema de la presente charla.

La situación creada por la última guerra civil española hizo retroceder nuestro calendario a los períodos históricos más infaustos vividos por el desdichado país a lo largo de los siglos XVIII y XIX. El triunfo del alzamiento militar provocó la mayor hecatombe intelectual de la historia de España y el establecimiento en las cátedras y tribunas públicas del país de esa fauna peculiar de españoles que amargó la breve vida de Larra y que podríamos llamar "mecanógrafos", puesto que escriben al dictado de quien les alimenta, les viste y les paga el piso. ¿Cómo no recordar, al recorrer nuestra prensa diaria, la burla ingeniosa de Moratín en *La derrota de los pedantes*?: "Se ajustó la paz, coplas a la paz; nacen los gemelos, coplas a los gemelos; nace nuestro príncipe Fernando, coplas a D. Fernando; se hace el bombardeo de Argel, coplas a las bombas; en un palabra, casamientos, nacimientos, muertes, entierros, proclamaciones, paces, guerras, todo, todo ha sido asunto digno de nuestra cítara". Paralelamente, el aislamiento internacional del Régimen y nuestra sempiterna censura habían creado alrededor del país un cordón sanitario semejante al establecido por Felipe II a su regreso de los Países Bajos, cuando impuso a los estudiantes españoles que seguían cursos en las universidades flamencas el regreso inmediato a la península y la obligación de presentarse ante los jueces del Santo Oficio como presuntos portadores de gérmenes, en una medida que Bataillon compara justamente a una cuarentena. Cuando en 1948 ingresé en la Universidad de Barcelona —después de un bachillerato en el que la única obra literaria que se nos dio a leer fue *Pequeñeces* del padre Coloma—, las obras de Alberti y García Lorca, por ejemplo, circulaban en copias escritas a máquina, y conseguir una novela de Camus o de Sartre implicaba el conocimiento previo de alguna red ilegal de libreros especializados en el contrabando de libros prohibidos. Las consecuencias de dicho aislamiento eran fáciles de prever, y las lagunas e insuficiencias culturales de los hombres de mi generación explican en parte el rumbo vacilante y quebrado que luego emprendimos. Aquí también, las palabras de un expatriado ilustre, José M. Blanco White, respecto a los escritores de su tiempo, se ajustan como anillo al dedo a la sociedad literaria en medio de la cual nos formamos: "Faltos de libros, faltos de público que les excitase, que supiese apreciarlos ... los pocos que en España dejaban el camino de las aulas por el de la literatura, no tenían más mundo en que vivir que una pequeña sociedad de amigos, con quienes comunicaban sus ideas, y de quienes recibían el aplauso con que mantenían en vida a su extenuada musa ... Faltábales a los autores libertad, campo ancho en que ejercerla, y caudal de ideas originales, acopiadas por ellos mismos, y no tomadas de mano de revendedores".[4] El conocimiento de tales circunstancias resulta indispensable para la comprensión del propósito crítico que marca a esa generación denominada por José M. Castellet "generación del medio siglo", así como de los límites y obstáculos que fatalmente debían interponerse en su camino e imponerle al cabo de unos años el dilema de callar o proceder a un desgarrador y difícil cambio de rumbo.

Los lectores y críticos extranjeros interesados en las cosas de España se han planteado y me han planteado a menudo la pregunta de cómo en un país tan reaccionario y opresor se pudo producir una literatura de protesta tan abundante entre 1950 y 1965. La respuesta no obstante es clara: a causa misma de su conservadurismo social y asfixiante sistema de censura. La publicación de las primeras obras inconformistas de Cela, su admirable *Pascual Duarte* y esa *Colmena* que, aunque editada originariamente en Buenos Aires, circuló bajo mano por la península, novelas que, según su autor, se proponían hacer concurrencia al estado civil, pasear el espejo stendhaliano a lo largo del camino, ofrecernos su visión personal de la áspera, humilde y doliente realidad cotidiana, significó el punto de partida de todo un grupo de escritores para los cuales la literatura era, conforme a la consabida fórmula de Pavese, "una defensa contra las ofensas de la vida". Hace ya bastantes años, al establecer un balance provisional de nuestra praxis literaria, señalé las razones que nos llevaron al cultivo de una novela "realista", testimonial, fotográfica: "Mientras los novelistas franceses —decía— escriben sus libros independientemente de la panorámica social en que les ha tocado vivir ... los novelistas españoles —por el hecho de que su público no dispone de medios de información veraces respecto a los problemas con que se enfrenta el país— responden a esa carencia de sus lectores trazando un cuadro lo más justo y equitativo posible de la realidad que contemplan. De este modo, la novela cumple en España con una función testimonial que en Francia corresponde a la prensa, y el futuro historiador de la sociedad española deberá apelar a ella si quiere reconstituir la vida cotidiana del país a través de la espesa cortina de humo y silencio de nuestros diarios".[5] El mecanismo represivo impuesto en el país a consecuencia de la victoria del bando clerical-autoritario ilustra, una vez más, la vieja regla histórica frente a la que se estrellan todas las censuras: la de su precariedad y anacronismo, debidos al hecho de querer aplicar leyes y normas, con pretensiones permanentes y fijas, a una realidad que es por esencia fluida y mudable. Entre nosotros, Larra había observado ya que el espíritu de la época logra expresarse siempre a pesar de las barreras y obstáculos de sus enemigos, pero es tal vez en Alcalá Galiano —me refiero al Alcalá Galiano joven, emigrado como Blanco en Inglaterra, antes de que su regreso a Sansueña le enmoheciera el cerebro y embotara el filo a su pluma— donde hallamos la mejor exposición de ese fenómeno que tanto desconcierta a los aprendices de brujo de la censura: "En un país donde no existe la libertad política, donde los escritores se ven reducidos a temas exclusivamente literarios, podrá no parecer muy obvia la conexión entre política y literatura; sin embargo, la misma causa que impide a esa conexión manifestarse externamente en obras impresas, opera en secreto fortaleciéndola".[6] En la España de hoy —una sociedad en la que la política ha sido desterrada para siempre en beneficio de la casta que controla los mecanismos del poder— todo, absolutamente todo deviene política, y nuestros censores parecen dotados del temible privilegio de Midas: politizar instantáneamente cuantos objetos tocan. Como es lógico, la conexión de que nos habla Alcalá Galiano no se manifiesta a primera vista y, para detectarla, se requiere en general un cierto adiestramiento. La lectura de lo que se publica hoy en España —desde los editoriales de la prensa oficial a las reseñas y artículos de las revistas culturales minoritarias— refleja perfectamente esta situación y el lector extranjero —o el que, como yo, ha perdido más o menos, a consecuencia de una larga expatriación, el hábito de gimnasia mental que dicha lectura requiere— permanece a menudo perplejo ante una serie de alusiones cuyo carácter críptico le escapa. Pero debemos recordar con Blanco White que "los pueblos sometidos a gobiernos opresores que no les permiten hablar libremente, tienen la viveza de los mudos para entenderse por señas".[7] Hoy como siempre nuestros poemas, novelas, películas y obras teatrales ofrecen un riquísimo surtido de visajes, gesticulaciones y guiños propios de un pueblo que, si bien en los últimos años engorda y, relativamente, prospera, sigue aún, en apariencia, trágicamente mudo.

En uno de los últimos ensayos recogidos en *El furgón de cola* adelanté las razones de la crisis con que nos enfrentábamos los autores de mi generación —razones directamente vinculadas con los hechos que acabo de mencionar. "La gran confusión reinante estos años entre política y literatura —escribía—, entre eficacia política y eficacia literaria, puede explicar en parte el desajuste que hoy observamos en la obra de nuestros autores jóvenes ... En el momento en que aparecen las primeras novelas y poemas de la generación del medio siglo, el fin de la guerra fría, el deshielo ideológico del campo socialista alimentan la esperanza de una transformación radical y a corto plazo de la anacrónica sociedad española: este objetivo (irrealizable, lo sabemos hoy) parecía exigir de nosotros la movilización, a su servicio, de todas nuestras energías. Como en Italia durante los últimos estertores del fascismo o en la Europa ocupada por los nazis, el quehacer literario se integraba en una lucha más general y ajena a la literatura, en la que ésta actuaba a manera de avanzadilla ... Escribir un poema o una novela tenía entonces (así lo creíamos) el valor de un acto: por un venturoso azar histórico acción y escritura se confundían en un mismo cauce, literatura y vida se identificaban ...".[8]

Cinco o seis años después no puedo sino confirmar las ideas que expresé entonces: todo un sector de la literatura española del período que examinamos, destaca por su propósito de transformar la palabra en acto, de querer competir con la vida, de hacerse "performativa". Los adeptos a los estudios lingüísticos recordarán probablemente los ensayos de J. L. Austin sobre el enunciado performativo, al que define como "el que sirve para efectuar una acción", agregando que "formular tal enunciado es efectuar la acción". Según Benveniste, existen dos clases de enunciados performativos: los actos de autoridad emanados de un poder reconocido ("yo proclamo el estado de excepción") y los que, sin provenir de ninguna autoridad, comprometen no obstante a quien los enuncia en razón de las circunstancias del enunciado ("yo juro, yo me comprometo a hacer tal y tal cosa, etc."). Ahora bien, como precisa el lingüista francés, "un enunciado performativo sólo tiene realidad si es autentificado como acto. Fuera de las circunstancias que lo hacen performativo, dicho enunciado no existe. Cualquiera puede gritar en la plaza pública: 'yo decreto la movilización general'. No pudiendo ser

159

acto por falta de la necesaria autoridad, esta frase no es más que habla, se reduce a un clamor inane, niñería o locura".[9]

El análisis de esta categoría de enunciados me ha llevado a pensar más de una vez en la literatura "comprometida" española de los años 50, fascinada por el espejismo de lo que podríamos llamar "la ilusión performativa". Nuestra herencia cristiana aclara quizá, por aquello de "al principio fue el Verbo", el poder factual, talismánico atribuido a las palabras. Autores como Blas de Otero, Celaya, Nora y otros más jóvenes han proclamado en sus versos un compromiso personal del sujeto enunciante, es decir, del poeta, con la sociedad de su tiempo —compromiso personal, decimos, ya que no acto de autoridad, pues, por suerte o por desgracia, dichos poetas no detentaban poder o jurisdicción algunos. Un rasgo peculiar de esa segunda clase de enunciados es que su carácter performativo se anula cuando el sujeto enunciante es insincero o viola su palabra: el suelo aparecía lleno de trampas y, como la terca realidad hispana no se ha plegado nunca a las admoniciones de los poetas, el compromiso de éstos, a fuerza de repetido y jamás puesto en práctica (uno de ellos afirmó, por ejemplo, con gran arrojo, que se cortaría una mano antes de abandonar la noble causa del pueblo), comenzó a mostrar bajo su áureo y cegador relumbre el triste colorido del oropel. Acción no, clamor inane.

Advirtiendo el peligro, un autor desconocido, Gonzalo Arias, publicó en París, en verano de 1968, una novela titulada *Los encartelados,* que es, en mi opinión, la conclusión lógica de la tendencia que señalamos —ejemplo máximo de literatura performativa, de palabra identificada al acto. En su libro, Gonzalo Arias anunciaba que el autor se proponía iniciar en persona la ejecución del primer capítulo el día 20 de octubre del mismo año, apareciendo, como el protagonista, en una calle céntrica de la capital de Trujiberia con un cartel en la espalda portador de la siguiente leyenda: "En nombre del 71 % de los trujíberos, pido respetuosamente al mariscal

160

Tranco, salvador de la patria, que convoque elecciones libres a la jefatura del Estado". Si mal no recuerdo, en la novela, el personaje era conducido rápidamente a la Dirección General de Seguridad, y al ser liberado, al cabo de cierto tiempo, repetía la operación, acompañado esta vez de dos encartelados más. Poco a poco, siempre en la novela, el país se llenaba de imitadores hasta que, en abril de 1970, el mariscal Tranco, desbordado por la corriente impetuosa de los acontecimientos, tenía que ceder a los deseos de la multitud de encartelados, proclamando, con voz trémula, la anhelada convocatoria de elecciones...

Pasemos de la literatura a la realidad. El 20 de octubre de 1968, Gonzalo Arias salió a la calle, en Madrid, con el cartel fijado a la espalda y, como en la novela, fue conducido rápidamente a la Dirección General de Seguridad. Después de un período de reposo "en la sombra alimenticia y descansadora" de que nos habla Martín-Santos, nuestro autor reincidió en compañía de un discípulo y esta vez fue internado en una casa de salud del tipo de las que en la URSS acogen igualmente a escritores cuyo desarreglo mental les lleva a invocar cosas tan "absurdas" como democratización, libertad de pensamiento o derechos humanos. El que el pueblo trujíbero no siguiera las pautas trazadas y no "escribiera" a su modo el argumento de la novela, no invalida de hecho de que debamos considerar a Gonzalo Arias como el símbolo mismo del autor realmente comprometido, cuya palabra, en lugar de "clamor inane", es autentificada como acto y cumple con los requisitos del enunciado performativo. Visto desde hoy, su acto se identifica con el enunciado del acto, el significado es idéntico al referente.

Gonzalo Arias ha sido el único autor español que ha trasladado a la realidad, al mundo, el espacio de su escritura convirtiendo la calle en papel y el papel en calle. Los demás nos limitamos a emborronar, bien o mal, centenares, millares de páginas, aprisionados siempre en los límites de la palabra escrita. No obstante, teniendo en cuenta las circunstancias

—prohibiciones y cortes de la censura, presiones sociales y editoriales, escaso número de lectores, dificultades económicas, aislamiento, lagunas educativas, insuficiencias culturales, etcétera—, creo que los exponentes de la generación del medio siglo cumplimos como pudimos con las exigencias morales y cívicas del momento en que nos había tocado vivir. No eludimos las responsabilidades. La situación del país nos exigía un compromiso claro y sin equívocos y, en la medida de nuestros medios, nos mantuvimos fieles a él. Pero, como hemos dicho antes, una obra literaria no enlaza tan sólo con el contexto histórico-social en el que surge; responde también, y ante todo, a las leyes evolutivas del género al que pertenece, a las exigencias de su propio arte. Aunque desde el siglo XIX, para la gran mayoría de novelistas y críticos, lo más importante de una novela es su conexión con la realidad exterior que pretende representar, su trabazón con el *corpus* general de las obras publicadas anteriormente a ella es siempre más intensa que la que le une a la "realidad". Mientras es posible concebir obras cuyo contacto con la realidad social y política sea casi nulo, la existencia de una obra vinculada solamente a una estructura heterogénea, sin ningún lazo con las restantes obras del género, es, desde luego, absolutamente inconcebible. Un texto cobra sentido, no aislado, sino en correspondencia con otros textos, con todo un sistema de valores y significaciones previos. Como nos han enseñado los formalistas rusos, no son las obras las que evolucionan, sino la literatura: el texto particular no es más que un ejemplo que nos permite describir las propiedades de la literaturidad. Si enfocamos desde este prisma la producción novelesca española anterior a *Tiempo de silencio,* podremos advertir claramente los vicios de origen que debían conducir a la gran frustración de los últimos años. El desajuste de nuestro calendario con respecto al europeo actuó una vez más, de modo fatal, en contra de nosotros en la medida en que, cuando esa literatura "realista" se impuso por las razones ya descritas en el país, estaba dando en Europa las últimas boqueadas —hablo, claro está, en términos de literatura, no de edición, pues, editorialmente hablando, impera e imperará todavía largo tiempo en razón de los hábitos mentales de rutina y pereza del gran público. La combinación de signos formales de la literatura (pretérito indefinido, estilo indirecto, ritmo escrito) y signos no menos formales del "realismo" (fragmentos de lenguaje popular, expresiones crudas o dialectales, etc.) que denunciara Barthes "no reproduce lo real —como dice el crítico francés— más que entre comillas: palabras populistas, giros descuidados en medio de una sintaxis puramente literaria".[10] Luchando contra esa escritura envejecida, los autores más conscientes buscaban desde primeros de siglo, tanto en Europa como en Estados Unidos, una sintaxis narrativa más coherente, caracterizada por la eliminación progresiva del discurso del autor del cuerpo del relato, conforme al modelo de la categoría abstracta que Benveniste denominaría más tarde "historia": es decir, "la presentación de hechos acaecidos en un momento dado, sin ninguna intervención del locutor en el relato".[11] En este tipo de relato, nos dice Benveniste, no hay siquiera narrador; nadie habla en él; los acontecimientos son expuestos tal como se han producido a medida que surgen en el horizonte de la historia; los hechos parecen contarse por sí solos. La radiografía de esa tendencia novelesca desarrollada a lo largo de la primera mitad del siglo XX evoca inmediatamente entre nosotros el recuerdo de obras que, como *Los bravos* o *El Jarama,* pasan por ser, con razón, los dos logros mayores de nuestra llamada "novela social". *El Jarama* significa sin lugar a dudas la apoteosis de dicha corriente narrativa y ello aclara el por qué las obras posteriores de la misma tendencia nos parecen simplemente redundantes, brotes que no quitan ni añaden nada al tronco o ramas del árbol general de la novela —tan insignificantes, en la mayoría de los casos, como esos sempiternos bodegones naturalistas que vemos en todas las salas de pintura de todas las ciudades del mundo.

Ahora bien, mientras *El Jarama* remataba brillantemente todo un ciclo de nuestra novela y excluía, a causa de su misma perfección, la posibilidad de una descendencia, se gestaba en Europa, principalmente en Francia, una evolución narrativa de signo opuesto que, huyendo de la sequedad y limitaciones de la categoría benvenistiana "historia", buscaba una renovación del género en lo que, para atenernos a la terminología de Benveniste, resultaba ser una reivindicación del "discurso": expresión del lenguaje subjetivo o, si se quiere, "enunciación que supone un locutor y un auditor y, en el primero, la intención de influir en el segundo". Dicho vaivén era consecuencia directa del auge creciente de los estudios lingüísticos y el influjo analítico de los formalistas rusos, Roman Jakobson y el Círculo Lingüístico de Praga. El autor y las escuelas mencionados centran la atención, como es sabido, en el signo y no en la cosa representada y examinan la sintaxis narrativa no tanto en función de la realidad que aspira a reflejar como en su aspecto puramente verbal. A remolque de ellos, todo un sector —el más consciente— de la novelística actual tiende a abandonar la vieja función del género, de representar el mundo exterior, para fijar su atención en el lenguaje; esto es, a pasar de la copia, del lenguaje transparente, a la escritura, a la autonomía del discurso. Si he evocado aquí, a vuela pluma, al nuevo derrotero del género, lo he hecho porque me permitirá dilucidar las razones de la crisis de la novela española, su silencio y cambio de rumbo. Decíamos antes que toda obra literaria obedece en principio a dos coordenadas: la de la realidad histórico-social en que surge y la de las leyes evolutivas de su propio género. Preocupados por responder ante todo a lo que la situación peculiar del país parecía exigir de nosotros, los novelistas españoles no descubrimos sino más tarde el requisito de esa segunda especie de compromiso. Si nuestra concepción estrecha del "realismo" cumplía, en apariencia, con nuestra responsabilidad moral y cívica, distaba mucho de responder a las exigencias culturales, artísticas y científicas del género y de la época. En una primera etapa, nuestra generación había endosado, como un traje de confección, el lenguaje heredado de nuestros mayores: ese insoportable "castellanismo" del 98, convertido, a fuerza de imitación y de copia, en un código insignificante y vacío, en un vasto y asolador pudridero. La inadecuación del propósito crítico a un instrumental expresivo acrítico —un lenguaje incapaz de filtrar ya, a través de su sintaxis calcárea, la complejidad y fluidez del mundo moderno— acabó por convertirse para algunos, como ha señalado recientemente José M. Castellet, en "una pesadilla estética". Para salir del atasco, había que luchar, en primer término, contra las formas artísticas envejecidas que nos aprisionaban e impedían seguir adelante. Para criticar la realidad del país era preciso empezar por la crítica de su lenguaje. Todavía hoy, en España, gran número de escritores "comprometidos" que atacan la casta social que ocupa el poder emplean, sin darse cuenta, el mismo lenguaje que ésta —una misma retórica, aunque de signo opuesto.

El primer novelista que entre nosotros arremetió al lenguaje rancio y embalsamado de los epígonos del 98, y en su primera y, por desgracia, única obra, emprendió su desacralización, simultáneamente a una brillante reivindicación del "discurso" fue Luis Martín-Santos. A diferencia de *El Jarama,* que es una novela coherente, totalmente conseguida, redonda, *Tiempo de silencio* es una obra aún vacilante, desnivelada y con bastantes aristas. Pero ello tiene una explicación. Mientras *El Jarama* es el broche final de un cierto tipo de novela, la conclusión magistral y definitiva de un proceso narrativo que se prolonga durante casi un siglo (y por eso las obras de dicha tendencia, publicadas con posterioridad, nos parecen simplemente reiterativas, muertas, por así decirlo, al nacer), *Tiempo de silencio* es el comienzo de una nueva etapa, una obra que abre para la novelística española todos los caminos y puertas que le cerrara *El Jarama.* Es, pues, el principio de una línea, no el final de ella; el punto de arranque, no su coronación. Esta diversidad funcional —fin, comienzo— deberá tenerse en cuenta en lo futuro para cualquier análisis correcto de los vínculos —no por negativos menos densos— que unen a ambas novelas. Con *El Jarama* culmina y se eclipsa la "historia"; con *Tiempo de silencio* renace y adquiere nueva vigencia el "discurso". Decíamos antes que una corriente novelística actual, siguiendo los pasos de la poesía, tiende a centrar su interés no en la "representatividad" sino en el lenguaje, y el autor propende a disolver el relato de los acontecimientos y acciones en el murmullo de su propio discurso. Ello me lleva a pensar en aquella estupenda afirmación de Vargas Llosa de que el escritor debe ser, ante todo, un "provocador" y a aplicarla a los dos niveles de provocación existentes en el mundo de hoy.

En los países en donde no existe libertad de expresión artística —la Unión Soviética es un buen ejemplo de ello— el poder de provocación del escritor se manifiesta en la elección de aquellos temas que, por ser tabús desde un punto de vista moral y político, asumen de inmediato un matiz subversivo. Así, para enjuiciar la novedad e importancia de estos escritores, lo hacemos en función de su audacia temática, sin tener en cuenta, como es, por ejemplo, el caso del *Doctor Jivago* o las novelas de Soljenitzin, que su esquema, su construcción, su sintaxis repiten, sin grandes variantes, los procedimientos narrativos decimonónicos —un mundo anterior a Marx, a Freud, a Ferdinand de Saussure.

En los países en donde existe aquella libertad expresiva, no hay ya, como es sabido, temas provocadores.[12] Los últimos tabús han desaparecido —cuando menos a un nivel legal— y el escritor no puede escandalizar ya, como hace veinte o veinticinco años, cuando cantaba el incesto o la droga, la homosexualidad o el crimen. Desde el instante en que el desnudo es legal, no puede haber desnudos provocativos. Coincidiendo con la nueva corriente crítica a la que antes me he referido, el escritor, en dichas sociedades, ha interiorizado la provocación, introduciéndola en el lenguaje. Digámoslo bien claro: en el mundo capitalista actual no hay temas virulentos o audaces; el lenguaje y sólo el lenguaje puede ser subversivo.[13]

La fase histórica por la que atraviesa España, híbrido de dictadura y corrupción, desarrollo y pobretería, ayuda a comprender tal vez el cambio operado en nuestra novelística. Hoy por hoy, España ha abandonado sus viejas características de país semidesarrollado sin adquirir no obstante las ventajas materiales y morales de las naciones más ricas. Pero la corriente iniciada es irreversible y, con Borbones, con Trastámaras o con reyes godos, el acercamiento a Europa se acentúa y, verosímilmente, se acentuará aún más. Por obra y gracia de un contacto cada vez mayor con los países extranjeros y sus productos culturales, los temas provocadores que, con las limitaciones antes señaladas, abordamos en la década de los cincuenta han perdido poco a poco su poder de provocación: pólvora mojada, petardo que estalla en el agua, pariente pobre en cualquier caso de las nuevas expresiones literarias que, por venir de otros ámbitos, pueden manifestarse sin cortapisas. Nadie es profeta en su tierra y los escritores de fuera —aun los hispanoparlantes— molestan menos que los propios: si Vargas Llosa hubiese sido español y la acción de su primera novela transcurriera en España, *La ciudad y los perros* habría tenido que publicarse en Lima. Pero la natural diversidad de criterio de nuestros censores no ha hecho más que subrayar una realidad histórica: como en la poesía en tiempos de Darío, la brisa en el campo de la narrativa, sopla hoy del otro lado del Atlántico. Sea como fuere, la prodigiosa floración de la novela latinoamericana de la pasada década ha entrado en España sin graves obstáculos y su efecto en la mejora del gusto público ha sido considerable. De un modo todavía mimético, pero históricamente válido, el lector español de hoy ha comenzado a alzarse a los niveles culturales de fuera, y en España, como en el mundo capitalista en torno al que orbita, la fuerza provocadora del novelista tiende igualmente a interiorizarse y a introducirse en el lenguaje. Tal ha sido cuando menos el propósito que ha guiado la ejecución de mis primeras novelas adultas: *Señas de identidad* y, sobre todo, *Reivindicación del conde don Julián.* No he abandonado en ellas en modo alguno el compromiso que buscaba en mis obras juveniles. Simplemente, lo he trasladado a otro nivel. Nuestro anquilosado lenguaje castellanista exige —lo repito desde hace tiempo— el uso de la dinamita o el purgante. Nuestra actitud frente a él debe ser deliberadamente sacrílega. Como decía Valle-Inclán, en una entrevista publicada dieciséis meses antes de su muerte: "¿Usted ha visto que los herejes entren en la Iglesia? Yo soy un hereje a sabiendas. Con plena conciencia de mi responsabilidad y de mi apostasía. El idioma hay que renovarlo, como todo en la vida: la política, las costumbres, todo. ¿Vamos a estancarnos en el siglo XIX, por ejemplo, suponiendo que en esta centuria alcanzara su máximo esplendor la lengua castellana? No, no, yo no seré académico nunca ... Soy un heterodoxo, y sobre los réprobos pesa la pena de excomunión".

Creo que algunos coetáneos míos y los novelistas que hoy empiezan a publicar aprobarían también, de conocerlas, las palabras del gran maestro, tan tónicas y ejemplares en una sociedad, como la nuestra, en la que todo conspira a ahogar el fuego de la rebeldía juvenil bajo el peso de un conformismo estéril, corrupto. Ojalá, con el heroísmo que implica vivir y trabajar en un país "en donde muere la inspiración envuelta en humo", alcancen un día la vejez biológica con esa juventud indemne que siempre me trae a la memoria una frase que otro anciano irrecuperable, el músico francés Erik Satie, solía repetir en los últimos años de su vida: "Quand j'étais jeune, les gens, autour de moi, me disaient: Ah, vous verrez, vous verrez quand vous aurez soixante ans! Eh bien, maintenant, j'ai plus de soixante ans, et j'ai rien vu".

NOTAS

1. Véase *Théorie de la littérature*, antología de textos de los formalistas rusos por Tzvetan Todorov, con prólogo de Roman Jakobson, Editions du Seuil, París, 1966; trad. castellana: Signos, Buenos Aires, 1971. Sobre los formalistas rusos consúltese igualmente Victor Erlich *The Russian formalism. History-Doctrine*, Mouton, La Haya, 1955 (trad. castellana: Seix Barral, Barcelona, 1974); Lee T. Lemon, *Russian formalism criticism*, University of Nebraska Press, 1965; *Formalismo y vanguardia*, textos de Eikjenbaum, Tinianov y Shklovski, Alberto Corazón, Madrid, 1970.

2. "Les travaux du Cercle Linguistique de Prague. Thèses de 1929", *Change* (1969); trad. castellana: Alberto Corazón, Madrid, 1970.

3. "L'analyse du récit à Urbino", *Communications*, n.º 11 (1968).

4. *Variedades o Mensajero de Londres* (1823), p. 340-342.

5. *El furgón de cola*, Ruedo Ibérico, París, 1967, p. 34; Seix Barral, Barcelona, 1976².

6. *Literatura española del siglo XIX*, traducción y prólogo de Vicente Llorens, Alianza Editorial, Madrid, 1969.

7. *El Español*, nº 10 (enero 1811).

8. Pp. 51-52 (p. 86 de la ed. Seix Barral).

9. *Problèmes de linguistique générale*, Gallimard, París, 1966, p. 273; trad. castellana: Siglo XXI, México, 1971.

10. *Le degré zéro de l'écriture*, Editions du Seuil, París, 1953.

11. Ibid., pp. 238-245.

12. La libertad de expresión artística del mundo capitalista se halla sujeta en realidad a las leyes del mercado, a la fetichización de la mercancía. Escrito hace más de veinte años, el ensayo de Luckács *Arte libre o arte dirigido* sigue conservando una actualidad candente.

13. En 1968, se celebró en Constanza (Suiza) un coloquio de escritores y críticos de los países germanoparlantes en el que se discutieron algunos de los problemas que rozamos aquí.

ción poética y narrativa; a la singular "creatividad" del
ensayo y la crítica en Francia, una anemia e inseguridad muy
marcadas en el campo tradicional de la poesía y la novela.
Digo "tradicional" pues, como vamos a ver, dicho esquema
abarca sólo un aspecto de la cuestión y las cosas son en realidad bastante más complejas tanto cuanto que uno de los rasgos esenciales de la literatura de nuestro tiempo radica precisamente en la supresión de las aduanas y fronteras estableci-
das entre los géneros clásicos en favor de una producción textual descondicionada que los englobe y a su vez los anule:
textos que sean a un tiempo crítica y creación, literatura y discurso sobre la literatura y, por consiguiente, capaces de conte-
ner en sí mismos la posibilidad de una lectura simultáneamente poética, crítica, narrativa. Bajo este concepto podríamos
estimar (es una mera hipótesis) la insólita y admirable explo-
sión de la narrativa en lengua española de los últimos años
(especialmente en Latinoamérica) como el canto de cisne de
un género cuya significación y aun vitalidad no pueden prolongarse mucho tiempo en su forma actual —deslumbrador
castillo de fuegos de artificio destinado a ocultarnos quizá la
escueta realidad de su eclipse ante una nueva visión del hecho
literario concebido como libérrima opción de lecturas, a distintos niveles, en el interior del espacio textual. La prodigiosa
riqueza actual de nuestra narrativa sería menos, en este caso,
una apuesta lanzada a lo porvenir que un signo formal del
pasado: una inquieta, apresurada, febril recuperación del
tiempo perdido tras el desarraigo brutal de la dimensión imaginativa del campo de la novela con posterioridad al *Quijote*
—exactamente a la inversa de lo que ocurre en Francia, en
donde el agotamiento paulatino de los géneros "creativos"
tradicionales se conjuga con un desenvolvimiento del pensamiento crítico, centrado en el propósito de sentar las bases de
una producción textual aún en agraz, pero enteramente libera-
da ya de la censura monosémica inherente a la existencia de
géneros minuciosamente codificados. El diferente estadio de

desarrollo o, por mejor decir, decrepitud de las formas literarias canonizadas se relacionaría así con la evolución desigual del *corpus* crítico respecto a ellas —lo que indicaría tal vez (lo repito, es una simple hipótesis) que la buena salud aparente de que hoy disfruta nuestra novela es una manifestación puramente transitoria y efímera, como algunos síntomas lo muestran ya. Hoy más que nunca, la introducción de un instrumental crítico en el ámbito de nuestra lengua es una necesidad insoslayable si los países de habla española pretenden desempeñar algún papel en la asimilación y organización creadoras de una fase histórica que, como la actual, recuerda en tantos aspectos la que vivieron los hombres del Renacimiento: cuando España encarnó pasajeramente la aspiración a un saber sin fronteras antes de enclaustrarse para siempre en el panteón de la autosuficiencia, el pensamiento monolítico, la cerrazón ortodoxa.

Estas reflexiones —en cuya adecuada formulación no puedo detenerme ahora— nos ayudan a situar en cualquier caso el trasfondo cultural en el que se inscribe la obra ensayística de Octavio Paz, obra tan densa, variada y rica como excepcional en un mundo en el que, como señalara en una ocasión Cernuda, no existe "espíritu crítico ni crítica, y donde, por lo tanto, la reputación de un escritor no descansa sobre una valoración objetiva de su obra". Pues Paz —no está de más recordarlo en un ambiente influido aún por la segmentación de los géneros literarios— no es sólo uno de los grandes poetas actuales de la lengua: es asimismo uno de los rarísimos pensadores que, expresándose en ella, han alcanzado una difusión que rebasa ampliamente el marco de sus fronteras. Desde la publicación, hace más de treina años, de su admirable *Laberinto de la soledad* hasta su esclarecedor estudio sobre Lévi-Strauss, pasando por *El arco y la lira* y *Corriente alterna*, la meditación creadora de Paz no ha cesado de extenderse sobre campos tan dispares como el arte y la política, la antropología y el sicoanálisis, la poesía y la ciencia sin abandonarse

173

por ello a esa facilidad divulgadora que tan a menudo rebaja la obra de Ortega, devolviendo a la lengua española su capacidad, perdida por siglos, de convertirse en instrumento y vehículo de un pensamiento no sometido a ningún sistema de dogmas: de un pensamiento capaz de abrazar, sin anularse por ello, las distintas corrientes ideológicas surgidas de la Ilustración y la revolución industrial, de Rousseau y Sade, Hegel y Marx, Saussure y el surrealismo, y de explorar la complejísima y contradictoria faz del mundo de hoy sin recurrir a ninguno de los esquemas que habitualmente la encubren. Actitud inusitada que nos remite, por otra parte, a la realidad a que anteriormente nos referíamos: la imposibilidad de separar en lo futuro en compartimentos estancos la obra poética y la obra crítica en la medida en que ambas constituyen diferentes aspectos de un mismo proceso y la creciente autorreflexión de la poesía es un hecho simétrico a la gradual "poetización" de la crítica. Poeta-crítico o crítico-poeta, Octavio Paz nos brinda el mejor ejemplo de una obra que desborda y cubre las formas literarias canonizadas y postula una incitante concepción del texto como dinámica pluralidad de lecturas. Un libro como *Conjunciones y disyunciones* ilustra muy bien, a mi modo de ver, esta múltiple opción del lector enfrentado no sólo a un verdadero, casi tántrico banquete de ideas (¡ah, qué contraste cruel con el adusto y escuálido cubierto del común de los pensadores hispanos!), sino también (y éste es un aspecto fundamental de la concepción del autor) de palabras: divagación poética y, al mismo tiempo, aproximación crítica a una serie de hechos esenciales de nuestro pasado, presente y, sin duda, futuro; digresión sobre la picardía mexicana, pero, también, cala profundísima en el ser de una vertiginosa variedad de culturas (desde México a China, desde la India a España).

Uno de los rasgos peculiares del ensimismamiento hispano ha sido siempre su falta de interés por las formas de vida y civilizaciones ajenas, ausencia de curiosidad que, añadida a la ya mencionada carencia de espíritu crítico, aclara en gran medida nuestra escasísima contribución al estudio de otras culturas (incluso de aquellas histórica y físicamente próximas) de la que con tanta razón se lamentaba Américo Castro.[1] En *Conjunciones y disyunciones*, Paz se sitúa en el polo opuesto a la tradición peninsular provinciana y utiliza su vasta cultura para trazar, partiendo del binomio "cuerpo" / "no cuerpo", una extraordinaria red de paralelismos y oposiciones que va del budismo tántrico, el hinduismo y Confucio al barroco crepuscular español y la moral crematística puritana. Su inagotable curiosidad intelectual sirve de trampolín para una serie de reflexiones audaces sobre economía y amor, excremento y lenguaje que lo confirman por uno de los espíritus más lúcidos de la época.

Tomando como punto de arranque los análisis de Max Weber, Erich Fromm y Norman O. Brown, Paz se esfuerza en desenredar y ordenar la telaraña de afinidades y divergencias existentes entre las distintas culturas del mundo indoeuropeo y extiende incluso el campo de investigación a las civilizaciones china y precolombina con el propósito confesado de establecer un juego de simetrías parecido a aquel en que soñara Valéry cuando evocaba la posibilidad de diseñar un esquema de los cambios literarios, a fin de demostrar que el cuadro general de los desvíos a la norma obedece a un *ars combinatoria* rigurosa o, si se quiere, a "una distribución simétrica de medios de ser original". La oscilación de los signos "cuerpo" y "no cuerpo" a lo largo de la historia de las civilizaciones sería así el eje en torno al cual giran las concepciones religiosas y sociales, con sus magnos, ponderosos edificios ideológicos, dogmáticos y rituales —hipótesis sumamente fecunda que, como el juego de dicotomías primarias de Lévi-Strauss, nos permite tejer una serie de relaciones complejas (hechas de semejanzas y oposiciones) fundadas precisamente en el diálogo ininterrumpido de los signos que el autor cruza y descruza en el espacio rectangular de la página: "frente al

175

vocabulario neutro y abstracto de la moral [se refiere al protestantismo], las palabras genitales y las cópulas fonéticas y semánticas [del tantrismo]; frente a las plegarias, los sermones y la economía del lenguaje racional, las *mantras* y sus cascabeles. Un lenguaje que distingue entre el acto y la palabra y, dentro de ésta, entre el significante y el significado; otro que borra la distinción entre la palabra y el acto, reduce el signo a mero significante, cambia el significado, concibe el lenguaje como un juego idéntico al del universo en el que el lado derecho y el izquierdo, lo masculino y lo femenino, la plenitud y la vacuidad son uno y lo mismo".

El pensamiento de Octavio Paz —no sólo en *Conjunciones y disyunciones*, sino en obras posteriores como *Los hijos del limo* y *El mono gramático*— desafía, con insolencia desconocida entre nosotros, los fundamentos doctrinales de la tradición judeocristiana con respecto al cuerpo, víctima perpetua de las abstracciones teológicas o racionales que han servido de base a la explotación despiadada de la burguesía (y prolongada hoy por el burocratismo soviético). Para ello ha rastreado las huellas de un pensamiento anterior (el de la Edad Media española, marcada con la impronta del Islam): un pensamiento que no niega el cuerpo, no lo abstrae, no lo reprime; que, antes bien, le da la palabra y auspicia la reconciliación del hombre consigo mismo. Dicha tendencia histórica, desbaratada a la vez por la ética calvinista y las razones de inmanencia castiza del catolicismo hispano, ha florecido en cambio en otros ámbitos culturales, algunos próximos a nosotros (el Islam) y otros remotos (el hinduismo). La fascinación por éste ha conducido a Paz, por otra parte, a la consideración capital del cuerpo como escritura y la escritura como cuerpo que es la textura misma de *El mono gramático*: "Del mismo modo que el sentido aparece más allá de la escritura como si fuese el punto de llegada, el fin del camino ... , el cuerpo se ofrece como una totalidad plenaria, igualmente a la vista e igualmente intocable: el cuerpo es siempre un más allá del cuerpo. Al palparlo, se reparte (como un texto) en porciones que son sensaciones instantáneas: sensación que es percepción de un muslo, un lóbulo, un pezón, una uña, un pedazo caliente de la ingle, la nuca como comienzo de un crepúsculo. El cuerpo que abrazamos es un río de metamorfosis, una continua división, un fluir de visiones, cuerpo descuartizado cuyos pedazos se esparcen, se diseminan, se congregan en una intensidad de relámpago que se precipita hacia una fijeza blanca, negra, blanca".[2]

En *El mono gramático*, Octavio Paz ha logrado perfectamente, bajo la apariencia "normal" del ensayo, el texto total (crítico, narrativo, poético) que admite y exige pluralidad de lecturas. Bajo este concepto lleva todavía más lejos la tendencia, visible en algunos escritos de Barthes, Sollers y otros autores, de "poetizar" el pensamiento crítico, incluyendo en él espacios narrativos, lianas verbales, incitante festín de palabras. Su fuerza innovadora no se limita, pues, a poner en tela de juicio el edificio ideológico de la burguesía occidental: se extiende también a la destrucción práctica de la doctrina de los géneros literarios en favor de la lectura múltiple del texto en todos sus niveles. La fecundidad de dicha propuesta y, en general, de la aportación del pensamiento hindú al mundo cultural —tan esquemático y pobre— de los pueblos de habla hispana rebasa los límites del ensayo y brinca al terreno tradicional de la novelística, como nos muestra el diálogo intertextual de Sarduy en la secuencia final de *Cobra* con estas mismas *Conjunciones y disyunciones* que ahora comentamos. Sintetizando sus dones de poeta, narrador y ensayista, Octavio Paz postula nuevos e incitantes caminos, derriba preceptos y dogmas, obliga a sacudirse, a lectores y críticos, de su proverbial y ya centenario letargo.

Las limitaciones del presente trabajo nos impiden analizar, como sería nuestro deseo, todo un haz de simetrías convergentes y opuestas respecto al alimento y la muerte, la retención anal y el lenguaje que traducen la oscilación históricoespacial de los dos signos básicos, y nos limitaremos a tocar ahora un aspecto parcial del binomio que interesa particularmente a los españoles: me refiero al brillantísimo paralelo que dibuja Paz entre el catolicismo hispano y la moral protestante inglesa a través de los ejemplos de Quevedo y Swift y su estudio magistral de la injustamente preterida, y mal interpretada, escatología del primero.

En un seminario sobre el tema "Erotismo y represión en la literatura española", destinado a los alumnos graduados de New York University, procuré analizar lo mejor que pude y supe, en el contexto de la lucha intercastiza, la reducción y transmutación progresiva del signo "cuerpo" a lo largo de este período, desde su expresión llana y libre en el admirable repertorio amoroso del Arcipreste hasta las fúnebres, "luminosas exequias del sol-excremento" del gran poeta escatólogo. En efecto: paralelamente a la persecución y ahogo de la inquietud intelectual "judaica", una lectura aun somera de nuestra literatura revela, a partir del siglo XV, una represión sistemática de la tradición de sensualidad hispanoárabe. Coincidiendo con el eclipse militar de los musulmanes, el sabroso erotismo de los textos medievales deserta paulatinamente de la escena literaria española, no sin adoptar antes la forma exasperada y convulsa que tanto sorprende y choca, hoy todavía, a numerosos "especialistas" en el Siglo de Oro. A partir de entonces asistimos a una institucionalización de la represión del signo "cuerpo" que, conjugada con la del intelecto, ha pasado a ser uno de los elementos esenciales de la moderna personalidad hispana. Hasta la fecha, ningún historiador o ensayista ha calibrado como se debe la importancia de este fenómeno y su formidable impacto en la configuración mental y vital del país. Como observa con acierto Xavier Domingo en uno de los pocos ensayos consagrados al tema, "el árabe ha integrado el acto sexual en la estructura de sus aspiraciones más elementales. El cristiano, al contrario, tiende a excluir el sexo, a negarlo. El sentimiento y la sexualidad son para el árabe cosas indisolubles. Para el cristiano todo lo que concierne al sexo es nefasto y puede contaminar el alma. Aunque cristianos y musulmanes vivían en el mismo suelo, de manera casi idéntica, sus concepciones en materia tan esencial como el amor se oponían de modo tan rotundo que no es extraño que su guerra dure ocho siglos y termine con la aniquilación del vencido. Todo lo que el español lleva en sí de árabe es reprimido sin piedad, y en primer término, la sexualidad".[3]

El signo "cuerpo" se manifiesta sin tapujos en tiempos del poeta mudéjar Juan Ruiz, "cuando Castilla —escribe Américo Castro— comenzaba a organizar sus placeres y no se avergonzaba de ello". El *Libro de Buen Amor* es, a fin de cuentas, un repertorio de los goces de la época y su autor no incurre en la sublimación petrarquista ni el regodeo escatológico a los que se entregarán luego, por turno, algunos de nuestros mejores escritores. Por eso mismo el papel que desempeña en la liiteratura española es fundamental, y puede compararse tan sólo con el de las otras dos obras maestras de aquélla: *La Celestina* y el *Quijote*. Juan Ruiz representa el único momento de nuestra historia en el que el binomio "cuerpo" / "no cuerpo" mantiene en equilibrio armonioso, recordándonos así, como le recuerda a Paz, que "no somos únicamente descendientes de Quevedo", y gracias a él me reconcilio también —a lo menos en el lapso de su lectura— con la gente de habla española. Todo eso, claro está, fue consecuencia directa de la profunda familiaridad del Arcipreste con el mundo árabe, familiaridad que le permitía una pacífica convivencia entre el "erotismo y la religión, imposible como simultaneidad para el cristianismo, cuya creencia —como nos recuerda Castro— no le permite abandonarse justificadamente a las dulzuras del amor carnal". Los españoles de hoy no podemos menos que considerar con irreprimible nostalgia esa imagen de una España plurirracial, libre y alegre, en la que los signos "cuerpo" y "no cuerpo" se expresan en términos de complementaridad, imagen que, como sabemos, no volvemos a hallar después en la realidad ni en la literatura: no la patria ingrata y atroz, impuesta tras un fraude histórico de siglos, sino una patria habitable y acogedora, suelta de cuerpo y de mente, en la que algunos no dejamos de soñar ni siquiera cuando estamos despiertos —realidad frustrada por quienes confiscaron de una vez para siempre, para sí y los de su especie, el país y la historia, el espacio y la lengua.

El libro de Octavio Paz nos ayuda a comprender mejor la metamorfosis posterior del signo "cuerpo" cuando establece el paralelo entre la diferente actitud respecto al mismo de Swift y de Quevedo. Mientras la oposición entre la noción de trabajo y la exuberancia sexual esclarece las relaciones existentes entre la moral puritana y el espíritu del capitalismo, la actitud del catolicismo español en lo que toca al cuerpo es mucho más ambigua, puesto que, por motivos de casta, los cristianos viejos se acomodaban mal, igualmente, al imperativo racional del trabajo. El protestantismo abstrae el signo "cuerpo" y lo somete a las sublimaciones de la razón; el catolicismo español lo *culpabiliza*, tortura y retuerce, sin eliminarlo por ello del todo, y a su fresca y jugosa expresión en la obra del Arcipreste sucederá la expresión exasperada y convulsa de Quevedo y los poetas del barroco. Swift, dirá Paz, "es un escritor infinitamente más libre que el español pero su osadía es casi exclusivamente intelectual. Ante la virulencia sensual de Quevedo, especialmente en el nivel escatológico, Swift se habría ofendido", y en realidad "se enfrenta a prohibiciones no menos poderosas que las que imponían a Quevedo la neoescolástica, la monarquía absoluta y la Inquisición". Resumiendo: "a medida que la represión se retira de la razón aumentan las inhibiciones del lenguaje", y la economía racional capitalista no se contenta con monopolizar el oro y transmutarlo en signo, sino que expulsa asimismo las palabras sucias y sublimiza y oculta la defecación inventando el *water-closet* automático. Por un lado: limpieza, racionalidad, sublimación; por otro: exasperación, violencia, escatología. Ello explica —como prueba Antonio Regalado en su estudio, todavía inédito, sobre el teatro de Calderón—[4] que numerosas proposiciones morales sostenidas por los probabilistas españoles (en su mayor parte jesuitas) en la primera mitad del siglo XVII provocaran una reacción escandalizada a causa de su "laxitud" respecto a temas como fornicación, adulterio, aborto, etc., no sólo entre los panegiristas de la Reforma sino también entre Pascal y los jansenistas franceses, ya que la tensión dialéctica entre los signos "cuerpo" / "no cuerpo" tampoco operaba entre nuestros vecinos de la misma manera que en la península.

Dicha realidad —escamoteada a menudo por nuestros ensayistas más estimables— nos conduce a la siguiente observación: el modelo inconsciente de censura intrasíquica, de censura incluida, como diría Freud, en el "mecanismo del alma" no puede proceder con la misma violencia sobre el cuerpo y la razón, y cuando actúa contra ésta lo hace a costa de descuidar hasta cierto punto a aquél y viceversa, como si careciera de poder para operar simultáneamente en ambos planos o, simplemente, supiera que, a la larga, el ser humano no lo toleraría. Una vez más, la posibilidad de un cuadro sinóptico de las relaciones de oposición, complementariedad y alternancia de los signos "cuerpo" y "no cuerpo" en Inglaterra, Francia y España aparece como una hipótesis fructífera que ningún espíritu reflexivo debería descartar a la ligera. En cualquier caso, las observaciones de Octavio Paz arrojan nueva luz sobre el arte y literatura españoles del Siglo de Oro y en lo futuro habrá que tomarlas muy en cuenta para analizar y comprender el barroco. "Si el siglo XVII había olvidado que el cuerpo es un lenguaje —dice—, sus poetas supieron crear un lenguaje que, tal vez a causa de su misma complicación, nos da la sensación de un cuerpo vivo." El arte elusivo de Góngora, ese empeño típicamente suyo en evitar la mención de los objetos a fin de hacer salir al idioma de su trans-

181

parencia ilusoria es, en verdad, el resultado de una lucha grandiosa, titánica para que el lenguaje cobre cuerpo —de una demencial porfía en imponernos, a brazo partido, la presencia opaca, densa, casi física de las escurridizas palabras.

No quisiera concluir estas notas sin referirme, aunque fuese brevemente, a la rebelión actual del cuerpo contra la filosofía moral del progreso y sus construcciones racionales omnímodas. Esta actitud, formulada por pensadores de la talla de Bataille, se apoya en la distinción trazada por Marx entre trabajo alienado y no alienado[5] para condenar, en nombre del cuerpo, la esclavitud del mundo industrial moderno y reivindicar la exuberancia sexual como único elemento humano irreductible a la cosificación. Dicho de otro modo: mientras el imperativo racional del trabajo tiende a convertir al hombre de hoy en un objeto más en un mundo de objetos, la llamada animalidad preserva su conciencia de existir para y por sí mismo. Como escribe Bataille, "la vie humaine est excedée de servir de tête et de raison à l'univers. Dans la mesure où elle devient cette tête et cette raison, dans la mesure où elle devient néccésaire à l'univers elle accepte un servage" —grito de asolada violencia que evoca irresistiblemente en el lector español el que vibra a lo largo y lo ancho de *La Celestina*. La tragicomedia de Rojas puede descifrarse en verdad como el clamor angustiado del signo "cuerpo" enfrentándose con la ideología dogmática que lo oprime, un clamor que no oímos ni antes ni después en las páginas de la literatura española, en virtud quizá de la consabida, simultánea oposición de la casta cristianovieja con respecto a la razón y al trabajo. Hoy, cuando España parece adaptarse por fin al esquema de un mundo racional y útil, sometido a las leyes económicas y la necesidad de un trabajo alienador y alienado, el cuerpo recobrará quizá la virulencia subversiva del grito. Pues *La Celestina* no es sólo una de las obras maestras de la literatura: es, igualmente, la expresión mordaz de nuestro anhelo corporal reprimido y, por tanto, una voz de protesta rabiosamente actual.

Independientemente de sus implicaciones en todo un haz de civilizaciones y culturas, los lectores españoles hallarán así en el libro de Octavio Paz una contribución indispensable al conocimiento de algunas de las conjunciones y disyunciones básicas de nuestra desdichada historia.

II

Los diarios murales de Sian difundieron recientemente la noticia: el obrero Wang, 23 años, sorprendido en intimidad culpable con una muchacha de su edad, fue condenado a veinte años de prisión por los responsables del Partido de dicha provincia. En un país en el que se "desaconseja" el matrimonio hasta la edad de veinticinco años para las mujeres y veintiocho para los varones, y donde las relaciones extra-matrimoniales no existen, cuando menos oficialmente, un acto tan egoísta y asocial como el realizado por los dos jóvenes no podía sino obedecer a razones estrictamente políticas. Dos circunstancias especiales abundaban en dicha interpretación y agravaban todavía el delito: la muchacha era hija de un alto funcionario del Partido y el hecho había ocurrido precisamente en el momento en que la pareja debía asistir a una reunión de denuncia y condena del pensamiento reaccionario de Lin Piao y Confucio. Tal acumulación de presunciones y pruebas convertía el insólito caso en un acto vulgar de provocación y desafío: un desacuerdo *de facto* con la línea política del Partido y un apoyo objetivo a la ideología feudal de las personalidades denunciadas en el mitin. Wang fue acusado, pues, de delito de violación y condenado a veinte años. Pero, aprovechando la plausible desgracia o falta de adaptación de la familia de la presunta violada a las últimas directrices del Partido, los camaradas de trabajo de Wang denunciaban a aquélla, motejándola de aburguesamiento y revisionismo. En otras palabras: Wang y la muchacha eran víctimas de una típica maniobra contrarrevolucionaria y no habrían abandonado jamás la línea correcta del Partido. Los murales exigían por consiguiente una revisión del proceso y el derecho de Wang y la joven de defender sus verdaderas posiciones políticas.

Como habrán podido apreciar los lectores —perdidos, como nosotros, en la madeja de argumentos y razones sobre la ideología y línea política de los culpables—, el proceso, condena y vindicación de éstos por los periódicos murales tratan de todo excepto del elemento primordial del asunto: el goce sensual de los dos jóvenes, su fiebre solitaria en compañía. Una de las características de todas las ideologías monolíticas ha consistido siempre en el fenómeno de la sublimación de los cuerpos, reducidos así por las iglesias religiosas o políticas a la simple condición de entidades abstractas (cuerpos gloriosos) o meros instrumentos de trabajo (proletarios al servicio de la burguesía explotadora, héroes stajanovistas).[6] El sodomita o bígamo condenados a la hoguera por el Santo Oficio no lo son por el acto en sí, no se les permite invocar la única razón que los excusa: la felicidad corporal, el deleite de los sentidos. Su crimen, como el del hereje o desviacionista, es el desafío soberbio al esquema ideológico trazado, su resistencia proterva al mismo. Los silogismos alambicados de la escolástica revelan una vez más su utilidad multisecular en cuanto permiten encubrir con su "orfebrería dérmica" el temible vacío: el lenguaje de un cuerpo privado de lenguaje, la realidad del disfrute indecible.

La misma tendencia sublimadora —al servicio o no de una ideología monolítica— se manifiesta también a menudo en la lectura de la obra literaria por parte de quienes la reducen y desmontan en función de un discurso heterogéneo —distante y ajeno a aquélla. No estoy negando aquí la posibilidad y el derecho de una lectura ideológica del poema, novela u obra de teatro —siempre y cuando se lleve a cabo con un mínimo de respeto por la obra examinada y se sepa distinguir entre el orden verbal y los procedimientos literarios, y los mecanismos sociales y la realidad de la vida. Pero no cabe duda de que, aun realizado con dicho respeto e inteligencia, el discurso ideológico (sea de la índole que sea) agrupa en una estructura nueva (la del discurso del crítico) residuos y elementos heteróclitos extraídos con mayor o menor arbitrariedad de la estructura antigua (la del discurso literario analizado) y reviste por tanto las peculiaridades del *bricolage* tal y como han sido expuestas por Gérard Genette en su brillante adaptación al campo de la crítica de una de las ideas motrices de Lévi-Strauss. En cualquier caso, toda lectura reductiva (llámese estructuralista, marxista, freudiana, etc.) incurre fácilmente en este tipo de discurso silogístico, aprobatorio o condenatorio de textos cuya única justificación sea tal vez —como en el citado ejemplo de Wang y la muchacha— el placer, también solitario y compartido, de la escritura y de la operación correlativa; el goce, de iguales características, que experimenta o puede experimentar el lector.

Invocar dicho placer, postular una escritura lúdica constituye entonces el peor de los crímenes: es autentificar lo indecible, dar la palabra a un disfrute que escapa a las leyes represivas del discurso aparentemente racional. El culpable movilizará contra él la totalidad de las ideologías. "Frente a esta transgresión —dice Sarduy—, se encuentran repentina y definitivamente de acuerdo creyentes y ateos, capitalistas y comunistas, aristócratas y proletarios, lectores de Mauriac y de Sartre." Cuanto más obvio y elemental sea el acto (placer de la cópula, deleite de la lectura) mayor será la insolencia de quien se atreva a invocar dicha llaneza e indiscutibilidad. El logocentrismo de nuestra cultura (o el copiado, fuera de ella, de nuestra ideología exportada) conduce a la situación aberrante de un mundo en el que el goce debe ocultarse tras la máscara de la razón (política, social, religiosa), proporcionando así una coartada temible a verdugos y sicarios de toda

185

laya (el policía de Pinochet o miembro de la triple A de Río de la Plata que torturan física y moralmente a los sospechosos de simpatías izquierdistas tampoco disculpan su sadismo con el placer real de reducir el cuerpo enemigo a la condición de objeto: lo encubren, hipócritamente, bajo el velo del anticomunismo y la defensa del "orden social").[7] Negar la existencia del goce (ya sea "inocente" o perverso) implica a la postre excusar, en nombre de la ideología omnímoda, todos los crímenes y abusos de la historia —y ahí Bataille, en su lúcida defensa de la ejemplaridad del pensamiento sadiano, tiene absoluta razón: al dar la palabra al impulso corporal destructor de los héroes de *Juliette* o *Justine*, Sade lo identifica y le despoja con ello de toda coartada (ortodoxia, pureza de la fe, razón de Estado, etc.). De igual manera que Maquiavelo fue sólo maquiavélico a medias (de otro modo no hubiera escrito *El príncipe*), el divino marqués era bastante menos sádico que una Ilse Kock o un teniente Calley, por cuanto éstos vindicaban sus acciones en nombre de un discurso ideológico o nobles razones de patriotismo. Pero no quiero comparar el deleite de la escritura y la operación de leer (¡Allah me libre de ello!) con el placer de los verdugos de Auchswitz o My Lai: sólo pretendo llamar la atención sobre la actitud coherente, siempre restrictiva, de la civilización judeocristiana con respecto a la noción de placer —su deseo de "capitalizar cuerpos y bienes", su anatema del erotismo y escritura lúdica, su obstinación en enmudecer el cuerpo y transvertir el lenguaje.

Escribir algo y no sobre algo, como proponía Joyce y hace Severo Sarduy, "saca de quicio", dice éste, a los teóricos que no escriben novelas y que tal vez ni siquiera disfrutan leyéndolas. El descarado que incurra en tal delito desencadenará contra él la jauría de críticos autoinvestidos de la autoridad de fiscales, la proliferación tentacular de alambicados silogismos destinados a probar que, como el desdichado Wang, se encierra en la propiedad privada de su yo y adopta una línea ideológica herética, improductiva o revisionista. Cuando

Barthes define *De donde son los cantantes* [8] como un "texto hedonista y *por ello mismo revolucionario*", sus palabras no pueden ser más exactas. En una sociedad como la nuestra (capitalista o burocrática, pero siempre impregnada de la ideología judeocristiana que abstrae el cuerpo y lo transforma en entelequia), reivindicar el ocio, el juego y el placer (como lo hace, desde Fourier y Lafargue a Bataille y Octavio Paz, un linaje de pensadores que soslayan el logocentrismo que denunciamos) es un acto saludablemente subversivo y provocador.

El arte novelesco de Sarduy se caracteriza de modo primordial por su voluntad lúdica: la producción de un texto (espacio impreso) exento de toda coartada ideológica —cuya razón de ser se funde tan sólo en el placer de ese dúo (solitario y partícipe) que converge en el acto de la lectura. Desde *De donde son los cantantes* al capítulo recién publicado de *Maitreya* (novela todavía inconclusa) su hedonismo revolucionario se despliega en un *in crescendo* de sensualidad y humor, parodia y desenfado del que si hallamos ejemplos en otras lenguas (cf. *Tristram Shandy*) resulta entre nosotros poco menos que un mirlo blanco. Sarduy no cree —siguiendo en eso las huellas de Valéry— en la escritura que toma en serio su propio discurso narrativo y cuyo amaneramiento y convenciones emergen tanto más fácilmente a ojos del crítico agudo cuanto el novelista procura ocultarlos bajo una apariencia laboriosa de realismo, verosimilitud, "naturalidad". Como Sterne, nos propone, al contrario, un ejercicio de pasatiempo —la única lectura seria a ojos de Valéry— en el que el escritor, como maese Pedro, mueva abiertamente los hilos de la trama en un espacio sin tablas ni telón, es decir, en un antiescenario. En una de las frecuentes digresiones que interrumpen el hilo argumental de *De donde son los cantantes*, Sarduy, al proclamar su propia incompetencia ante el tema de la obra —la *excusatio propter infirmitatem* de los clásicos—, nos da la clave, o cuando menos una de las claves que ayudan a comprender al lector la estructura y propósitos de la novela: "palabras cojas para realidades cojas que obedecen a un plan cojo trazado por un mono cojo", dirá burlonamente de sí mismo, como Sterne se disculpa con el lector de haber puesto el prólogo de su novela en el capítulo 20 del volumen III del libro, exclamando: "Me he sacado de encima a todos mis héroes, y como por primera vez dispongo de un momento de descanso, lo aprovecharé para escribir mi prefacio", o se confiesa incapaz de terminar la discusión del padre de Tristram y tío de Toby —cuatro capítulos consagrados al tiempo de bajar dos escalones— diciendo, por boca del narrador, "Eh, tú, maestro, toma seis peniques, entra en esa librería y tráeme algún manual de crítica del día. Daré de muy buena gana una corona a quien, por su sapiencia, me ayude a sacar a mi padre y mi tío Toby de la escalera y a meterlos de una vez en la cama".[9]

En *De donde son los cantantes* —como en *Cobra*— el novelista se mueve con desparpajo, dialoga con los personajes, emite juicios erróneos y a continuación se desdice de ellos, cambia súbitamente de estilo y decorado, parodia frases de autores clásicos, etc., recordándonos así que el paisaje realista —o, por ser más exactos, referencial— de las novelas ordinarias es acá otro discurso. En vez de un mundo "natural" nos movemos en un universo estrictamente cultural. Las transgresiones, como en Góngora, cobran un matiz suprarretórico: pastiche de la cultura, cultura al cuadrado. En otros términos: literatura desprovista de "mensaje", reducida a lo que Jakobson denomina literaturidad:

> Auxilio aparta las mechas. Se asoma quevediana:
> Seré ceniza, mas tendré sentido
> polvo seré, mas polvo enamorado.
> Socorro —tu me casses les cothurnes (en français dans le texte). Calla. Yo tampoco puedo más. Sécate esa lágrima. Ten pudor. Ten compostura. Aguanta. Toma vanity (p. 11).

—¡Metafísicas estamos y es que no comemos! ¡Vámonos al Self-Service! (p. 15).

Sarduy se propone sembrar toda clase de trampas a los pies del lector, para impedir que se adormezca en el ronroneo del discurso narrativo tradicional y obligarle a advertir el vacío que se abre súbitamente bajo sus plantas. Para ello debe luchar sin tregua con sus convenciones y hábitos, desplazarlo, cuando menos lo espera, a otro terreno de juego. Cobra[10] podría compararse, por ejemplo, a un film titulado "Las vacaciones andaluzas de un tirano sueco", en el que el protagonista no fuese tirano ni sueco sino masajista y tirolés, y cuyo viaje —de estudios— no se desarrollara en Andalucía sino en Escocia, descrita en el film como si fuera Bombay, pero acompañada de una banda sonora con musiquilla típica de Nápoles. Los cambios de personaje de Cobra —como los de la novela precedente— no son sino espejismo. Como ha visto muy bien Emir Rodríguez Monegal, "no hay tales metamorfosis del 'protagonista', o de sus acólitos, hay sólo metamorfosis del texto: un texto que se vuelve sobre sí mismo (como una cobra) para citarse, parodiarse, criticarse, morderse la cola, formando una estructura perfectamente circular en cuyo centro sólo es advertible la ausencia de sujeto. Las máscaras de que se vale el protagonista ... son apenas eso: representación de una representación de una representación que sólo existe a nivel del discurso".[11] Subrayando este nivel suprarretórico, las heroínas de Sarduy son siempre actrices —ya sea del teatro de Opera China de La Habana, ya del Teatro Lírico de Muñecas de Pigalle— y en realidad travestidos, en los que el disfraz no oculta sino realza la existencia de un cuerpo cuya expresión rebelde es "la crítica hecha acto", como dijo Octavio Paz a propósito de Cernuda, ya que aquélla confiere al ser de carne y hueso, enmudecido por la constante represión de la ideología, una "coloración moral".

Cuerpo-lenguaje o lenguaje-cuerpo, la reivindicación de

uno y otro por Sarduy y Paz implica una nueva actitud frente al barroco. Mientras la moral del *homo faber*, del ser-para-el-trabajo condena el derroche, el exceso y el goce sensual, las nociones "de juego, pérdida, desperdicio y placer —dice Sarduy— articulan al barroco con el erotismo, en oposición a la sexualidad ... Nuestro cuerpo es una máquina erótica que produce deseo 'inútil', placer sin objetivo, energía sin función. Máquina de placer en constante gasto y en constante reconstitución. Máquina barroca revolucionaria ... Ser barroco hoy —añade— significa amenazar, juzgar y parodiar la economía burguesa, basada en la administración tacaña —o, como se dice, 'racional'— de los bienes en el centro y fundamento mismo de esa administración y de todo su soporte: el lenguaje, el espacio de los signos, cimiento simbólico de la sociedad y garantía de su funcionamiento, de su comunicación".

Una defensa tan clara y tajante del binomio cuerpo-lenguaje y el anticlasicismo y desmesura del barroco está condenada a tropezar con la misma incomprensión y hostilidad que confinaron durante siglos en el panteón de lo anormal, inverosímil y extravagante tanto la poesía de Góngora como el teatro de Calderón. Los ataques contra ambos, en nombre del progreso y buen gusto, por parte de los neoclásicos afrancesados como Luzán y luego por los positivistas y realistas,[12] obedecían en verdad a motivos muy nobles: aproximar de nuevo la literatura a las preocupaciones del hombre social y dar cabida en ella a la problemática e inquietudes de la época. Pero el radicalismo de dicho planteamiento y la pobreza de las soluciones propuestas consiguieron únicamente dar la puntilla, como ahora sabemos, a la gran literatura del siglo XVII sin promover no obstante una nueva expresión —contribuyendo así de modo decisivo a la tristeza y agobio de nuestras letras por espacio de dos centurias hasta su resurrección luminosa en la obra de una serie de autores, sobre todo de allende el Atlántico, que enlazan de modo más o menos deliberado con la corriente literaria sepultada (y de nuevo combatida con

lanzallamas por los neoclásicos, positivistas y realistas de hoy).

Los lectores que gozamos con la obra de Sarduy lo hacemos sin duda por las mismas razones indefendibles y egoístas por las que el pobre Wang cumplió el acto de marras: nuestro propio y egoísta placer. ¡Ojalá nos libremos de la ardua y enojosa tarea de tener que justificarlo algún día recurriendo, como sus partidarios o acusadores, a los silogismos, argumentos, disquisiciones de alguna temible neoescolástica!

NOTAS

1. La impermeabilidad del 98 al descubrimiento del *musée imaginaire* que realizara Picasso a principios de siglo es un buen ejemplo de lo que digo.

2. Los lectores de la poesía árabe de Ibn Guzmán o Ibn Hazm conocen bien esta relación dialéctica entre cuerpo y escritura que aflora a menudo en sus magníficos versos.

3. *Erótica hispánica*, Ruedo Ibérico, París, 1972.

4. Entre las proposiciones de los probabilistas condenadas por Inocencio XI en 1679 figuran las siguientes: (1) comer y beber hasta hartarse, por sólo el gusto, no es pecado, con tal de que no dañe a la salud, porque lícitamente puede gozar de sus actos el apetito natural; (2) el acto conyugal, excitado por solo el deleite, carece del todo de culpa y defecto venial; (3) es lícito procurar el aborto antes de la animación de la criatura, para que la mujer preñada no sea muerta o infamada; (4) parece probable que todo feto, todo el tiempo que está en el vientre de la madre, carece de alma racional, y que entonces sólo comienza a tenerla cuando le paren, y consiguientemente se habrá de decir que en ningún aborto se comete homicidio; (5) la cópula con casada consintiendo el marido no es adulterio, y así basta decir en la confesión que ha fornicado; (6) lícito es buscar directamente la ocasión próxima de pecar por el bien espiritual o temporal nuestro o del prójimo. Véase Fray Martín de Torrecilla, *Consultas morales y exposición de las proposiciones condenadas por Inocencio Undécimo*, Madrid, 1684.

5. "La verdadera riqueza es la productividad desarrollada de todos los individuos. Entonces, ya no es el tiempo de trabajo sino el tiempo libre (tiempo disponible) el que nos da la medida de la riqueza. Utilizar el tiempo de trabajo como medida de riqueza es fundar esta misma riqueza sobre la pobreza ... y es situar la totalidad del tiempo del individuo en el tiempo de trabajo, reduciéndole así al nivel de simple trabajador, por debajo de su propio trabajo". Karl Marx, *Grundrisse...*, citado por H. Marcuse en *El marxismo soviético*, Alianza Editorial, Madrid, 1971[2].

6. Para uno de los flamantes líderes de nuestra brillantísima izquierda la homosexualidad es, por ejemplo, "un problema económico y social con raíces ideológicas" (Diego Fábregas, del OICE). Véanse igualmente las respuestas "antológicas" sobre el tema de Manuel Guedán, Eladio García y fray Tierno Galván en *Los partidos marxistas. Sus dirigentes, sus programas*, edición a cargo de Fernando Ruiz y Joaquín Romero, Anagrama, Barcelona, 1977.

7. Editores y lectores no se engañan al respecto: *La question*, de Henry Alleg, valerosísimo testimonio de las odiosas torturas racistas de la policía francesa durante la guerra de Argelia, se vende hoy, con gran éxito, en las *sex-shop* de Pigalle.

8. *De donde son los cantantes*, Joaquín Mortiz, México, 1967.

9. Véase el excelente ensayo de Shklovski sobre *Tristram Shandy* en Lee T. Lemon, *Russian formalism criticism*, University of Nebraska Press, 1965.

10. Sudamericana, Buenos Aires, 1972.

11. E. R. M., "Las metamorfosis del texto", en *Severo Sarduy*, Fundamentos, Madrid, 1976.

12. "El barroco es el arte más escandalosamente antioccidental derivado del propio Occidente: relegado por ello al *Kitsch* en el siglo XVIII (el arte de las masas 'ignorantes' que todavía asistían a las comedias de Calderón) y a la censura oficial y académica en el siglo XIX". Cf. Roberto González Echevarría, "Memoria de apariencias y ensayo de *Cobra*", en *Severo Sarduy*.

LECTURA CERVANTINA
DE *TRES TRISTES TIGRES*

E N S U *Vida de don Quijote y Sancho*, al llegar al capítulo sexto de la primera parte de la obra, consagrado al escrutinio de la biblioteca del hidalgo por el cura y el barbero, Unamuno lo despacha con estas breves líneas sentenciosas: "Todo lo cual es crítica literaria que debe importarnos muy poco. Trata de libros y no de vida. Pasémoslo por alto". No corresponde a nuestros propósitos analizar ahora la torcida interpretación por parte del escritor vasco de un pensamiento liberal y humanista que se sitúa en los antípodas del suyo —mucho más afín, dicho sea de paso, al de Quevedo que al de Cervantes—: otros lo han hecho ya, y a ellos nos remitimos.[1] Nos limitaremos tan sólo a observar que, al expresarse en términos de "vida" y "libros" en el interior del espacio literario de la novela, parece incurrir en la óptica del "realismo" pedestre que con tanta razón execraba. Cuando la vida entra en los libros se transmuta inmediatamente en "literatura", y como tal debemos juzgarla. A decir verdad, el capítulo sexto desempeña un papel fundamental en la novela, hasta el punto de que sin él el *Quijote* no existiría. Lo que Unamuno pasó por alto fue, nada menos, la maravillosa galería de espejos cervantina, ese juego a la vez destructivo y creador con los diferentes códigos literarios de su tiempo, demostrando una vez más —como si ello fuera aún necesario— su insensibilidad total a una obra tan ajena como infinitamente superior a la suya.

Una novela —recordémoslo— no enlaza sólo con el contexto vital —social, histórico— en que surge; responde también, y ante todo, a las leyes del género a que pertenece, esto es, a las exigencias de su propio discurso. Aunque para una apreciable mayoría de novelistas, críticos y lectores lo más

importante en ella es su relación con la "realidad" que pretende representar —novela como espejo en el camino, personajes
destinados a competir con los del registro civil, etc.—, su trabazón con el conjunto de las obras publicadas anteriormente
es siempre más fuerte y decisiva que la que le une a la "realidad". El *Quijote* es precisamente la mejor demostración de
que un texto no puede ser estudiado aisladamente, como si
hubiera nacido de la nada o fuera un mero producto del mundo exterior, sino en conexión y correspondencia con otros
textos, con todo un sistema de valores y significaciones previos. Como dijeron en su día los formalistas rusos, la función
de cada obra está en su relación con las demás. Cada obra es
un signo diferencial.

La gran novela cervantina es un discurso literario comple-
jísimo que se ilumina y cobra sentido por su vinculación con
los modelos literarios de la época: la relación intertextual
desempeña en ella una función primordial, como la ejerce
igualmente en las obras literarias francesas e inglesas sobre las
que tuvo mayor influencia, desde Sterne a Flaubert. Bajo este
concepto el capítulo sexto permite a Cervantes introducir la
discusión literaria en la vivencia de los personajes y catapultar
la teoría en el recinto mismo de la novela. Como todo un sector de la novelística actual —que "cervantiza" sin saberlo—
caracterizado por su desconfianza de los "contenidos" y "formas" tradicionales, el *Quijote* es, simultáneamente, crítica y
creación, escritura e interrogación acerca de la escritura, texto
que se construye sin dejar de ponerse nunca él mismo en tela
de juicio.

Pero la relación de la novela de Cervantes con el *corpus*
literario de su tiempo no se reduce, como Unamuno da a
entender, al importantísimo capítulo sexto: se manifiesta, al
contrario, sin desmayo, desde el prólogo al final de la obra.
Esto lo vio muy bien Américo Castro cuando escribía:

Se ha hablado mucho de las fuentes literarias del *Quijote*, y

194

en el segundo, la estructura literaria pone el énfasis en el propio mensaje, no en la referencia, y lo peculiar de ella es precisamente la información que facilita respecto a su propia construcción:

> Y así, en esta segunda parte no quiso ingerir novelas sueltas ni pegadizas, sino algunos episodios que lo pareciesen, nacidos de los mesmos sucesos que la verdad ofrece, y aun éstos, limitadamente y con solas las palabras que bastan a declararlos; y pues se contiene y cierra en los estrechos límites de la narración, teniendo habilidad suficiencia y entendimiento para tratar del universo todo, pide no se desprecie su trabajo, y se le den alabanzas, no por lo que escribe, sino por lo que ha dejado de escribir (II, 44).

A imitación del autor —o "autores"— de la obra, los personajes del *Quijote*, manifiestan igualmente una gran preocupación con el lenguaje y el modo de referir los hechos, esto es, con el código de la lengua, violado por Sancho o el cabrero, y con el discurso narrativo:

> —Sigue tu cuento, Sancho —dijo don Quijote—, y del camino que hemos de seguir déjame a mí el cuidado.
> —Digo, pues —prosiguió Sancho—, que en un lugar de Extremadura había un pastor cabrerizo, quiero decir que guardaba cabras; el cual pastor o cabrerizo, como digo de mi cuento, se llamaba Lope Ruiz; y este Lope Ruiz andaba enamorado de una pastora que se llamaba Torralba; la cual pastora llamada Torralba era hija de un ganadero rico, y este ganadero rico...
> —Si desa manera cuentas tu cuento, Sancho —dijo don Quijote—, repitiendo dos veces lo que vas diciendo, no acabarás en dos días; dilo seguidamente, y cuéntalo como hombre de entendimiento, y si no, no digas nada.
> —De la misma manera que yo lo cuento —respondió Sancho— se cuentan en mi tierra todas las consejas, y yo no sé contarlo de otra, ni es bien que vuestra merced me pida que haga usos nuevos (I, 20).

La discusión literaria, lejos de ceñirse al escrutinio de la biblioteca del hidalgo por el cura y el barbero, se extiende durante capítulos enteros a lo largo de la obra: en la primera parte el ventero menciona una maleta "olvidada" por un huésped en la que se hallan dos novelas de caballería y la historia del Gran Capitán, Gonzalo Fernández de Córdoba —recurso muy común en la narrativa de la época para interpolar nuevas historias—, lo que suscita una interesantísima discusión sobre el concepto de verosimilitud. El debate se reanuda más tarde, con una defensa del verosímil artístico por parte del canónigo y una respuesta del cura en la que matiza su anterior punto de vista. Durante esta controversia, el canónigo critica la estructura de los libros de caballería en unos términos que ponen de relieve el contraste existente entre ellos y la sabia y armoniosa arquitectura del objeto que nos ofrece Cervantes. En la segunda parte hallamos igualmente una discusión con el caballero del Verde Gabán sobre el arte poética y un curiosísimo debate acerca de traducciones y el arte de traducir cuando don Quijote, durante su estancia en Barcelona, visita una imprenta:

> —Osaré yo jurar —dijo don Quijote— que no es vuesa merced conocido en el mundo, enemigo siempre de premiar los floridos ingenios ni los loables trabajos. ¡Qué de habilidades hay perdidas por ahí! ¡Qué de ingenios arrinconados! ¡Qué de virtudes menospreciadas! Pero, con todo esto, me parece que el traducir de una lengua en otra, como no sea de las reinas de las lenguas, griega y latina, es como quien mira los tapices flamencos por el revés, que aunque se veen las figuras, son llenas de hilos que la escurecen, y no se veen con la lisura y tez de la haz; y el traducir de lenguas fáciles ni arguye ingenio ni elocución, como no le arguye el que traslada ni el que copia un papel de otro papel. Y no por esto quiero inferir que no sea loable este ejercicio del traducir; porque en otras cosas peores se podría ocupar el hombre y que menos provecho le trujesen (II, 57).

La controversia literaria de mayor interés es tal vez la del capítulo 48 de la primera parte, en la que el canónigo, pasando de la crítica de lo inverosímil en las novelas de caballería, arremete con las "comedias que ahora se representan", es decir, con Lope de Vega. Como ha captado muy bien Vicente Llorens, el ataque de Cervantes a la novela de caballerías sería desproporcionado si no implicara también una crítica de la comedia lopesca que perpetuaba los ideales anacrónicos del *Amadís*, presentándolos al público como valores actuales y factibles en el contexto de aquel tiempo.[4] Por otra parte, la acometida del canónigo contra el arte popular y mayoritario de Lope marca la oposición de la sutil ingeniería literaria cervantina al canon literario de la época, afirmando así su carácter específico de "diferencia".

La densísima correlación del *Quijote* con la literatura de su siglo se manifiesta en todos los niveles de la obra, desde los más superficiales a los más profundos: por un lado, el libro está repleto de alusiones y citas del Romancero, novelas de caballerías, poetas latinos, Ariosto, Garcilaso, etc.; por otro, se nos presenta, en su totalidad, como un objeto exclusivamente literario, no como un trozo de vida o de "realidad". Cervantes no nos dice, como Galdós en el prólogo de *Misericordia* o Cela en el de *La colmena*, que halló el argumento de la novela en la vida, a base de observaciones y estudios del natural, sino en unos cartapacios escritos en lengua arábiga por un tal Cide Hamete Benengeli, por los que pagó unos pocos reales y que el último autor —es decir, el compilador— hizo traducir a un morisco aljamiado a cambio de "dos arrobas de pasas y dos fanegas de trigo". Los diferentes artífices de la obra aparecen envueltos en la bruma, y puede decirse en propiedad que la fábrica entera de la novela se funda en el diálogo de "los autores que deste caso escriben" (I, 1) con un "segundo autor" —el compilador— que, a su vez, descubre la obra de un tercero —Cide Hamete Benengeli, a quien se llama no obstante "primer autor"—, obra trasladada y adaptada por un cuarto autor —pues, como éste nos indica en alguna ocasión, no se ciñe a su papel de traductor y ejerce funciones de censor e incluso de exégeta—, con lo que el lector se extravía en un laberinto de conjeturas acerca de la identidad de los narradores, enfrentado a un texto de otro texto de otro texto, etc., según la técnica incorporativa infinita de las muñecas rusas o cajitas japonesas.

Una de las particularidades más notables de la novela es que sus personajes son lo que son más la proyección literaria de alguno de los géneros narrativos entonces en boga. La literatura ha influido de tal modo sobre el hidalgo manchego que se convierte en un protagonista de los libros de caballería, con lo que el verosímil y las normas de un código literario muy preciso y concreto se integran en la textura compleja del héroe. En su ensayo sobre la estructura del *Quijote*, Castro observa agudamente que Cervantes introduce la metáfora en el cuerpo de la novela no como figura de lenguaje sino en la vivencia de sus protagonistas: "los molinos no sólo son gigantes, sino además contenido de la experiencia de alguien que los vive como tales, y cerca de otras vidas que los siguen viendo como molinos. La metáfora deja de ser la del poeta lírico y se convierte en una existencia metaforizada". Exacto: cuando don Quijote toma la bacía por yelmo o la venta por castillo vive la metáfora desde dentro, y algo parecido ocurre, como vamos a ver, con otros personajes de la novela.

El contagio irresistible de las lecturas no se reduce al hidalgo manchego y los libros de caballerías. En la obra de Cervantes casi todos los personajes se muestran ávidos de historias y relatos: el ventero, su esposa y Maritornes nos hablan con pasión de sus gustos y ensueños literarios; otras figuras nos informan sobre sus bibliotecas, como el caballero del Verde Gabán, o nos confiesan, como el canónigo, que han intentado redactar una novela y tienen escritas "más de cien hojas". La literatura ha sorbido los sesos de don Lorenzo, según refiere su propio padre, el caballero del Verde Gabán.

Algunos personajes con quienes tropieza don Quijote son una mera proyección del género bucólico, como Marcela, Crisóstomo, Eugenio o Anselmo. Esta receptividad general de los héroes de la obra a la magia suasoria de las lecturas y su innata propensión a asumir las características propias de los personajes de diferentes géneros literarios explica la ojeriza de la sobrina de don Quijote no ya a los libros de caballería sino al género novelesco en su totalidad:

> Y abriendo uno, vio que era *La Diana*, de Jorge Montemayor, y dijo, creyendo que todos los demás eran del mesmo género:
> —Estos no merecen ser quemados, como los demás, porque no hacen ni harán el daño que los de caballerías han hecho; que son libros de entendimiento, sin perjuicio de tercero.
> —¡Ay señor! —dijo la sobrina—. Bien los puede vuestra merced mandar quemar, como a los demás; porque no sería mucho que, habiendo sanado mi señor tío de la enfermedad caballeresca, leyendo éstos se le antojase de hacerse pastor y andarse por los bosques y prados cantando y tañendo, y, lo que sería peor, hacerse poeta, que, según dicen, es enfermedad incurable y pegadiza (I, 6).

Preciso es reconocer que los hechos le dan razón. Momentáneamente alejado de su empresa de deshacer entuertos, don Quijote se transforma, en el castillo de los duques, en un personaje de esa novela italianizante de amor y aventuras del tipo de las que cultivaron más tarde Lope y María de Zayas y que ensayó el propio Cervantes en las novelillas intercaladas en la primera parte del libro, como *El curioso impertinente* o la historia de Cardenio y Dorotea: requerido de amores por la doncella Altisidora, pide un laúd y decide responderle en verso conforme a las exigencias del género. Asimismo, al final de la obra, cuando vencido por el bachiller Sansón Carrasco debe renunciar al ejercicio de la caballería, resuelve hacerse pastor y vivir en los campos, esto es, pasar de personaje del género caballeresco a personaje del género bucólico y trocar los hábitos y convenciones propios del *Amadís* por los de *La Diana*.

En el universo del *Quijote* el poder de la literatura es omnímodo, y casi todos los personajes acatan las convenciones literarias que exige el verosímil del género que representan, ya sea por receptividad natural, ya por espíritu de juego: el cura, el barbero, Sansón Carrasco y Dorotea se disfrazan de encantador, doncella, caballero andante y princesa encantada y se expresan como personajes de novelas de caballerías, y lo mismo hacen en el castillo los duques, la dueña dolorida, Altisidora y la comparsa de auxiliares y criados. Cervantes nos presenta así un muestrario de los diferentes códigos literarios de su tiempo, con el arsenal de recursos peculiar de cada uno de ellos, y a continuación se entrega al malicioso juego de destruirlos en nombre de la insólita, deslumbradora realidad literaria que él crea. Con respecto al género de caballería, la parodia es continua; bástenos recordar que el hidalgo es armado caballero por el ventero y dos prostitutas. El género italianizante no sale mejor parado: cuando don Quijote responde al son de una vihuela a la doncella Altisidora, su canto es interrumpido por el estruendo ocasionado por unos gatos que, con cencerros atados a las colas, se desparraman por la habitación y cubren de arañazos al desdichado caballero. En otro pasaje, don Quijote tropieza con unas pastoras enmarcadas en el paisaje convencional de la novela bucólica y, de improviso, un tropel de toros bravos con sus cabestros atropella a los exquisitos personajes del cuadro y aniquila con violencia burlesca la atmósfera irreal de aquella Arcadia fingida.

El juego intertextual de la obra se revela de modo especial en la segunda parte, a través del continuo diálogo entre lo que expone su compilador final y los textos, publicados ya, de la primera parte y del licenciado Avellaneda. El hidalgo manchego y su escudero son ahora personajes de la crónica de

Cide Hamete Benengeli, impresa y vendida por millares de ejemplares, y son reconocidos a título de tales por los demás protagonistas de la segunda parte. La discusión literaria, extendida antes a géneros tan diversos como el libro de caballerías, novela bucólica, comedia lopesca, etc., abarca también la primera parte de la novela. Don Quijote y Sancho aparecen a menudo preocupados por la imagen que proyectan, en calidad de personajes literarios, en la crónica de Cide Hamete, y algunos protagonistas, como el bachiller Sansón Carrasco y la duquesa, les interrogan sobre sucesos acaecidos en la primera parte, con objeto de aclarar situaciones confusas o insuficientemente explicadas, o señalarles las contradicciones o errores en que incurrieron.

Pero la extraordinaria galería de espejos cervantina adquiere una dimensión nueva en la medida en que el hidalgo y su escudero no sólo se ven a sí mismos, y son reconocidos como personajes de la primera parte, sino también como personajes de la obra publicada por Avellaneda. El ataque de éste afectó mucho a Cervantes y en el prólogo de la segunda parte responde con ironía a sus acusaciones de que las referencias a Lope fueran producto de la envidia. Con todo, no se contenta con polemizar desde fuera y, conforme a su procedimiento habitual, introduce el debate en el ámbito de la novela, entablando un nuevo, audaz e ingenioso diálogo entre sus dos héroes y los descritos por Avellaneda. Así, el don Quijote y Sancho de la segunda parte tienen neta conciencia de su doble proyección exterior, a la vez como personajes de Cide Hamete y de la novela apócrifa, lo que permite a Cervantes tejer una sutilísima red de relaciones entre la proyección literaria de los héroes de las dos obras y subrayar con ello la inferioridad manifiesta de la escrita por su rival.

Cuando Roque Guinart recibe a don Quijote en Barcelona, deja bien sentadas sus preferencias con respecto a los dos libros, y el propio hidalgo, al visitar la imprenta, descubre un ejemplar de la obra de Avellaneda y lo condena desdeñosa-

mente al fuego purificador. En su coloquio con la doncella
Altisidora, ésta le refiere que vio arrojar a los infiernos la
novela de su enemigo, y el caballero le responde: "si ella fuere buena, fiel y verdadera, tendrá siglos de vida; pero si fuere
mala, de su parto a la sepultura no será muy largo el camino".
Más prodigioso aún: el hidalgo manchego se rebela en una
forma que hoy calificaríamos de pirandelliana —o como el
Augusto Pérez de *Niebla*— contra el destino que ha pretendido trazarle Avellaneda, y modifica sus planes de viaje a fin de
desautorizarle y mostrar a las claras la falsedad de su relato.
Pero el momento donde el juego literario cervantino se despliega con mayor efecto es en el pasaje en que don Quijote y
Sancho tropiezan con un personaje del falso *Quijote*:

> —Mi nombre es don Alvaro Tarfe —respondió el hués-
> ped. A lo que respondió don Quijote:
> —Sin duda alguna pienso que vuestra merced debe de ser
> aquel don Alvaro de Tarfe que anda impreso en la segunda
> parte de la *Historia de don Quijote de la Mancha*, recién
> impresa y dada a la luz por un autor moderno.
> —El mismo soy —respondió el caballero—, y el tal don
> Quijote, sujeto principal de la tal historia, fue grandísimo
> amigo mío, y yo fui el que le sacó de su tierra, o, a lo menos,
> le moví a que viniese a unas justas que se hacían en Zarago-
> za, adonde yo iba; y en verdad en verdad que le hice muchas
> amistades, y que le quité de que no le palmease las espaldas
> el verdugo, por ser demasiadamente atrevido.
> —Y dígame vuestra merced, señor don Alvaro, ¿parezco
> yo en algo a ese tal don Quijote que vuestra merced dice?
> —No, por cierto —respondió el huésped—: en ninguna
> manera.
> —¿Y ese don Quijote —dijo el nuestro—, traía consigo a
> un escudero llamado Sancho Panza?
> —Sí traía —respondió don Alvaro—; y aunque tenía fama
> de muy gracioso, nunca le oí decir gracia que la tuviese.
> —Eso creo yo muy bien —dijo a esta sazón Sancho—, por-
> que el decir gracias no es para todos, y ese Sancho que vues-

tra merced dice, señor gentilhombre, debe de ser algún gran-
dísimo bellaco, frión y ladrón juntamente; que el verdadero
Sancho Panza soy yo, que tengo más gracias que llovidas
(II, 72).

La novela de Cervantes es en puridad un relato de diferentes relatos, un discurso sobre discursos literarios anteriores
que en ningún momento disimula el proceso de enunciación;
antes bien, claramente lo manifiesta. La historia del personaje
enloquecido por los libros de caballerías se trueca así, de
modo insidioso, en la historia de un escritor enloquecido con
el poder fantasmal de la literatura. Si el "juego constante del
enlace entre las partes y el todo por un lado, y las palabras y
la estructura por otro se presenta en forma de una espiral en
la que el número de vueltas es proporcional a la plenitud y
complejidad del sistema", en el caso del *Quijote* el movimiento helicoidal es prácticamente infinito. Cervantes ha tocado
todas las teclas y registros del juego. Por eso, cuando la vanguardia de hoy, abandonando el "realismo" de corto vuelo
predominante en los últimos siglos intenta devolver a la
novela sus posibilidades de expresión perdidas o mantenidas
en barbecho, deliberadamente o no, huella el ámbito cervantino.

Un análisis de *Tres tristes tigres*, del novelista cubano Guillermo Cabrera Infante, nos suministra un excelente ejemplo.

II

Una lectura apresurada de *TTT* ha inducido a un buen número de lectores y críticos a la errónea conclusión de que se trata
de una obra irregular, llena de páginas brillantes y con acier-
tos narrativos parciales, pero caótica y mal planeada. Desde
su aparición, el libro fue saludado como una novela de gran
alcance y, de modo bastante arbitrario, comparado a *Rayue-*

la;[5] no obstante, sus mismos admiradores, tras lamentarse de sus malabarismos verbales, montaje confuso, carencia de esquema general, etc., han solido entresacar determinados pasajes o capítulos —vgr., "Ella cantaba boleros" o los monólogos de "Los debutantes"— a expensas del resto, considerado poco menos que simple material de relleno, chiste inane, digresión prescindible, opinión compartida, preciso es decirlo, por cierto número de lectores.

A primera vista, los hechos parecen darles razón: la estructura general de *TTT* no emerge fácilmente de una primera lectura del libro. El orden disperso o, por mejor decir, el desorden estrictamente regulado de la novela, incitan a menudo al error. En un volumen consagrado a la obra de Cabrera Infante[6] figura, por ejemplo, un ensayo en el que aparecen varias equivocaciones de bulto: su autor confunde a Cuba Venegas con Minerva Eros; no acierta a ver que Ribot, el dibujante, y Eribó, el bongosero, son la misma persona; atribuye el breve monólogo final de la novela a la Estrella "agonizando en una carpa de oxígeno" y juzga el diálogo entre Silvestre y Cué de las últimas ciento cincuenta páginas, en donde se nos revelan las claves fundamentales del libro, "un ejercicio de tediosa inautenticidad", todo salpicado con citas de Mallarmé, Dubuffet, Umberto Eco y otras muestras de erudición bonaerense *à la page*.

La oscuridad, decía en una ocasión Jean Genet, es la cortesía del autor con el lector: *TTT* es un buen ejemplo de aquellas obras que, en vez de someterse a las reglas de un juego conocido por el lector, crean sus propias reglas de juego, como si dijéramos, "en plena marcha", y es precisamente la victoria final del autor sobre los hábitos de conformismo y rutina que, de modo capcioso, se cuelan en todo ejercicio de lectura, la que aporta al lector, confuso y aturdido primero, partícipe y enterado después, una emoción estética. Los hechos que Cabrera Infante presenta de forma dislocada los reconstruimos poco a poco conforme avanzamos en el camino enrevesado del libro. Nuestra lectura así, es una lectura activa: somos nosotros, los lectores, quienes debemos armar el rompecabezas. La cortesía de Cabrera Infante radica en permitirnos colaborar con nuestro talento y sensibilidad en la reconstrucción de la novela.

Para lograr este objetivo el novelista juega hábilmente con la "anacronía" —las relaciones existentes entre el tiempo del argumento y el tiempo de la instancia narrativa que lo contiene. Con razón, la crítica ha señalado aquí la influencia de Sterne: el empleo indirecto de la *excusatio propter infirmitatem*, de la narración perpetuamente interrumpida por una digresión inoportuna y en muchos pasajes, siguiendo las huellas de *Tristram Shandy*, los equívocos, circunloquios y juegos de palabras se convierten en la auténtica textura de *TTT* y borran de la novela todo vestigio de trama. Por otra parte, la magnífica "galería de voces" del libro introduce una serie de discursos en los que la entonación, mímica y gestos sonoros desempeñan un papel de primer orden. En la "Advertencia" inaugural Cabrera Infante aconseja una lectura en voz alta, una audición en vez de una lectura: así la envoltura sonora de la palabra, su carácter acústico, adquieren una significación independiente de su sentido. A menudo la anécdota cuenta menos que la mímica y gestos, las variaciones cómicas o grotescas, las disposiciones sintácticas chocantes o insólitas. Esto lo había visto muy bien Cervantes:

> Los cuentos —escribía en *El coloquio de los perros*— unos encierran y tienen gracia en ellos mismos; otros, en el modo de contarlos; quiero decir que algunos hay que aunque se cuenten sin preámbulos dan contento; otros hay, que es menester vestirlos de palabras y con demostraciones del rostro y de las manos y con mudar la voz se hacen algo de nonada, y de flojos y desmayados se vuelven agudos y gustosos.

Dichos elementos, junto con la influencia del cine, radio, televisión y los *hit parade* de la época, han sido justamente señalados por los críticos más responsables. Pero la red de connotaciones de la novela no sólo se extiende —como es el caso, por ejemplo, en la obra de Manuel Puig— a la cultura popular de los medios de información de masas: en *TTT* abarca también, y ante todo, el mundo de los libros, y, como el *Quijote* —cuyos pasos sigue muchas veces, quizá sin saberlo—, es un ejemplo extraordinario de diálogo intertextual.

La novela de Cabrera Infante se nos ofrece como un discurso literario elaborado y complejo que se define y cobra sentido por su apretado haz de relaciones con los distintos modelos de su tiempo. El divertido pastiche de Bustrófedon de los principales narradores cubanos nos viene a recordar oportunamente que el texto literario no puede ser juzgado de modo aislado, sino en relación y correspondencia con otros textos, con todo el sistema de valores y normas que lo anteceden y predeterminan su identidad, ya sea por medio de su imitación, parodia o rechazo. Como Cervantes, Cabrera Infante introduce la discusión literaria en el cuerpo de la novela y crea una obra que, a medida que avanza, se va comentando a sí misma, parodia y destruye los modelos rivales y alza sobre sus ruinas la prodigiosa armazón de su fábrica. El juego de correspondencias se manifiesta igualmente en todos los niveles del libro: *TTT* está lleno de citas literarias, alusiones a escritores y obras, discusiones sobre el arte de traducir, etc. —exactamente como el *Quijote*.

Las referencias a Joyce, Hemingway, Faulkner, etc., son abundantísimas (vgr.: las bromas y juegos de palabras sobre *Por quién doblan las esquinas* y *Más-Allá-del-Río-y-entre-los-árboles*, pp. 141, 146). Uno de los narradores, Códac, sueña incluso con *El viejo y el mar* ("y empecé a jalar cordel y pegué mi pez a la borda y le decía pez grande, mi pez enorme, noble pez, yo te arponié, yo te cogí, pero no dejaré que ellos te coman"). Si el paisaje que contempla don Quijote nos es descrito en términos del *Amadís*, el que recorren los héroes de *TTT* pasa igualmente a través del filtro de su cultura libresca (Conrad, Lorca, André Gide, p. 316; Huxley y otra vez Hemingway, p. 362, etc.). Silvestre y Cué debaten sobre lo que es o debería ser la literatura, del mismo modo que el cura y el canónigo discuten la verosimilitud de los libros de caballerías y la comedia lopesca (pp. 330-331). Vimos cómo don Quijote se burla del modo repetitivo en que Sancho refiere su "cuento de nunca acabar"; en un pasaje muy gracioso, Cabrera Infante emplea un recurso parecido cuando nos muestra a sus héroes, durante el paseo nocturno en automóvil con Magalena y Beba, parodiando una versión del "cuento de nunca empezar" (pp. 387-388). Los personajes cervantinos hablan con frecuencia de sus lecturas y bibliotecas y, como el canónigo, nos confiesan que han intentado escribir; los tristes tigres de Cabrera Infante parecen a su vez verdaderamente obsesionados por la escritura y se interrogan respecto a su vocación de escritores: "Algún día escribiré este cuento", dice Silvestre. El diálogo entre este último y Cué —diálogo interrumpido y por ello mismo más significativo tanto cuanto revela una preocupación profunda— es un buen ejemplo de ello:

> —¿Por qué tú no escribes? —le pregunté de pronto.
> —¿Por qué no te preguntas mejor por qué no traduzco?
> —No. Creo que podrías escribir. Si quisieras.
> —Yo también lo pensé en un tiempo —dijo y se calló (p. 311).

Discutimos, discutíamos y bebimos la sexta copa porque la conversación cayó otra vez, ella solita, en lo que Cué llamaba El Tema y que ahora no fue el sexto ni la música ni siquiera su Pandectas inconcluso. Creo que vino a parar aquí rodando y rodando sobre las palabras que querían evitar la pregunta, la única pregunta, mi pregunta. Pero era Cué quien preguntaba, insistente.

> —¿Qué sería yo entonces? ¿Un lector mediocre más? ¿Traductor, otro traidor? (pp. 339-340).

Recordemos que durante su visita a una imprenta en Barcelona, el hidalgo manchego tropieza con un traductor y discurre con él acerca del arte de traducir. Este tópico —la traducción— es uno de los ingredientes esenciales en la novela de Cabrera Infante. En el diálogo que acabamos de citar, Cué responde a la pregunta de su amigo, y a continuación ambos discuten de escritores y novelas:

> ... Más atrás algún Montenegro salvable pese al subdesarrollo de la prosa, su Hombres sin Mujer, dos o tres cuentos de Lino Novás, que es un gran traductor.
> —¿Lino? ¡Por favor! Tú no has leído su versión de El viejo y el Mar. Hay por lo menos tres errores graves ya en la primera página. Me dio lástima seguir buscándolos. No me gustan las decepciones. Por curiosidad miré la última página. Allí llega a convertir los leones africanos del recuerdo de Santiago, ¡en "leones marinos"! Es decir, en morsas. Del carajo (p. 341).

Todavía, más adelante, Silvestre insiste en sus ataques:

> Feroz anglicista traduciendo naturalmente del americano. Dice, también, afluente por próspero, morón por idiota, me luce por me parece, chance por oportunidad, controlar por revisar y muchas más cosas. Qué horror el Espanglish. Ya nos ocuparemos de ti un día, Lyno Novas (p. 369).

En este punto, la "Historia de un bastón y algunos reparos de Mrs. Campbell" —relato intercalado en el cuerpo de la novela como Cervantes intercala *El curioso impertinente* o el cuento de Crisóstomo y Marcela— cobra todo su sentido: este Mr. Campbell, de quien primero tenemos noticias gracias a la presentación bilingüe del animador de Tropicana, es autor de un cuento, de factura muy hemingwayana, del que se nos ofrece dos versiones en la sección titulada "Los visitantes". La primera de ellas —presentada en segundo lugar— es una sucesión de giros y locuciones literalmente traducidos del inglés, que infectan la estructura lingüística del castellano y producen en el lector un efecto cómico irresistible, al tiempo que, con gran eficacia, y sin la cargante retórica a que estamos acostumbrados, denuncia la penetración imperialista del inglés en el mundo de habla hispana.[7] Pero la segunda versión, corregida, según descubriremos más tarde, por el propio Silvestre, es también, a su manera, una traición: "hacía un calor terrible. Había un techo bajo de gordas nubes grises, negras más bien...". Como dice Emir Rodríguez Monegal:

> ¿Cómo no reconocer en la ordenación de esos adjetivos en hilera, sin una coma, precisamente uno de los rasgos más notorios del estilo inglés de William Faulkner, que sus traductores (desde Novás Calvo a Jorge Luis Borges) aclimataron en la lengua española, traicionando inevitablemente al curso natural de la misma?[8]

De modo muy "tristramshandyano", Cabrera Infante nos da la clave de la obsesión de Silvestre por el arte de traducir únicamente en las páginas finales del libro, en un episodio importantísimo no sólo porque en él se cuela de modo directo en la novela GCI, redactor en jefe del semanario habanero *Carteles* —cargo que ocupó en la realidad Cabrera Infante— sino también porque "motiva" la inserción del cuento de Mr. Campbell, interpolación que de otro modo hubiera sido arbitraria. Esta obsesión acompaña a Silvestre hasta las últimas líneas de su relato, cuando, rendido de cansancio, se acuesta: "soñando con los leones marinos de la página ciento uno: morsas: morcillas: sea-morsels. Tradittori" (p. 445).

Fiel aún al ejemplo cervantino, Cabrera Infante nos presenta un muestrario de los modelos narrativos con quienes quiere cotejar su novela y se lanza al juego burlesco de remedarlos en nombre de la realidad diferencial que él crea. Blanco de las parodias no son en este caso los libros de caballerías o la novela pastoril sino la obra de destacados escritores cubanos. Para comprender el propósito de los pastiches de Bustrófedon resulta indispensable referirse a la mencionada discusión literaria de "Bachata", cuando Silvestre y Cué citan sucesivamente los nombres de Montenegro, Novás Calvo, Piñera y Carpentier, o el pasaje de la misma sección en que Silvestre expresa su opinión sobre Martí:

> —¿Eso costó el entierro de Bustrófedon?
> —No, eso costó el entierro de Martí. Triste, ¿verdad?
> No dijo nada. No soy, no éramos martianos. En un tiempo admiré mucho a José Martí, pero luego hubo tanta bobería y tal afán de hacerlo un santo y cada cabrón convirtiéndolo en su estandarte, que me disgustaba el mero sonido de la palabra martiano. Era preferible el de marciano (p. 403).[9]

"La muerte de Trotsky referida por varios escritores cubanos, años después — o antes" contiene imitaciones de Martí, Lezama Lima, Virgilio Piñera, Lydia Cabrera y Nicolás Guillén; algunas son muy cómicas; otras, irónicamente afectuosas, como las de Piñera o Lezama. La más cruel, sin duda, es la del estilo ornamental de Carpentier, que tan a menudo roza el decorado de repostería o de cartón-piedra, aunque hay que reconocer que Bustrófedon lleva la burla demasiado lejos y, por momentos, se le va de las manos.

Aún en los pasajes de la novela que hacen referencia al cine, *TTT* repite, voluntariamente o no, el esquema de Cervantes: Silvestre y Cué se transforman en personajes de película como los protagonistas del *Quijote* se convierten en personajes de libros de caballerías o novela bucólica: durante su visita al apartamento de Livia, Cué se identifica con Andy Hardy y David Niven; en el paseo en automóvil de "Bachata", con Robert Montgomery. Otras veces, por espíritu de

juego, parodian de forma muy cervantina, escenas de películas conocidas, conforme a la pauta del cura, el barbero, Sansón Carrasco y Dorotea cuando desempeñan para don Quijote los papeles de encantador, doncella, caballero andante y
princesa encantada: diálogo de Vincent van Douglas en *Sed
de vivir*, de Gary Cooper y Katy Jurado en *High Noon*, de
Abbot y Costello contra los fantasmas, etc.

El autor o autores de la novela de Cervantes, así como el
apellido del protagonista (¿Quijada, Quesada, Quejana?), se
nos ofrecen de manera dudosa y problemática. El compilador
final de la obra opera sobre lo que otros han escrito y no se
aclara nunca el grado de participación de los diferentes autores (Cide Hamete, el traductor y aquellos a quienes se alude
en el capítulo primero del libro). Como vamos a ver, la misma imprecisión acerca de quien nos da a conocer los múltiples
relatos que se integran en la estructura final de *TTT* afecta
también nuestra lectura de la novela de Cabrera Infante. Para
resolver el enigma nos detendremos en la sección titulada
"Bachata". La casi totalidad de las ciento cincuenta páginas
que abarca la misma —excepto dos consagradas a la oncena
sesión de la misteriosa mujer sicoanalizada— refieren el paseo
en automóvil de Silvestre y Cué, enzarzados en un largo y
sinuoso coloquio cuya pirotecnia verbal se esfuerza en ocultar,
sin lograrlo, la ansiedad y angustia secretas de los dos tristes
tigres. El punto de vista de la narración es el de Silvestre y la
conversación de los protagonistas —elusiva, llena de quie-
bros— revela poco a poco las claves —piezas escamoteadas
por el autor— que permitirán al lector armar al fin el complejo rompecabezas de la novela (la inclusión del cuento de
Mr. Campbell, la personalidad de Magalena Crus, el final
del relato de Cué que figura en "Los debutantes", etc.).

Cué ha referido su sueño a Silvestre (p. 313) y, cien páginas después, éste vuelve a tocar el tema y le cuenta a su vez el
sueño de una amiga: "mi amiga, nuestra amiga", "esta amiga
críptica, tan oculta como la tuya y casi tan evidente"

insistir que yo entrara en la casa cuando fui a buscar a Laura el 19 de junio de 1957 (p. 150).

Recuerdo ahora cuando la puerta de la nueva casa de Livia se abre, otra puerta que se cierra y la frase socorrida, vulgar que Laura dijo y a la que el tono súbitamente helado hizo de veras dramática *La próxima vez cierran la puerta* al irse y recuerdo la indiferencia continuada en las ocasiones que la llamé, que vine a buscarla, que fui a verla a la televisión y la lejanía afectiva en que acabó nuestra relación, donde el *Quiay* y el *Hola* y el *Taluego* sustituyeron todas las anteriores expresiones de calor, de afecto —¿de amor? (p. 152).

La escena en que Laura sorprende a Cué en embarazosa intimidad con Livia y a partir de la cual se distancia definitivamente de él, ocurre el 19 de junio de 1957, es decir, un año antes del paseo en automóvil en que Silvestre le anuncia su propósito de casarse con ella —de ahí la soterrada violencia de la conversación de los dos amigos. Pero lo que nos interesa ahora es una serie de elementos sueltos en la caracterización de Laura Díaz, tal como aparecen en el relato de Cué: "muchacha larga, *pobremente* vestida", "belleza simple, *provinciana*", "era *viuda*", "una niña pequeña y rubia y fea, que era *su hija*", "*hoy es famosa*", "trabaja en la *televisión*" (pp. 148-152). Recordemos igualmente que Silvestre es escritor, así como el sueño de Laura que este último ha contado en la página 420, y pasemos a continuación a las secuencias sicoanalíticas de la Misteriosa:

Primera: "¿Usted sabía que mi marido es *escritor*?"

Segunda: Un *sueño*.

Tercera: "¿Doctor, usted cree que yo debo volver al *teatro*?"

Cuarta: Recuerdo infantil. *Pobreza* implícita.

Quinta: Historia del noviazgo. Lo que importa es el encuentro con la amiga de la infancia, compañera en la escuela del *pueblo*, con quien se sentaba por las noches en la *acera* de la casa. Cotéjense estos datos con la primera secuencia de "Los debutantes" y la inclinación a fabular, a exhibirse y *hacer teatro* de las dos niñas (pp. 23-27).

Séptima: "El viernes le dije una mentira, doctor ... Ese muchacho [el rico] no se casó conmigo. Yo me *casé* con otro muchacho que ni siquiera lo conocía".

Octava: Otro *sueño*.

Novena: "¿Yo no le dije que soy *viuda*?". La familia del difunto marido le quitó *la niña* alegando que "vivía una vida inmoral de *artista*".

Oncena: Trauma infantil. Nueva referencia al *marido*.

Estos datos dispersos nos permiten identificar a la misteriosa mujer sicoanalizada, quien no es otra que Laura Díaz, la futura esposa de Silvestre. Digo futura porque, cuando termina "Bachata", Silvestre y Laura no se han casado aún. Lo cual nos indica, sin lugar a dudas, que las sesiones de sicoanálisis de Laura se sitúan en un tiempo ulterior al de la trama del resto de la novela. Laura no es sólo la mujer de Silvestre sino que ha abandonado el teatro, como nos descubre la tercera secuencia. Esta remisión a un período subsiguiente me parece importantísima por cuanto nos da la clave de la estructuración del libro y el papel que Silvestre desempeña en ella.

En "Bachata", Silvestre —como un personaje cervantino o de *La Lozana andaluza*— busca papel y lápiz para anotar una anécdota (pp. 299-300), o afirma: "algún día escribiré este cuento", y Arsenio —igualmente como los héroes cervantinos o de la novela de Delicado— alude a su futura condición de personaje. Tras una referencia, que dista mucho de ser casual, a don Quijote como "tipo ejemplar de contradictorio temprano", leemos:

—¿Y tú y yo?
Pensé decirle, Seamos más modestos.
—No somos personajes literarios.

—¿Y cuando escribas estas aventuras nocturnas?
—Tampoco lo seremos. Seré un escriba, otro anotador, el taquígrafo de Dios, pero jamás tu Creador (p. 408).

Como vemos, en este pasaje Silvestre se caracteriza a sí mismo, definiendo su trabajo posterior en términos de escriba, anotador, taquígrafo de Dios, "pero jamás tu Creador". La observación me parece fundamental en la medida en que, como todo texto literario coherente, *TTT* suministra una información acerca de su propia estructura:[10] el papel del novelista en ella será el de un escriba, anotador, taquígrafo —no el narrador omnisciente a la manera del XIX, Jehová, Dios creador. El tiempo ulterior al de la acción de la obra incluye así la etapa del sicoanálisis de Laura Díaz y del trabajo de escriba, anotador o taquígrafo de Silvestre mientras arma o desarma para nosotros el admirable edificio de la novela. El papel privilegiado de Silvestre se nos descubre, por un lado, mediante sus frecuentes referencias al acto de la escritura ("y me toma más tiempo escribirlo que lo que demoró en hacerlo"); por otro, por su concepción de la obra como volumen, novela impresa, compaginada y publicada o dispuesta para la publicación —concepción que Cabrera Infante le atribuye a él con exclusión de los demás personajes ("los titulitos pertenecen, por supuesto, al anotador", p. 322).[11]

La identificación de Silvestre como *editor* o compilador de la obra es todavía más precisa cuando se refiere a la numeración definitiva de la novela que nosotros, los lectores, tenemos entre manos: "me lo contó todo. O casi todo. El cuento está en la página cincuenta y tres"; "y me volví a quedar durmiendo dreamiando soñando con los leones marinos de la página ciento uno".

La historia "omitida" por Cabrera Infante —pieza maestra necesaria para completar el rompecabezas y descifrar su orden desordenado— no es otra que la del proceso de estructuración de la novela con posterioridad al tiempo en que se desenvuelve la trama, como la historia "omitida" del *Quijote* es la que hubiera debido aclararnos el incierto proceso de su fragmentaria creación sucesiva. Con esto no pretendo afirmar que la repetición de los esquemas del *Quijote* en *TTT* sea siempre consciente. En mi opinión no lo es: como me prueba mi experiencia en el caso de *Don Julián*, no descubrí sino más tarde, cuando había concluido el libro, que el episodio de las moscas en la biblioteca de Tánger desempeñaba en el interior del mismo una función similar al del examen de la biblioteca del hidalgo por el cura y el barbero, o sea, que es posible "cervantear" sin que uno lo sepa. Ello se debe sin duda al hecho de que Cervantes exploró virtualmente las posibilidades latentes del género que había elegido para expresarse, y quien concibe la novela como una aventura, no por esencial menos problemática, debe remitirse necesariamente al inmenso campo de maniobras recorrido por él. Si a ello añadimos que —ya temática (*Tiempo de silencio*), ya estructuralmente (*Juan sin Tierra*)— algunos escritores españoles entroncamos aposta con su "rara" invención, es la prueba de que, por los senderos de Borges o Américo Castro, la lección del *Quijote* se ha abierto finalmente camino y preside a ambos lados del Atlántico el resurgir actual de nuestra novela.

En *TTT*, Cabrera Infante nos ha presentado los hechos en una forma dispersa que auspicia no obstante el esfuerzo ordenador, ha barajado maliciosamente los materiales como un jugador de naipes y, con una cortesía y respeto verdaderamente encomiables a nuestra agudeza y sensibilidad de lectores, nos ha permitido el placer exquisito de su reconstrucción.

NOTAS

1. Carlos-Peregrín Otero, "Unamuno y Cervantes", en *Letras I*, Seix Barral, Barcelona, 1972, pp. 171-190.

2. Américo Castro, "La palabra escrita y el *Quijote*", en *Hacia Cervantes,* Taurus, Madrid, 1958.

3. En *Théorie de la littérature. Textes des formalistes russes,* reunidos, presentados y traducidos por Tzvetan Todorov, prólogo de Roman Jakobson, Editions du Seuil, París, 1965, pp. 76-97; trad. castellana: Signos, Buenos Aires, 1971.

4. Vicente Llorens, *Literatura, historia, política,* Revista de Occidente, Madrid, 1967.

5. Aunque no comparto la severidad del juicio de Juan Benet sobre Cortázar en su interesante entrevista en el clausurado semanario uruguayo *Marcha,* no cabe duda de que pone el dedo en la llaga cuando apunta a algunos de los defectos e insuficiencias de su voluminosa novela. En cualquier caso, la inadecuada comparación de los críticos entre las dos obras no hace más que resaltar la indiscutible superioridad de *TTT.* Cabrera Infante puede reivindicar en verdad su filiación con Cervantes y Sterne; el laborioso montaje de *Rayuela* —pese a algunas secuencias brillantes, perfectamente conseguidas— se relaciona más bien con el experimentalismo gideano de *Les faux monnayeurs.*

6. Julián Ríos, ed., *Guillermo Cabrera Infante,* Fundamentos, Madrid, 1974. Véanse especialmente los excelentes artículos de Emir Rodríguez Monegal y Julio Matas.

7. En 1965, durante un viaje por la URSS, invitado por la Unión de Escritores, alguien me entregó un folleto, vertido al parecer en castellano, sobre "La promoción de la mujer uzbeca en el Socialismo". El desdichado traductor —que debía ignorar nuestra lengua tanto como el autor de la primera versión del cuento de Mr. Campbell— había logrado, sin proponérselo, uno de los textos más cómicos que he leído en mi vida. Refiriéndose a la vieja costumbre del velo de las mujeres musulmanas uzbecas —costumbre eliminada después por el poder soviético— escribía esta gloriosa frase: "Ellas andaban interceptadas por tupidos velamentos".

8. Artículo incluido en el volumen citado en la nota 6.

9. Algo parecido ocurre hoy en España con el proceso de beatificación de Antonio Machado "el bueno" —beatificación que demuestra, por parte de sus bienintencionados autores, una incomprensión total del magisterio de Mairena. ¿Hasta cuándo persistirán nuestros presuntos historiadores literarios en la carpetovetónica costumbre de dividir a los escritores en Malos y Buenos?

10. La misma información estructural y, a fin de cuentas, el hecho de referirnos de modo indirecto al proceso de su propia creación, los hallamos en dos novelas españolas fundamentales de nuestra postguerra: *La familia de Pascual Duarte,* de Camilo José Cela, y *Recuento,* de Luis Goytisolo.

11. Es cierto que en la página 270 Códac dice de sí mismo: "este anónimo escriba de jeroglíficos actuales", pero sabemos que fue Silvestre quien le pasó las "memorias" de Bustrófedon para que las copiara, y podemos deducir que aquéllas, una vez transcritas, volvieron a las manos de su anterior propietario.

la: frente a la general garrulería, vaciedad y alabanza interesada, el silencio y sólo el silencio es significativo.

Otro modo de tomar en consideración la obra censurada —a la que no se puede o quiere analizar— consiste en condenarla *ab initio*, negarla tajantemente. Se elegirán para ello unas cuantas frases de la misma extraídas de su contexto y se abrumará al autor en nombre de una supuesta superioridad intelectual o moral, desde la trinchera o plaza fuerte de una postura aparentemente ideológica. Mejor aún: se anatematizará la obra en función de las opciones políticas del escritor, repudiando éstas para absolverse así de la dura, enojosa necesidad de examinar aquélla. Se dirá de él, por ejemplo, que es "un muchacho criado en el extranjero que imaginariamente se aferra a la patria por las lecturas europeas de la mitología mexicana"; que "ha escogido ser un alto y favorito funcionario con toda la plataforma publicitaria y prestigiosa del Estado"; se aludirá en fin a "su actual claudicación como escritor independiente",[1] etc. Dicho procedimiento, perfectamente válido, siempre y cuando se maneje con honestidad, para enjuiciar la trayectoria política de Fuentes, resulta del todo impertinente si se utiliza como arma o apisonadora con el propósito de demoler una obra tan densa y rica en implicaciones como *Terra nostra*.[2] Condenar la novela a partir de la adhesión del escritor a la actual dirección del PRI sería tan absurdo como descartar los *Sueños* de Quevedo por el hecho de haber sido éste agente del duque de Osuna, o recusar, como hizo recientemente la derecha española, la admirable crítica literaria de Azaña en nombre de su aborrecido laicismo. Más que crítica, tal actitud reviste las peculiaridades de un conocido terrorismo crítico, empleado por fortuna en nuestro caso, sin los atributos omnímodos del poder. La violencia de numerosos ataques "ideológicos" enmascara apenas la índole emotiva, puramente irracional de la reacción de sus autores. "La razón —decía Swift— es un jinete muy ligero y fácil de descabalgar." Enjuiciar *Terra nostra* como "la tradicional lectura metropolitana de un país colonial", uno de esos *"romans de pays chauds"* que son parte integrante de "la cultura de exportación" o caracterizar la obra del novelista como "cultura del despotismo en la que el escritor es un pequeño y solitario dictador que no conversa" no es practicar siquiera una lectura ideológica —y por tanto reductiva— de una novela ingente, compleja y a menudo contradictoria. Semejante apriorismo prescinde totalmente de la especificidad de la obra literaria que pretende analizar, la convierte en palenque de un ajuste de cuentas disfrazado de batalla ideológica, la manipula y la dota, como *deus ex machina* de su demostración, de una irreductible esencia previa. Al proceder con tal rigidez maniquea, los presuntos críticos no definen ni caracterizan a Fuentes ni *Terra nostra*: se definen únicamente a sí mismos, caracterizan tan sólo su propio método.

Uno de los procedimientos habituales del terrorismo crítico (avalado o no por el poder) consiste en crear una imagen-espantajo, ya sea del autor (conozco por experiencia personal lo que esto significa), ya de la obra, presentándola, por ejemplo (como hizo la crítica literaria con la poesía de Góngora o se intentó recientemente, sin éxito, en el caso de *Paradiso*), como algo abigarrado, impenetrable, confuso, caótico —hasta asociarla en la mente del lector eventual con la etiqueta de ilegible. La ambición, dificultad y desmesura inherentes a *Terra nostra* la convierten así en el candidato ideal a esta imagen-espantajo de la obra que se cita (para cargársela) pero que no se lee —de mausoleo de un autor a quien se quisiera ver sepultado en ella de una vez para siempre. Pero dichos enterradores apresurados olvidan que *Terra nostra* pertenece a la categoría de las novelas que como *Ulises* o *Bajo el volcán* se forjan lentamente, a partir de su escritura, un público de lectores fanáticos. "La gran creación —decía Maurice Nadeau refiriéndose a la obra de Malcolm Lowry— no se abre fácilmente a los cuatro vientos: se presenta como un mundo cerrado, erizado de defensas y rodeado de murallas, y no se puede penetrar en él sino después de varias tentativas de escalo y por fractura." Las notas que expongo a continuación se proponen contribuir a la escalada y fractura del lector, a guiar sus primeros pasos en el interior de la fortaleza inquietante y fascinadora por la que es preciso discurrir de puntillas para no caer en los fosos, trampas y redes que insidiosamente nos tiende el novelista. La ocupación total del castillo, la llegada al término del azaroso trayecto, convertirán —estoy seguro— al feliz allanador de *Terra nostra* en un hincha o apasionado más de esta novela exigente y difícil que entronca a la vez con la indagación radical de nuestra actual vanguardia literaria (Cabrera Infante, Sarduy) y con la ambición totalizadora de las mejores muestras de la narrativa en lengua castellana de los sesenta (las tres obras mayores de Vargas Llosa, *Paradiso*, *Cien años de soledad*).

II

Según el autor de la reseña antes citada, *Terra nostra* presentaría una imagen de México en términos de "país tropical ... que no puede ni debe transformar su historia sino aceptar la mitología que las actuales metrópolis le han asignado; [que] jamás aspirará a la democracia porque su esencia colonial es el surrealismo, la esquizofrenia, la superstición; [cuya] vida política nada tiene que ver con luchas de clases, como en los países humanos, sino con el perdurable azteco-hispanismo ... La crítica, la disidencia, el pensamiento independiente ... serían de este modo cosas indeseables: emisarios de los dioses carniceros de la destrucción porque no acatan la 'Unidad Nacional', sin la cual todo es apocalipsis".

Resumiendo: lo que Fuentes propone a sus lectores sería "el despotismo como destino ineludible".

Extraer de una obra algunos párrafos o sentencias en donde se formulan ideas para atribuirlas a continuación al autor es una empresa tan engañosa como arriesgada. Los elementos que integran la obra novelesca cobran su verdadero sentido en la dinámica interior del circuito narrativo y son, por así decirlo, la correa transmisora de un mensaje que excede, limita o contradice, según los casos, el que vehiculan las palabras o frases artificialmente aisladas. La lectura —o reducción— ideológica del texto narrativo tropieza así con una serie de obstáculos que desvirtúan a menudo los propósitos esclarecedores del crítico: tan abusivo sería imputar al autor los pensamientos u opiniones de sus personajes como tomar por expresión de la realidad lo que puede ser en ocasiones un simple recurso de escritura. Los componentes de una novela se justifican y valoran no como ingredientes estáticos que pueden ser aislados y analizados independientemente del cuerpo de la obra sino en su correlación viva, cambiante, energética con los demás elementos de la misma. Ello no excluye ni mucho menos la posible lectura ideológica del texto narrativo —pero obliga a quien la acometa a proceder con un mínimo de rigor y sentido común. La tarea se complica aún en una novela como *Terra nostra* en razón de los continuos cambios de perspectiva narrativa y del desdoblamiento o mutación de identidad de los "hombres-relato". Con todo, sin ningún propósito exhaustivo, extraeremos con pinzas las reflexiones más significativas de los narradores o hablantes en lo tocante a la Historia y trataremos de establecer la existencia de varias corrientes de pensamiento, a veces contradictorias, con respecto a ella.

La visión fatalista del pasado que denuncia el crítico aparece claramente en verdad en algunas ocasiones cuando el narrador —en este caso el cronista fray Julián— descarta las "simples y mentirosas cronologías" de la historia lineal y proclama que "la verdadera historia es circular y eterna": "Nada aprenden los hombres. Cambian los tiempos, cambian los escenarios, cambian los nombres: las pasiones son las mismas. Sin embargo, el enigma de la historia que te he contado es que, repitiéndose, no concluye" (p. 658), o aun cuando el mismo cronista —a quien no hay que confundir con Carlos Fuentes— asegura que, si la tierra no está loca, "sí lo están los hombres que la habitan; y su locura es un movimiento como el que tú describes: incesante y circular, regresando sin tregua al mismo, fatigado punto de partida, mientras piensan que han alcanzado nueva orilla" (p. 305). Visión que, pasando de lo general a lo particular, de lo abstracto a lo concreto, puede abreviarse en las amargas reflexiones del jefe de la guerrilla antinorteamericana después de especificar en la pantalla y su imaginación las sombrías imágenes de la historia de México: "¿todo para esto, te preguntas, tantos milenios de lucha y sufrimiento y rechazo de la opresión, tantos siglos de invencible derrota, pueblo surgido una y otra vez de sus propias cenizas, para terminar en esto: el exterminio ritual del origen, el sometimiento colonial del principio, la alegre mentira del fin, otra vez?" (p. 737).

Pero, como vamos a ver, Fuentes alterna la expresión del pesimismo histórico de sus personajes con una visión mucho más matizada que, si bien tiene en cuenta los reiterados fracasos anteriores, no se resigna al fatalismo o inactividad (y resulta bastante significativo al respecto que, pese a las tristes reflexiones que acabamos de exponer, el jefe de la guerrilla mantenga la lucha contra la invasión estadounidense). "Las ideas —dice el anciano de la sinagoga del Tránsito— ... nunca se realizan por completo. A veces se retraen, inviernan como algunas bestias, esperan el momento oportuno para reaparecer" (p. 545). La reproducción de los ciclos históricos no ofrece siempre desde el punto de vista de los narradores un carácter absoluto e ineluctable: la exigencia de la revolución, del progreso material y moral de los hombres, se mantiene incólume no obstante los fracasos, errores y sangre que siembran su camino. Evocar éstos no es un índice de resignación castratriz, sino todo lo contrario. Como dice Guzmán, "nada se olvida más rápido que el pasado, nada se repite tanto como el pasado" (p. 514). El conocimiento de éste es pues un paso indispensable en el arduo, empinado camino que permitirá alguna vez que la historia no se rehaga. Recordar, como hace el Señor, que "el día que todos ustedes se sienten en mi trono, tendrán que aprender todo de nuevo, a partir de la nada y cometerán así los mismos crímenes en nombre de otros dioses: el dinero, la justicia, ese progreso de que tú hablas" (p. 327) no incita al lector a cruzarse de brazos: le ayuda a comprender el fracaso de los ídolos entronizados precisamente por quienes, al negarse a admitir las lecciones de la historia, en vez de purgar a ésta de sus culpas y crímenes, se obstinan en proponernos todavía sus sombrías abstracciones racionales con una especie de fatalidad risueña. Hoy, cuando las vanguardias políticas de las sociedades más avanzadas se plantean la exigencia de una revolución que evite a toda costa los engaños del llamado socialismo autoritario, dicho recordatorio adquiere un valor eminentemente catártico y positivo. El destino de la rebelión evocada en el sueño de Pedro, en contraposición a la utopía luminosa de Celestina, es ejemplar al respecto: la lógica perversa que conduce a "olvidar nuestro propio código de fraternidad y destruir activamente a quienes no lo merecen" en razón de que "debemos defendernos, pues si somos destruidos no podemos ofrecer ejemplo alguno" (p. 123), o, en otros términos, a propugnar la conquista de la libertad futura mediante los métodos de la tiranía contra los que justamente se combate, ¿no es la que ha llevado, como sabemos hoy, a los horrores del Gulag y los asilos siquiátricos para desviacionistas? Traernos a la memoria —como hizo Rosa Luxemburgo en su célebre polémica con Lenin— que si la nueva sociedad por la que los hombres luchan "pudiese establecerse sin contrincantes, pronto se convertiría en reino idéntico al que combates" (p. 483) me parece bastante menos pesimista que la actitud de ciertos marxistas de viejo cuño, empeñados en presentarnos aún el actual sistema del orbe soviético como el único modelo revolucionario posible (acti-

tud tan fatalista y resignada como la de aquellos empederni-
dos católicos que frecuenté en mi niñez, aparentemente felices
de saber que, a causa del pecado original, sus descendientes
serían, *in saecula saeculorum*, tan desgraciados como ellos).
Con un agravante todavía que, quienes hemos exculpado en
un momento u otro los crímenes de la revolución "institucio-
nalizada" en nombre de una presunta necesidad histórica,
conocemos muy bien: "¿Y no habría sido peor esa opresión
que la mía —pregunta maliciosamente el Señor—, puesto que
yo no tengo que justificar mis actos en nombre de la libertad
y ellos, en cambio, sí?" (p. 623) —palabras que nos trasladan
al centro de la controversia interior de la izquierda mundial,
tras las revelaciones traumáticas de Jruschof, ante el inconju-
rable fantasma del estalinismo.

El debate ideológico que recorre las páginas de *Terra nostra* no puede dejarnos indiferentes en la medida en que aborda numerosos problemas que cuantos creemos en los ideales
de justicia y progreso estamos obligados a plantearnos. El
lector atento percibirá en filigrana una denuncia sutil de los
mecanismos compensatorios de quienes justifican los evitables
males de hoy en nombre de imaginarios paraísos futuros.
Frente a la consabida, y falaz, afirmación de que "sólo del
sacrificio nacen mundos nuevos" y "siempre han sido los
hombres sacrificados" (p. 209) resuena como un grito de
esperanza la apasionada invocación al *hic et nunc* en boca del
jefe rebelde: "mi historia, ni ayer ni mañana, quiero que hoy
sea mi eterno tiempo, hoy, hoy, hoy" (p. 737). Justicia y
libertad aquí y ahora, ganadas difícilmente, paso a paso, sin
permitir que se renuncie a una pulgada de las mismas en aras
de una suprema perfección ulterior; vivir y glorificar el instante, a partir del hecho de que el hombre real y concreto es
irremplazable, mediante la lucha diaria por un cielo inmediato
y terrestre que no gaste y destruya a los seres humanos para
bien de las generaciones futuras; abandono de las nociones
cristianas de culpa y sacrificio en favor de la reapropiación

del cuerpo y la consecución de una sociedad que se proponga otorgar la felicidad física, material y moral para todos en lugar de proponerse la conquista y monopolio del poder para unos cuantos. Estoicismo disfrazado bajo la máscara del "hombre nuevo", no: proclamación orgullosa de pertenecer al *Epicuri de grege porcum*. El pensamiento histórico que embebe la trama de la novela —expuesto desde el punto de vista contradictorio y fluctuante de los personajes que asumen por turno el proceso de la narración— parece oscilar, como vemos, entre dos ideas opuestas —necesidad y fracaso de la revolución— sin fijarse definitivamente en ninguna. Nadie, cuando menos en el mundo intelectual, puede ignorar de buena fe el espacio abismal que separa el proyecto revolucionario destinado a abolir la injusticia fundamental del mundo capitalista y la realidad más o menos opresiva de las nuevas sociedades revolucionarias creadas hasta la fecha. El dilema sigue en pie y sólo lo resolveremos, como dijo Sartre en la entrevista que le hice para la desaparecida revista *Libre*, gracias a un largo y difícil combate, en un doble frente, contra el mundo fundado en la explotación del ser humano donde quiera que se presente, ya sea en nombre de los viejos ídolos del mundo del que salimoos, ya de los que nos aguardan en el camino de la futura, anhelada revolución.

III

La meditación histórica de *Terra nostra* no se ciñe a principios e ideas abstractos como en los casos que acabamos de exponer. La novela es ante todo una visión lúcida y cruel de la historia española y de su prolongación en el nuevo mundo a través de la Conquista. Acá también las acusaciones de pesimismo y fatalidad —la realidad vista como un "sueño enfermo"— parecen tener algún fundamento. La perspectiva del novelista que se desprende de los sucesivos y diferentes enfoques de la narración muestra, como analizaremos más tarde, la influencia fecunda en nuestra literatura de las ideas de Américo Castro y su interpretación de la realidad histórica de una tierra —la española, la hispanoamericana— "exhausta de tanta batalla, de tanto crimen, de tanto heroísmo, de tanta sinrazón". Según el decir de sus detractores, las tintas serían demasiado negras. Veamos unos cuantos ejemplos y juzguemos. Historia de España: "memoria de desgracias ciertas e imposibles ilusiones" (p. 257); españoles: "héroes sólo porque no desdeñarían sus propias pasiones, sino que las seguirían hasta su desastrosa conclusión, dueños de la totalidad pasional pero mutilados y encarcelados por la crueldad y estrechez de la razón religiosa y política que convertía su maravillosa locura, su exceso pleno, en delito: punible el orgullo, punible el amor, punible la locura, punibles los sueños" (p. 253); nuestro impuesto destino secular: "purificar a España de toda plaga infiel, extirparla, mutilar sus miembros, quedarnos solos con nuestros huesos mortificados pero puros" (p. 101); ideario de nuestros gobernantes: "servidumbre, vasallaje, exacción, homenaje, tributo, capricho, voluntad soberana la nuestra, pasiva obediencia la de todos los demás, ése es nuestro mundo" (p. 300); realidad de sus súbditos: "Dennos sus vidas, sus escasos tesoros, sus brazos, sus sueños, sus sudores y su honra para mantener vivo nuestro panteón" (p. 79); España: "mira cómo cierra sus puertas, expulsa al judío, persigue al moro, se esconde en un mausoleo y desde allí gobierna con los nombres de la muerte: pureza de la fe, limpieza de la sangre, horror del cuerpo, prohibición del pensamiento, exterminio de lo incomprensible" (p. 568); España aún: "siglos y siglos de muerte en vida, miedo, silencio, culto de las apariencias puras, vacuidad de las substancias, gestos de honor imbécil, míralas, miserables realidades, míralas, hambre, pobreza, injusticia, ignorancia: un imperio desnudo que se imagina vestido con ropajes de oro" (ibid.); la Conquista: "construya el infierno en el Nuevo Mundo;

levante su necrópolis sobre los templos paganos; congele a
España fuera de España" (p. 511); Hispanoamérica: "El
mismo orden ... trasladado a la Nueva España; las mismas
jerarquías rígidas, verticales; el mismo estilo de gobierno:
para los poderosos, todos los derechos y ninguna obligación;
para los débiles, ningún derecho y todas las obligaciones" (p.
743); nuestro pasado: "lujosas prisiones de mármol para los
sueños de los muertos, pero insuficientes cadenas para los sueños de los vivos" (p. 276); nuestro porvenir: "¿un retorno
ciego, pertinaz y doloroso a la imaginación del futuro en el
pasado como único futuro posible de esta raza y de esta tierra, las de España y todos los pueblos que de España descien-
dan?" (p. 659).

Interrumpamos acá nuestra enumeración y echemos, aunque sea brevísima, una ojeada al contexto histórico en el que
se inscribe la gestación de la novela. Cuando *Terra nostra* se
imprime el pasado año, el panorama que ofrece el mundo de
habla castellana no es particularmente esperanzador. Refres-
quemos un poco nuestra memoria. España: dictadura, represión, censura, inexistencia de los tímidos marcos institucio-
nales admitidos incluso por los gobiernos conservadores del
pasado siglo; Latinoamérica (con excepción de Cuba): hambre, miseria, explotación, analfabetismo; España: fusilamien-
to de los cinco militantes revolucionarios, manifestaciones
multitudinarias brazo en alto en defensa de nuestros sacrosantos valores, agonía interminable del dictador (según los cánones de la mejor escuela de Goya y Valle-Inclán); Chile,
Argentina, Uruguay, Paraguay, Bolivia, Guatemala, República Dominicana: violencia legalizada, terror, asesinatos,
tortura; Chile: el pinochetismo resucita y pone al día, como
programa de gobierno, el grito salmantino de Millán Astray;
Argentina: la pobreza del pensamiento político de una
izquierda capaz de cifrar sus esperanzas revolucionarias en el
retorno de Perón, presentado como instrumento de la futura
revolución marxista, conduce a la situación, verdaderamente

231

insólita desde el punto de vista de esta doctrina, de confiar los destinos del país a una cabaretera y un astrólogo (de nuevo el esperpento valleinclanesco); Perú: confiscación de las aspiraciones revolucionarias de las masas por la nueva casta militar que dirige el país; México: corrupción, demagogia, monopolio del poder en manos de una pequeña minoría; países del Caribe (incluido Cuba): monocultivo, caudillismo, ejército como única institución, dependencia política y económica de una gran potencia (Estados Unidos o la URSS); en todo el ámbito hispanoparlante: arbitrariedad descrita en *Tirano Banderas* (¡otra vez Valle!), humillaciones, invalidez, falta de libertad, imposibilidad de los pueblos de decidir sobre su propio destino. Esta es la cruda verdad, y la existencia objetiva de un inmenso potencial revolucionario (contra el que la internacional de la represión moviliza sus fuerzas en toda América Latina) o una esperanza real de futuro (como nos muestra el caso de España después de la muerte de Franco) no obsta a que una cierta dosis de pesimismo sea no sólo excusable sino incluso de rigor. La conciencia nacional de desdicha de los pueblos de habla hispana no es un fenómeno de hoy: por no tomar más que el ejemplo de la península, desde Blanco White y Larra a Cernuda y Luis Martín-Santos, alimenta y embebe la obra de nuestros mejores escritores. Como decía melancólicamente uno de ellos, el poeta Jaime Gil de Biedma,

> De todas las historias de la Historia
> la más triste sin duda es la de España
> porque termina mal.

Fuentes incide en dicho pesimismo, pero la aguda conciencia de desgracia no ahoga en él la esperanza del desquite: "no habrá en la historia, monseñor, naciones más necesitadas para ser lo que no fueron, que éstas que hablan y hablarán tu lengua" (p. 568). Cuando Valerio Camillo nos recuerda que "sabiendo lo que no fue, sabemos lo que clama por ser", se anticipa a las conclusiones del personaje (¿Polo Febo, el cronista, el náufrago, Cervantes?) tuteado por la voz anónima que asume la narración de la última secuencia sobre "la menos realizada, la más abortada, la más latente y anhelante de todas las historias: la de España y la América Española" (p. 775). Dicho anhelo y clamor están a la vista y oído de todos pero su consecución no puede obtenerse en el marco de la obra literaria sino en la praxis cotidiana de la lucha de nuestros pueblos por la justicia, el progreso y la libertad.

Motejar la visión histórico-poética de Fuentes de evasiva e irracionalista es incurrir en la perspectiva de un realismo chato y mecanicista, que confunde a cada paso la vida con la literatura y demuestra no comprender así gran cosa de una ni de otra. La "alianza integral de imaginación y razón bajo la apariencia engañosa del delirio" que obtuvo y nos transmitió el genio de Goya sigue perturbando al parecer a todo un sector de la crítica tenazmente encastillado en los cánones y prejuicios del realismo decimonónico (el llamado realismo socialista es probablemente la doctrina estética más reaccionaria de nuestros días, y su entronización como dogma oficial en la URSS ha reducido la rica literatura de este país durante los veintes al espantable desierto de mojigatería y conformismo que todos conocemos): decir que en *Terra nostra* las "palabras son permutables, los hechos trastocables, las mitologías se transforman en un viaje de droga", que al final "todo puede ser o no ser un sueño o una visión de demencia", o que se trata de "una alucinación o pesadilla escrita como se supone que deben escribirse las pesadillas: abigarrada, multitudinaria, irracionalmente", no contribuye a alumbrar al lector respecto a los propósitos de la novela sino todo lo contrario.

Puesto que se menciona la droga en términos generales y abstractos —como quien habla de oídas—, me permitiré evocar mi modestísima experiencia personal tocante a una droga concreta: el kif. El fumador de esta hierba —me refiero a la hoja de la misma y no a su preparación concentrada en forma de maxún o haxix—, al inhalar el humo de unas cuantas pipas, comienza a aprehender la realidad de una manera diferente a la habitual, pero sin perderla de vista como sucede con el maxún o cualquiera de las drogas fuertes que desconozco. Su objetivo no es pues suplantar su relación con la realidad social por una relación artificial con la hierba. No es una tentativa de escapismo. En la modificación de lo real del fumador de kif, éste busca una nueva visión mediante la alteración de sus percepciones visuales y auditivas. Pero la relación "normal" no se desvanece, permanece como un punto de referencia fijo a lo largo de la experiencia, es posible recuperarla siempre y cuando el fumador lo decida. El kif no sustituye o anula la realidad: avalora y da una nueva dimensión a nuestra experiencia de ella. Dicha relación ambivalente y enriquecedora emparenta estrechamente nuestro goce del kif con el que extraemos a veces de la literatura. Claro está que nuestros severos "ideólogos" ignoran del todo dichas sensaciones, como esas tristes parejas que limitan el juego erótico al rápido y utilitario acto de procrear.[3]

Tomemos la novela de Carlos Fuentes: el lector, mientras recorre la fascinadora galería de espejos que reflejan el mundo y se autorreflejan, no pierde nunca de vista la historia real. El novelista, al asimilar con rara fortuna la admirable lección goyesca, se mantiene con todo rigurosamente fiel a la visión racional y objetiva de los historiadores. Su pesadilla histórica, aun cuando adopta el aspecto del sueño o la locura, no reemplaza nunca con dichos ingredientes la historia verdadera. El lector puede a cada paso volver a ésta y zambullirse de nuevo en la percepción deformante y a menudo esperpéntica del novelista. Pero incluso en las escenas más delirantes y oníricas —vgr., en los magníficos pasajes de la Dama Loca, Barbarica y el Príncipe bobo en el pudridero de los Habsburgo— cruzan, a veces como breves fogonazos, a veces en forma encantatoria o paródica recordatorios de una historia concreta y precisa que el novelista —y no sólo el lector— conoce perfectamente. Mencionaba antes la influencia de Américo Castro —uno de los poquísimos españoles que han poseído esa imaginación analítica del pasado sin la cual el historiador se convierte en un vulgar recopilador de datos sin alcance ni significación. "La historia —dice Octavio Paz— participa de la ciencia por sus métodos y de la poesía por su visión." Esta visión o intuición fundamental de Castro ha demostrado su poder genésico no sólo en el campo de la historiografía sino también en el de la creación literaria.[4] Al expresarme así, arrimo, como es obvio, el ascua a mi sardina; pero el ejemplo de *Terra nostra* es todavía más concluyente. El enfrentamiento vitalizador y libérrimo del novelista con nuestro pasado, su lectura a la vez crítica y creativa de la tradición, gracias a la cual un mismo "personaje lingüístico" sincretiza los rasgos de una dinastía y puede convivir de modo fabuloso con los cronistas de Indias y Cervantes, con Don Juan, el Comendador y la Celestina, no invalida en absoluto nuestra lectura de la historia real: la toma, como en el caso del kif, por punto de referencia. Allí están, como prueba, esas secuencias extraordinarias en que, a través del discurso de alguno de los personajes, el autor nos recuerda, por si lo necesitáramos, la persistencia indemne de la relación "normal" —densas, pero claras, casi deslumbradoras lecciones de historia sobre la crisis de la nobleza (pp. 147-148), el nacimiento de la nueva clase burguesa (pp. 322, 507, 518), el doble filo (Cortés y Las Casas) de la conquista de América (pp. 661, 662, 708), el papel histórico del oro de las Indias (p. 710), el diferente rumbo emprendido por España e Inglaterra en función de la distinta escala de valores de ambos pueblos (pp. 650-651), la persecución intelectual antijudaica desencadenada por el Santo Oficio (pp. 504, 512, 513), la génesis, desarrollo y fracaso de las Comunidades de Castilla (pp. 637-656), etc. Frente a la España torva que, sometido el moro, expulsado el judío, aplastado el hombre libre de los burgos, se obstinará en lim-

235

piar su suelo de "traidores, maricones, blasfemos, infantici-
das, asesinos disfrazados de médicos, envenenadores, usure-
ros, brujas, profanadores del Santo Espíritu" (p. 515), Fuentes nos recuerda oportunamente la existencia, más allá de las
murallas de su necrópolis y su adusta fachada de unidad, de
otra España, "una España antigua, original y variada, obra
de muchas culturas, plurales aspiraciones y distintas lecturas
de un solo libro" (p. 624). El personaje de Mijail ben Sama,
amante de la Señora, condenado a la hoguera a causa del
pecado nefando, encarna simbólicamente este espacio común
y diverso donde la convivencia de credos y culturas permite
el desenvolvimiento de una sociedad libre y democrática: el
dúo que interpreta ante el Señor en las últimas páginas de la
novela contrapone los conceptos de comunidad, tolerancia,
duda, diversidad, vida a los de poder, represión, fe, unidad,
muerte. La siniestra imagen de lo que fue no excluye la presencia de lo que pudo ser y será tal vez si con lucidez, energía
y constancia los hispanoparlantes nos lo proponemos. La lectura activa de *Terra nostra* no nos embarca en el viaje de la
droga que suprime la relación de lo real: nos brinda, al contrario, la doble visión engrandecedora, simultáneamente
"normal" y deformada, del fumador de kif.

IV

El novelista, como es obvio, puede permitirse una serie de
libertades con lo pasado que serían impensables en el caso del
historiador. Juana la Loca e Isabel la Católica pueden ser des-
mitificadas como lo hace poéticamente Severo Sarduy, en términos de Juana la Lógica e Isabel la Caótica. Así, *Terra nostra* juega tanto con la cronología como con la existencia real
del personaje histórico: Felipe, el Señor, artífice del Escorial
y campeón de la fe, es hijo de Felipe el Hermoso y la desdichada reclusa de Tordesillas y asume por turno los rasgos de

los distintos monarcas de la dinastía hasta el Hechizado; Juana la Loca se transforma en Mariana de Austria e incluso en la emperatriz Carlota de México; el descubrimiento y conquista de América se nos presentan como coetáneos de las Comunidades y la construcción del panteón escurialense, etc. El desparpajo es aún mayor por cuanto estos personajes simbióticos, con las facciones de un retrato-robot, conviven y son tratados al mismo nivel de realidad novelesca que puras creaciones literarias como Inés, Don Juan, el Comendador o la Celestina. "El novelista —decía Vargas Llosa hablando de Martorell— crea a partir de *algo*; el novelista total, ese voraz, crea a partir de *todo*." Para Fuentes, historia y literatura se confunden: la historia puede ser leída como literatura y la literatura como historia. Al construir la fábrica de la novela con elementos de una y otra, el novelista nos muestra "su voluntad de servirse sin exclusiones y sin escrúpulos de toda realidad como instrumento de trabajo".[5] Este uso libérrimo de la imaginación al servicio del designio artístico despierta siempre la cólera o irritación de quienes "a título de filósofos quieren extirpar de la mente humana la facultad que nos lleva a pintar mundos invisibles" y desearían "convertirnos en una especie de seres de cal y canto, en quienes sólo hiciese mella o impresión un martillo".[6] Las libertades que se toma Fuentes con nuestro patrimonio cultural son índice de una ambición creadora omnívora. Su museo imaginario abarca por igual novelas y crónicas, pinturas, leyendas, ciencias, mitos. Pero dichas libertades son mucho menos gratuitas de lo que pudiera parecer a primera vista. La relación normal con la historia, repetimos, mantiene siempre su punto de referencia, a veces en los pormenores novelescos aparentemente más nimios. Espumaremos un ejemplo entre cien: el hecho, recogido por los anales de la época, de que el joven emperador Carlos fuera acogido en España a su llegada de Flandes al grito de "¡Cierra la boca, bobo!" se convierte en la novela en la expresión de fray Toribio al Señor: "Cierre la boca Su Merced, que las moscas españolas son muy insolentes" (p. 757). El juego sin trabas del novelista disfraza así la paciente labor de reproducción de un miniaturista de la vieja escuela. Todas las recetas del realismo hallan un campo de aplicación feliz en la obra, si bien diferentemente dispuestas e irreconocibles así por quienes siguen aferrados a los esquemas perezosos de la rutina. Esta reconstitución laboriosa parte no sólo de las rela-ciones y crónicas sino también de los textos literarios y, sobre todo, de algunas obras maestras o menores de la pintura española, flamenca e italiana. El mejor ejemplo de este realismo irreal lo encontraremos, como vamos a ver ahora, en los extensos pasajes de la obra consagrados a la necrópolis del Escorial y el desfile alucinante de los fantasmas de los reyes y reinas de la dinastía y sus feroces, monstruosos o risibles comparsas.

El culto a la muerte, el fatalismo disfrazado de sosiego, la rigidez del gesto, el ceremonial congelado, inmóvil en que paulatinamente se encierra la dinastía de los Austria, son descritos por Fuentes con pluma magistral. Cuando Juana la Loca asevera que "no hay decadencia posible cuando la voluntad de la pérdida se impone a la voluntad de la adquisición" (p. 189), o el Comendador dice a Guzmán "la dinastía del Señor confunde honor con pérdida, ... como la urraca que, sin provecho para nadie, roba y esconde en estéril nido cuanto brilla ante su mirada" (p. 507); cuando los espectros del mausoleo sueñan en un universo consagrado a la mortificación y la muerte, "poder y pérdida, honor y sacrificio, nada, les venceremos, impondremos el reino de la nada donde ellos ponen los ojos de la esperanza, por cada paso que ellos den hacia adelante nosotros daremos dos hacia atrás, capturaremos el vuelo del porvenir en los hielos del pasado" (p. 510), lo que pudiera juzgarse por invención lúgubre del novelista es la expresión literaria de un hecho real. La historia española, escribía Cernuda, "fue actuada por enemigos enconados de la vida". Recorramos, por ejemplo, las páginas del

"No importa de España" de Francisco Santos (1639-1700) y detengámonos en su sobrecogedor retrato de Felipe IV:

> Gozaba de tranquila paz, quando la Fortuna, con espantoso rumor, dezía: "Mira, Señor, que se te ha levantado un reyno y aquellos a quienes tenías obligados han sido traydores". ¿A qué hombre no moviera esta nueva a la venganza y la ira que son las partes que hazen salir de sí a uno? Pues con un rostro propio y una severidad notable dezía: "Gracias a Dios; celébrense quarenta horas en mi capilla...". "¿Sois insensible, Señor?" "No." "Pues mirad que se ha perdido la Flota." "Gracias a Dios; avísese en la capilla las quarenta horas, y en los conventos que hagan rogativa."[7]

¿Creación arbitraria del novelista? No, ya que a menudo la realidad del pasado español desafía y excede la fuerza de la imaginación. Los monarcas de la dinastía de los Habsburgo parecen haber tenido la obsesión secreta de construir "un infierno en la tierra" para "asegurar la necesidad de un cielo" que los resarciera, a ellos y a sus infelices súbditos, del paralizante horror de sus vidas. Cuando la Dama Loca dice a Felipe: "Cuida bien de tus cadáveres, hijo mío; que nadie te los robe; ellos serán tu descendencia" (p. 222), el Señor es ya ese "padre invertido" que "nos desengendraba" que evoca José Angel Valente en su bellísima "Corona fúnebre" de nuestro último soberano absoluto.[8] El extraordinario monólogo de la reina madre —transmutada en Mariana de Austria— sobre el bobo instalado en el trono gótico: "coronadlo pronto, que su cabeza se acostumbre al peso de la corona, tiene cinco años, no puede aún caminar, debe cargarlo siempre su menina, no aprende a hablar, sólo se comunica con perros, enanos y bufones, crece envarado, tieso, tartamudo, impotente" (p. 712), es la transcripción densa y acelerada de las crónicas contemporáneas acerca del Hechizado a las que alude Sarrailh en su libro sobre la Ilustración. En cuanto al minucioso retrato del Señor, quijada saliente, labio colgante y grueso, párpados

239

plúmbeos, mirada muerta, inmovilidad de figura de cera, muestra el cuidado exquisito con que el novelista, aun cuando baraja libremente las cartas, se mantiene escrupulosamente fiel al testimonio escrito de los historiadores. Tomemos si no el retrato de Felipe IV trazado por el viajero francés Antoine de Brunel:

> usa de tanta gravedad, que anda y se conduce con el aire de una estatua animada. Los que se le acercan aseguran que cuando le han hablado, no le han visto jamás cambiar de asiento ni de postura; que les recibía, les escuchaba y les respondía con el mismo semblante, no habiendo en su cuerpo nada movible,[9]

y descubriremos que, como en la pintura de Carlos IV y María Luisa por Goya, Fuentes no carga las tintas: la simple fidelidad a lo real permite al pintor como al novelista introducirse directamente en el reino de lo alucinante y fantástico.

La fascinación de Fuentes por los espectros de la dinastía austríaca se acompaña con una fascinación igual o aún superior por el edificio que les sirve de tumba: este Escorial admirablemente evocado por Cernuda en su poema "El ruiseñor sobre la piedra" y la meseta "ardiente y andrajosa" que lo sustenta, ciñe, realza, magnifica. El palacio "concebido en la mente mortificada del Señor" (p. 85), templo de la Eucaristía, ciudadela de la Fe, fortaleza del Santísimo Sacramento, custodia de piedra, necrópolis de los príncipes, maravilla de los siglos que, según voluntad de Felipe, debe ser "la obra de mi vida, panteón de mis antepasados y mausoleo de mi propio despojo" (p. 192) nos es descrito a lo menudo en su implacable austeridad, en su perfecta y helada simetría como símbolo o concreción del sueño o pesadilla de la historia de España: "cuadrilátero de granito, tan profundo como largo ... como un campo romano, severo y simétrico, o como la parrilla que conoció el suplicio de San Lorenzo, ... fortaleza de líneas rectas y perdidas en el llano y el horizonte infinitos,

240

sin una sola concesión al capricho, tallado como una pieza de granito gris plantado sobre un tablero de losas blancas y pulidas cuyo albo contraste daría un aire aun más sombrío a la construcción" (p. 99).

Como marco de esta morada de fantasmas y momias de la dinastía, la meseta que recorre la Dama Loca con el túmulo del putañero marido no corresponde a la imagen espiritualista y acrítica de Menéndez Pidal, Azorín o Unamuno, sino a la visión mucho más realista y certera de un George Borrow o su traductor Manuel Azaña cuando desmitifican su grandeza —como lo hará también Martín-Santos en *Tiempo de silencio*— como máscara o disfraz de miseria, orfandad, tristeza, monotonía. Pudridero, necrópolis, panteón, mausoleo, El Escorial cifra no obstante su belleza en el culto obsceno a la muerte y sus obras que desde los Reyes Católicos asfixia lentamente la cultura española y culmina en el ya mentado grito de Millán Astray. La agonía del Señor Felipe es trazada en *Terra nostra* con un lujo aterrador de detalles que traiciona a la vez el horror y hechizo del novelista: "Abierta la postema, sacaron los médicos gran cantidad de materia, porque el muslo estaba hecho una bolsa de podre que llegaba poco menos hasta el hueso. Por ser tanta, no contenta la naturaleza con la puerta que habían hecho el arte y el hierro, abrió ella otras dos bocas por donde expelía el Señor tal cantidad de pus, que pareció un milagro no morir resuelto en ella un sujeto tan consumido ... cuando no vomitaba, sobreveníale una diarrea como de cabra, que inundaba de heces verdes el lecho de negras sábanas ... Así se convirtió aquella cama real en muladar podrido, de donde salían continuos olores malísimos: estaba el Señor tendido sobre su propio estiércol" (pp. 748-751). Esta minuciosidad de boletín médico probablemente remitirá a los lectores españoles a la evocación de episodios más cercanos e incluso inexistentes cuando el novelista redactaba proféticamente estas líneas: "[Felipe] abría los ojos y miraba [las reliquias] que estaban puestas junto a la cama, el hueso de San

Ambrosio, la pierna del Apóstol San Pablo y la cabeza de San Jerónimo; tres espinas de la corona de Cristo, uno de los clavos de su Cruz, un fragmento de la propia Cruz y un jirón de la túnica de la Santísima Virgen María; y apoyado contra la cama, el bastón milagroso de Santo Domingo de Silos" (p. 749). Por ello mismo, la referencia al Valle de los Caídos —que Jean Genet rememora igualmente en *El balcón*— no es en modo alguno gratuita. El "homúnculo, la mandrágora, el hijo de los cadalsos y las piras" que Felipe descubrirá sentado en el trono godo es una constante histórica que Goya y Valle-Inclán supieron captar genialmente. La imaginación histórica de Fuentes no es un puro juego onírico que enmascara la realidad y perpetúa los mitos, como nuestros incorregibles defensores de una lectura *au premier degré* escriben a propósito de *Cien años de soledad*.[10] Muchos crímenes se han cometido, cometen y cometerán en nombre de la ideología y tal vez el peor y más torpe de ellos consista en que —del mismo modo que el patriotismo es refugio de los pillos y el sacerdocio, a menudo, de los tontos— se use de escudo o bunker por parte de los zombis para ocultar a ojos del público su ausencia cruel de ideas y falta de sensibilidad.

V

La imaginación creadora de Fuentes se nutre a menudo —como la de Lezama en *Paradiso*— de un museo imaginario vastísimo de óleos, frescos, grabados. Algunos son fácilmente identificables: *El sueño de Felipe II* del Greco, *El Juicio Final* de Signorelli, *El jardín de las delicias* del Bosco, *La familia real de Carlos IV* de Goya; otros pertenecen más bien a ese acervo o memoria comunes a quienes hemos reconstruido o soñado la historia merced a las reproducciones y láminas que suelen ilustrar los manuales escolares. Una vez más, la pluma del novelista, con minucia detallista al servicio de un realismo "irreal", traza un conjunto de escenas inolvidables en donde la prosa parece materializarse en textura y devenir un lienzo embebido de color, luz, movimiento, sensualidad. Descripciones de Juana la Loca a través del filtro probable del cuadro de Padilla, "Y detrás de ella, arrastrada por seis caballos lentos, custodiada por otra guardia de alabarderos, la gran carroza fúnebre, negra, severa, semejante a un buitre sobre ruedas" (p. 65); de Felipe, el Señor, de los graves y nobles retratos velazqueños: "labios y quijada disfrazados así por la barba y el bigote sedosos como por los volantes de la alta gola blanca que escondía el cuello y separaba la cabeza del tronco; encima de la gola, la cabeza semejaba el cuerpo de un ave capturada" (p. 155); de la Señora, prisionera del helado ceremonial de la corte: "diez años de hablar con frases preparadas para cada ocasión, de aprender a caminar alta, rígida con un azor posado sobre mi puño (infalible simetría: como las aldeanas van a la fuente con un cántaro sobre la cabeza, así mi halcón y yo)" (p. 166); de ese paje, igualmente velazqueño, con calzas negras, negras zapatillas de cuero, guantes negros que sostienen los palos del negro tambor y cuyo rostro "brilla, en medio de tanta negrura, como una uva de oro" (p. 66).

La prosa pictórica de Fuentes, su referencia a la memoria visual de los lectores sobresalen de modo especial en las escenas de caza y, en general, en la evocación de un bestiario cuya plasticidad rememora de nuevo el genio de Lezama: retratos del alano Bocanegra tendido a los pies del Señor; de la jauría de perros famélicos, descritos como "un río de carne luminosa y cuyas lenguas incendian como chispas"; del obsesionante azor de la Señora: "Es tal la unión de las patas del ave con la mano de la mujer, que las uñas negras del pájaro parecen una prolongación de los dedos engrasados del guante" (p. 49). En otros pasajes de la obra, el discurso fantasmagórico del narrador nos transporta a los lienzos de Velázquez y el Greco, a los caprichos de Goya y filmes de Buñuel (escenas de la enana Barbarica, envuelta en trapos nupciales, borracha e indigesta, pedorreando y eructando) o a los esperpentos y momias reales conjurados por la mano cruel de Antonio Saura (a quien el novelista convierte irónicamente en el cirujano que opera primero y luego autopsia el cuerpo putrefacto del Señor).

La riqueza y variedad de recursos de *Terra nostra* merecería un capítulo aparte. Ante la imposibilidad de catalogarlos ahora, nos limitaremos a señalar unos pocos a la atención del lector.

Uno de los procedimientos más notables y felices consiste en el cambio abrupto de la perspectiva narrativa (a veces sin que el lector desprevenido lo advierta), pasando del relato en primera persona al relato en segunda persona o aun al de "ausencia de persona" (pues tal es, a fin de cuentas, el expuesto desde el punto de vista de "él") y expresando de modo simultáneo la realidad objetiva y la subjetiva en una misma frase, con evidente menosprecio de las leyes que rigen la práctica del lenguaje comunicativo: "Y el padre apartó a Celestina de la niña, niñita, niña mía, ¿qué te ha pasado?, ¿quién te hirió?, mírate la boca, ¿este carnicero hideputa?, no, esta bruja, hechicera, andrajosa, ea, todos, a la malvada, mirad la boca de mi hija, a ella, corre, Celestina, derrumba toldos, pisotea cerdos, una casa, una escalera, los perros te ladran, las moscas te zumban, los húmedos aposentos, los bacines de mierda, los locos te gritan, que he visto al diablo, la paja de los pisos, cúbrete, escóndete, te van a quemar, bruja, huye, espera, cae la noche, se vacía el zoco, se olvidan del incidente, miras desde la ventanilla de tu escondrijo la ciudad del promontorio ... " (p. 543). En este pasaje, la rápida sucesión de puntos de vista del relato se lleva a cabo mediante el empleo de un ritmo acelerado en el que las palabras parecen correr o atropellarse, huir, huir, como la propia Celestina, arrastrando consigo, en vasta riada que arrambla con todo a su paso, que todo lo lleva abarrisco, las convenciones lingüísticas y literarias más arraigadas, sembrando en su camino la destrucción y la muerte de los códigos, catástrofe sin precedentes para los desdichados sacerdotes y guardianes de los principios básicos del lenguaje y la sacrosanta gramática de la narración.

La descripción del cerco y saco de la ciudad hereje por las tropas del Señor (pp. 54-56), el paseo del náufrago en la carroza fúnebre de la Dama Loca (p. 84), la llegada de ésta, con el cadáver de su esposo, a la necrópolis escurialense (pp. 186-191), etc., nos procuran otros tantos ejemplos de este relato pluridimensional que nos sitúa a la vez dentro y fuera de la intimidad de los personajes, relato que alcanza su mejor logro y apoteosis en las páginas consagradas a la rebelión de las Comunidades (pp. 633-656), espacio plural donde convergen y alternan voces distintas que asumen por turno la exposición de los hechos desde diferentes perspectivas, paso de la geometría euclidiana a la geometría del espacio, del universo narrativo inmóvil al relativismo de Copérnico, de la ley de la tonalidad a la exploración fructuosa del atonalismo: polifonía de voces, relación de sucesos, crónicas, superposición de personas gramaticales, Guzmán, los obreros y artífices del Escorial, la Señora, Felipe, Don Juan, sor Inés, los comuneros, la Dama Loca, dentro y fuera de la subjetividad de los personajes, de nuevo la aceleración, el atropello, la riada que allana, devasta, aniquila códigos, leyes, principios. La perspectiva múltiple, el relato que se autorrefleja y parece contemplarse a sí mismo nos remiten otra vez a Velázquez, cuya influencia fecunda se trasluce en uno de los momentos más densos y significativos del libro —la secuencia titulada "Todos mis pecados", dedicada a la contemplación del cuadro de Orvieto (en realidad, *El Juicio Final* de Signorelli): "El grupo de hombres desnudos le da la espalda al Señor y a la Señora para mirar al Cristo; el Señor mira la baja mirada del Cristo y la Señora mira las nalgas pequeñas y apretadas de los hombres. Y Guzmán mirará a sus amos que miran el cuadro. Levantará, turbado, la mirada: el cuadro lo mira a él" (p. 96). Como dice el autor secreto del lienzo, el fraile Julián, "pinto para mirar, miro para pintar, miro lo que pinto y lo que pinto, al ser pintado, me mira a mí y termina por mirarlos a ustedes que me miran al mirar mi pintura" (p. 343). La novela, como la composición velazquiana del fraile, es una galería de espejos en la que el intruso —el lector— se refleja y pierde en el vértigo de un desdoblamiento infinito.

En otros pasajes, la narración con cámara rápida, al estilo de la que encontramos en los diálogos de Delicado o en el cine mudo, le permite sintetizar la historia de México (pp. 736-737) con una violencia similar a la que encontramos en algunos capítulos de otra novela mexicana injustamente postergada: *José Trigo*, de Fernando del Paso. El empleo del rico repertorio de recursos narrativos de que hace gala Fuentes no es casi nunca gratuito: el novelista no disocia lo que para entendernos (aunque con poca precisión conceptual) solemos denominar "fondo" y "forma" recurriendo, como muchos vanguardistas miméticos, al empleo de procedimientos narrativos complejos al servicio de un pensamiento simplista, horro de audacia y vigor. *Terra nostra* es la síntesis de una escritura que no distingue entre los dos términos: obra que emerge y se configura, como dice Pere Gimferrer en su aguda reseña del libro, mediante la intervención activa de un arquitecto literario de nuevo tipo —el *voyeur*, el intruso, el lector.[11]

VI

¿Quién recordará un solo acto que no haya quedado escrito?

Uno de los personajes más fascinadores de *Terra nostra* parece afecto de ese fetichismo obsesivo de la escritura, tan común en la poesía de los árabes, que identifica la cosa con el signo. Al Señor, le basta con ttransmitir un hecho para creer en su existencia autónoma: sólo lo escrito permanece; la realidad se identifica con la escritura. "Escribe —ordena a Guzmán—: nada existe realmente si no es consignado al papel, las piedras mismas de este palacio humo son mientras no se escriba su historia" (p. 111). El monarca ejerce un dominio absoluto sobre sus súbditos, que es reflejo del ejercido por Dios en el universo. Símbolo de la unidad e inmutabilidad de la teología profesada por la escolástica, Felipe se aferra a un código severo de certidumbres, a una visión única y fija del mundo y los objetos: "todas las palabras y todas las cosas poseen un lugar establecido, una función precisa y una correspondencia exacta en el universo cristiano. Todas las palabras significan lo que contienen y contienen lo que significan" (p. 673). Frente a este culto idolátrico a la letra impresa, el cronista propone una lectura copernicana, en la que el texto deja de ser el orbe fijo y plano del relato precervantino para relativizarse y deshilvanarse en una vastísima trama de correspondencias, atracciones y repulsiones, fuerzas centrífugas y centrípetas —autor y lectores, realidad y escritura—: "Pensé entonces en aquel caballero que Ludovico y sus hijos encontraron dentro de un molino de viento y empecé a escribir la historia de un hidalgo manchego que sigue adhiriéndose a los códigos de la certidumbre. Para él nada estaría en duda pero todo sería posible: un caballero de la fe. Esa fe, me dije, provendría de una lectura. Y esa lectura sería una locura. El caballero se empeñaría en la lectura única de los textos e intentaría trasladarla a una realidad que se ha vuelto múltiple, equívoca, ambigua" (p. 673). La referencia al *Quijote* no es casual ni arbitraria. El ambicioso ejercicio novelesco de Fuentes explora de modo consciente el espacio literario abierto por Cervantes. El hidalgo manchego, nos recuerda Fuentes, no es sólo un héroe novelesco nacido de la lectura de los libros de caballerías: es también el primer personaje de ficción que se sabe leído y altera su comportamiento en función de dicha lectura.[12] Las obras literarias —tal es la gran lección del *Quijote*— dejan así de ser orbes cerrados, intocables, constituidos de una vez para siempre, momificados para uso de la turba erudita: las creaciones y lecturas posteriores las modifican. Si la lectura de Cervantes ha marcado a Borges, no cabe la menor duda de que éste imprime a su vez su huella en nuestra lectura actual de Cervantes. Las obras influyen unas en otras, y dicha influencia es recíproca, opera en un doble sentido: si lo pasado actúa sobre lo presente, éste actúa también sobre aquél y, vuelto a su vez pasado, influirá y será influido por lo futuro. Resumiendo el descubrimiento literario del *Quijote*, el cronista nos dice que "Dejaré abierto un libro donde el lector se sabrá leído y el autor se sabrá escrito" (p. 674).

Como *Paradiso, Tres tristes tigres, Recuento* y otras obras de clara estirpe cervantina, *Terra nostra* contiene abundantes referencias e informaciones del autor sobre la estructura de la novela que escribe —peculiaridad que, dijimos en otra ocasión, distingue el lenguaje literario del código de la lengua. El espacio novelesco en que se desenvuelve la acción de *Terra nostra* es ese mundo nuevo que evoca fray Julián, "donde el conocimiento puede renacer, despojarse de la fijeza del icono y desplegarse infinitamente, en todas las direcciones, sobre todos los espacios, hacia todos los tiempos" (p. 617). En oposición al modelo común de relato lineal, trazado sobre un espacio narrativo plano, en que los hechos son presentados tal como ocurrieron, establecidos por toda la eternidad (modo verbal: pretérito indefinido), el Señor, acometido por uno de esos arranques de rebeldía diabólica contra el orden que acata y le subyuga, aconseja a su escriba: "Multiplica las dudas, Guzmán, relata todas las posibles historias y pregúntate otra vez por qué escogimos una sola versión entre esa baraja de posibilidades ... " (p. 207). Dichas dudas y posibilidades, abiertas en abanico, se desplegarán ante el lector incitándole a intervenir, a abandonar el papel pasivo de quien se ve forzado a aceptar la versión única de los hechos, de lo que ha sucedido de verdad y contra lo cual nada puede. El nuevo lector descubierto por Cervantes conservará íntegra la libertad de elección e interpretación del texto, podrá reconstruir a su manera los sucesos y episodios presentados de modo incompleto y confuso, participará en fin en el proceso de construcción de la novela mediante múltiples y antagónicas lecturas. Afirmar que el novelista actúa como un "déspota" sobre sus criaturas o es "un pequeño y solitario dictador que no conversa" son palabras que se ajustan perfectamente a Ian Fleming, Corín Tellado y en general a los autores de la presunta literatura "popular" o de masas, pero no, desde luego, a Carlos Fuentes. El espacio narrativo de *Terra nostra* es un espacio libre, abierto al diálogo e intervención del lector consciente de que "nada es increíble y nada es imposible para la poesía profunda que todo lo relaciona" (p. 310). Fuentes cree, como García Márquez y los autores de libros de caballerías, en el placer de las imaginaciones inverosímiles que permiten al mur corroer la virginidad restaurada de la Señora o a los personajes de la dinastía metamorfosearse en animales y volar, como Isabel, con fragmentos de diferentes cadáveres en el pico. Metamorfosis, transformaciones, anacronismos que, en lugar de desmentir el orden real, lo confirman y amplían —realismo "total", en el sentido que da Vargas Llosa al término: objetividad y subjetividad, acto y sueño, razón y maravilla. En una de las conversaciones entre fray Julián y el Cronista, el primero invita al segundo a escribir un libro en el que se alíen "lo real y lo virtual, lo que fue con lo que pudo ser, y lo que es con lo que puede ser. ¿Por qué habías de contarnos sólo lo que ya sabemos, sino revelarnos lo que aún ignoramos?, ¿por qué habías de describirnos sólo este tiempo y este espacio, sino todos los tiempos y espacios invisibles que los nuestros contienen?, ¿por qué, en suma, habías de contentarte con el penoso goteo de lo sucesivo, cuando tu pluma te ofrece la plenitud de lo simultáneo?" (p. 659). ¿Orgullo inane de la invención? ¿Libertad que, a fuerza de proclamarse omnímoda, cae en el vacío y arbitrariedad? No, porque, como recuerda oportunamente fray Julián, el escritor está siempre "atado al suelo por las cadenas de la maldita realidad que todo lo aprisiona, reduce, enflaca y aplana". Pero ello no es un mal ni mucho menos —como advirtieron muy bien Cervantes y su sagaz admirador Blanco White— pues, "sin la fea gravedad de lo real nuestros sueños carecerían de peso, serían gratuitos, y así, de escaso precio y menuda convicción. Agradezcamos esta lucha entre la imaginación y la realidad para darle peso a la fantasía y alas a los hechos, que no vuela el ave si no encuentra resistencia en el aire" (p. 660).

Fuentes procede a un "saqueo cultural" sistemático de todo el ámbito de la lengua castellana, a la manera de Joyce y Picasso, tal y como nos lo describe Hermann Broch.[13] Por un lado, se apropia de frases enteras de Rojas, Cervantes o los cronistas de Indias y las incorpora en su propio discurso (procedimiento típicamente cervantino); por otro, convierte el ámbito de la novela en un museo imaginario en el que personajes literarios ajenos se cruzan y descruzan (lo que nos remite otra vez al *Quijote*): Celestina tropieza con el Caballero de la Triste Figura (pp. 537-538), se relaciona con Dulcinea y Don Juan (pp. 581-582), favorece el encuentro de éste y sor Inés (p. 622), etc. La voracidad literaria de Fuentes no desdeña el empleo de recursos gastados, propios de la narrativa de todos los tiempos y países, pero —y ahí finca la diferencia con la novelística al uso— lo hace al servicio de un designio radicalmente nuevo y totalizador: manuscritos hallados en una botella sellada, destinados a interpolar una historia del tipo de *El curioso impertinente* y, sobre todo, una vasta galería de hombres-relato, cuya función consiste en multiplicar hasta lo infinito la técnica engastadora del cuento de un cuento de un cuento, como esas vacas dibujadas en los pendientes cada vez más chicos que aparecen en la envoltura y anuncios de *La vache qui rit* —relato de Celestina ("Este es mi cuento. Deseo que oigas mi cuento") que parece abarcar (no es seguro) la casi totalidad de la novela y en el que se insertan las narraciones del Señor (p. 111), fray Julián (p. 239), el náufrago (toda la segunda parte), el flautista ciego (p. 522), etc. hasta

se hunde en sus aguas, la muchacha arroja al río una botella verde y sellada y convertida en una nueva Sherezada, nos cuenta las mil y una historias que integrarán la novela.

Sigamos algunos de los hilos principales de la narración. El eje vector de la primera parte de *Terra nostra* consiste en la llegada simultánea al Cabo de los Desastres, unos cinco siglos atrás, de tres náufragos —todos ellos afectos de sexdigitismo en los pies y marcados con una cruz roja en la espalda—, abandonados allí por la marea con una botella verde sellada en la que se apretuja un manuscrito. El primero de ellos (¿Iohannes Agrippa?) será recogido por Isabel, la esposa intocada de Felipe, el Señor (pp. 44-45), la cual lo recluirá en su camerino y hará de él su amante (pp. 163-173); este primer náufrago se transmutará luego en Don Juan (p. 291), seducirá a sirvientas y monjas, obtendrá los favores de sor Inés (p. 298), matará en un duelo al Comendador (p. 534) y acabará por transformarse en estatua de piedra dentro del mausoleo real (p. 345). El segundo sexdígita, arrojado por el mar en el Cabo de los Desastres con una extraña máscara de plumas, es rescatado de la orilla por la Dama Loca, madre de Felipe (p. 65); transportado a la carroza fúnebre del putañero marido, aparece de pronto vestido con las ropas de éste (mientras el muerto asume su máscara y andrajos; pp. 83-84) y pasa a ser el Príncipe bobo recluido en los aposentos de su benefactora (pp. 219-225): proclamado heredero por la Dama Loca y su enana, preferirá introducirse en uno de los sarcófagos del pudridero real y descansar allí, junto a Don Juan y el cadáver del Señor, entre los restantes espectros de la dinastía (pp. 301-302). El tercero, hallado por el paje atambor (en realidad Celestina) es llevado por ésta, siempre con la botella sellada, al palacio-mausoleo donde se encuentran los otros dos (pp. 255-258); convive allí con ella y el flautista ciego hasta ser apresado con ambos por los guardias del Señor (p. 316); arrastrado a presencia de éste, referirá la historia del viaje al Mundo Nuevo que incluye toda la segunda parte de la novela (sociedad idílica de los siboneyes, mitos, crueldad y sacrificios aztecas). Como dijimos, Fuentes introduce los hechos de forma fragmentada, trastornando el orden y barajando los elementos, con el deliberado propósito de imponer al público una lectura alerta: obligándole a mantener una vigilancia continua, como si la menor distracción o inadvertencia pudiera causar la pérdida (muerte) del hilo (argumental) del artista. Los encuentros de personajes perfectamente idénticos, como son los náufragos, permiten al novelista la aplicación feliz de la técnica del relato desdoblado (yo visto como tú, tú visto como yo) que aparecía ya en sus dos *nouvelles, Aura* y *Cumpleaños*. Cúmulo de casualidades milagrosas y aconteceres extraños, la acción de la primera parte de *Terra nostra* pudiera condensarse en la pregunta: "¿Por qué tres? ¿Por qué la cruz? ¿Por qué los seis dedos en cada pie? Y sobre todo, ¿por qué, siendo tan ancho y ajeno el mundo, los tres aquí?" (p. 269).

La respuesta la hallaremos en la tercera parte. Para ello el lector deberá atar pacientemente los numerosos cabos sueltos que, con intención opuesta a las piedras del cuento de Pulgarcito, siembran el espacio de la novela y rellenar las oquedades de un relato que, por emplear una expresión de los críticos anglosajones, podríamos caracterizar de *unreliable*, es decir, escasamente fidedigno. La identidad de los tres náufragos se nos descubre poco a poco, en orden disperso y a pesar de los silencios u omisiones de los narradores (vgr., relato de Celestina, pp. 140, 142, y, especialmente, de la Señora, pp. 165, 170, 172). El primero de ellos (sigo aquí un orden expositivo que no coincide con el de la novela) es hijo de Celestina y el rey putañero, esposo de la Dama Loca y padre de Felipe: el día de las bodas de la muchacha con el herrero, el rey exige el derecho de pernada para su hijo y, al revelarse éste incapaz de ejercerlo, desvirga a la doncella (p. 116), quien dará a luz en la judería de Toledo a un niño marcado con una cruz y sexdígito (p. 528). El origen del segundo, el hijo de la loba a cuyo nacimiento asiste Celestina (p. 140), nos es descubierto mucho más tarde, cuando ésta evoca la fornicación del rey (su violador) con el animal pillado en la trampa (pp. 545-546, 665). En cuanto al tercero y último, presunto hijo del Juglar, será preciso rastrear la pista a través de la maraña de *flash-backs*, ocultaciones y datos falsos del relato de los personajes: el niño descubierto por Azucena en el camastro del bufón (pp. 115, 339), salvado por Ludovico y Celestina de la matanza de los rebeldes por las tropas de Felipe y refugiado con ellos en la judería de Toledo (pp. 523, 525, 571) es también, finalmente, hijo del rey Hermoso y de Isabel, su futura nuera, a quien el monarca ha violado cuando era casi una niña (p. 663). Así, los tres náufragos resultan hijos de un padre común y hermanos por consiguiente del Señor Felipe; Isabel, intocada por su esposo y cuyo virgo, roto por el futuro suegro, será restaurado por una trotaconventos (¿Celestina?) antes de ser roído por el mur, habrá amado a sabiendas a su propio hijo (o a uno de sus gemelos) al hacer el amor con el náufrago oculto en su camerino; Celestina, contagiada del mal francés por el monarca en el acto de la violación, lo transmitirá a su vez al heredero y futuro rey don Felipe. Transmutaciones, carambolas, encuentros giran de este modo en torno a los tres mozos y sus correspondientes botellas lacradas, desde la judería toledana y México a Spalato y Venecia, en donde Ludovico y los bastardos del Señor tratarán de descifrar su aleatorio destino en el teatro de la memoria de Valerio Camillo.

El origen del misterio que envuelve la cifra tres lo descubriremos en uno de los rollos de papel encerrados en las dos botellas que Felipe halla en las arenas de la alcoba de su esposa (la tercera fue abandonada por uno de los náufragos en la celda del palacio, cuando Guzmán fue a buscarle para organizar su propia cacería, p. 757): el "Manuscrito de un estoico". Durante los últimos tiempos del reinado de Tiberio, se nos cuenta, el esclavo Clemente, servidor de su rival Agrippa

Póstumo, se metamorfosea en éste después de asesinar al emperador y ser despeñado a su vez de lo alto de los acantilados de Capri. Antes de morir, el déspota romano maldijo a su enemigo en los siguientes términos: "Resucite un día Agrippa Póstumo, multiplicado por tres, de vientre de lobas ... y de los tres hijos de Agrippa, nazcan más tarde otros nueve; y de los nueve, veintisiete, y de los veintisiete, setenta y uno, hasta que la unidad se disgregue en millones de individualidades ... Y puesto que la cruz de la infamia presidirá estas vidas futuras, como presidió la muerte del profeta judío El Nazir, llámense los hijos de Agrippa, que portarán la cruz en la espalda, con el nombre hebreo de Yehohannan ... " (p. 702). El escriba Teodoro —a quien incumbe la *addenda* del sexdigitismo— ha redactado la crónica por triplicado y ha introducido los tres pergaminos en otras tantas botellas, largas y verdes, selladas con el anillo imperial de Tiberio.

El comienzo y final de *Terra nostra* representan pues el cumplimiento de una maldición o profecía cuya realización es a un tiempo la clave cabalística de la historia y el índice organizador de la novela. Anticipo aquí el clamor de los ideólogos aferrados a la certeza del tiempo progresivo, lineal —en lo que tienen perfecta razón. Pero motejar la "circularidad" impuesta a la historia real al servicio de la construcción de la obra literaria que se "muerde la cola" —una convención artística utilizada asimismo con gran fortuna por García Márquez en las páginas finales de *Cien años de soledad* y mucho antes que él por el autor de la *Divina Comedia*— de tentativa de borrar "al lector todo recuerdo de la realidad" y "perpetuar la ignorancia y los mitos" —como se ha escrito acerca de la novela del colombiano— es confundir una vez más la realidad con el procedimiento novelesco.[14]

Nuestra lectura de *Terra nostra* ha dejado bastantes cabos sueltos: algunos podrán ser atados por el lector atento después de su propia escalada y fractura de la imponente fortaleza del libro; otros, probablemente, no podrán sujetarse nunca y permanecerán en la conciencia del allanador o intruso como un enigma insoluble. Como dice Carlos Fuentes por boca de uno de sus personajes, "todo ser tiene el derecho de llevarse un secreto a la tumba; todo narrador se reserva la facultad de no aclarar los misterios, para que no dejen de serlo; y al que no le guste, que reclame su dinero".

NOTAS

1. José Joaquín Blanco, "Más allá de la lectura, las intenciones monumentales", suplemento literario de *Siempre*, México (1976). A dicho ataque nos referiremos a menudo a lo largo del presente ensayo.

2. Habría que aclarar por qué las críticas dirigidas a Fuentes no se extienden a otros altos y favoritos funcionarios que disponen de una plataforma estatal mucho más prestigiosa y omnímoda (en la medida en que les permite acallar toda crítica) como es el caso, por ejemplo, de Nicolás Guillén y aun de Alejo Carpentier. Las evidentes diferencias que existen entre las dos revoluciones "institucionalizadas" del Continente no justifican el fenómeno. O ¿es que la independencia del intelectual defendida con ardor en México no reza con Cuba?

3. Véase, por ejemplo, el análisis de Carlos Blanco Aguinaga sobre *Don Julián* en *De mitólogos y novelistas*, Turner, Madrid, 1975.

4. Véase *Terra nostra*, pp. 252-253, 319-320, 324-325, 635, 774. El monólogo final de Pedro, el protagonista de *Tiempo de silencio*, revela igualmente una lectura bien asimilada del autor de *La realidad histórica de España*.

5. Mario Vargas Llosa, "Carta de batalla por *Tirant lo Blanc*", prólogo a Joanot Martorell y Joan Martí de Galba, *Tirant lo Blanc*, Alianza Editorial, Madrid, 1969.

6. José María Blanco White, "Sobre el placer de imaginaciones inverosímiles", en Vicente Llorens, ed., *Antología de obras en español*, Labor, Barcelona, 1971.

7. Véase Julio Rodríguez Puértolas, *De la Edad Media a la edad conflictiva*, Gredos, Madrid, 1972.

8. J. A. Valente, "Corona fúnebre", *Cuadernos de Ruedo Ibérico* (enero 1976).

9. Julio Rodríguez Puértolas, *op. cit.* La misma rigidez y aire de estatua se repite en las descripciones de Fernando VII por Blanco White y de Alfonso XIII por John Dos Passos.

10. Carlos Blanco Aguinaga, *op. cit.*

11. Pere Gimferrer, "El mapa y la máscara", *Plural* (julio 1976).

12. Véase, igualmente, el interesante ensayo de Fuentes, *Cervantes o la crítica de la lectura*, Joaquín Mortiz, México, 1976.

13. "James Joyce et le temps présent", en *Création littéraire et connaissance*, trad. francesa, Gallimard, París, 1966.

14. Carlos Blanco Aguinaga, *op. cit.*, pp. 48-49.

LA METÁFORA ERÓTICA:
GÓNGORA, JOAQUÍN BELDA Y LEZAMA LIMA

"E S C R I B I R sobre *Paradiso* —dice Julio Ortega— es una empresa condenada de antemano a la insuficiencia porque esta enorme novela es prácticamente irreductible a la imagen de un proceso o una estructura que la crítica presume revelar en los textos."[1]

La observación no puede ser más justa: el ensayista que se encara con la obra monumental de Lezama tropieza con un obstáculo de la misma índole que el propio novelista señala a propósito de su maestro Góngora. "Los acercamientos a don Luis —dice— han sido siempre de sabios de Zalamea. Pretenden oponer malicia crítica a su verbal sucesión y enjalbegada seriedad a sus malicias. Pretenden leerlo críticamente y piérdenle el tropel, sus remolinos y desfiles."[2] Para el lector habitual de novelas, *Paradiso* es un magma verbal, una obra sin pies ni cabeza en la que la acción argumental se pierde en un piélago de palabras y frases larguísimas, que se extienden como lianas interminables o se ramifican hasta adquirir una frondosidad boscosa. Dicho lector se contenta con leer por lo común el célebre capítulo VIII y decreta que el resto no merece la pena. Algunos de los comentarios que he oído me recuerdan a los que tres siglos y medio atrás saludaron la aparición de una obra con la que *Paradiso* mantiene muchos puntos de contacto: me refiero a *Soledades*. Escuchemos, por ejemplo, al humanista Francisco Cascales: "¡Oh diabólico poema! ¿Pues qué ha pretendido nuestro poeta? Yo lo diré: destruir la poesía ... ¿En qué manera? Volviendo a su primer caos las cosas; haciendo que ni los pensamientos se entiendan, ni las palabras se conozcan con la confusión y desorden". Desde el punto de vista de Cascales, tan próximo al de los antivanguardistas de hoy, *Soledades* es una especie de Babel, un delirio de lenguaje motivado por la incorregible vanidad del poeta. Sus alusiones, imágenes y artificios sintácticos se le antojan "inútiles y nugatorios"; sólo sirven "de dar garrote al entendimiento". El Góngora de *Soledades* y *Polifemo,* concluye, es el "Mahoma de la poesía española".[3]

El aspecto macizo de la prosa de Lezama, su sensación de impenetrabilidad han suscitado en los últimos años reacciones parecidas. Al enfrentarse a obras como *Paradiso* los críticos realista-conservadores hablan siempre de "caos" y arguyen que la novela está en peligro —asimilando al tipo de novelas que defienden y estiman a la novela en general, como los burgueses hablan de "confusión" y "desorden" al mencionar la lucha de los grupos revolucionarios, y en lugar de decir que ponen en peligro a la sociedad burguesa, afirman que ponen en peligro a la Sociedad. Esta identificación del crítico conservador-realista con la Novela y del burgués con la Sociedad es, claro está, mero reflejo de su miedo a unas realidades nuevas que no comprenden ni controlan y que amenazan de muerte su pequeño o gran capital de conocimientos o bienes en nombre de una realidad cultural o social diferentes y, a fin de cuentas, más fecundas y vastas.

Hay una infinidad de posibles lecturas de *Paradiso*; desde la que atienda al "contenido" espiritual del texto a la que centre su atención en las "figuras" alegóricas que se dibujan mediante una lectura oblicua —como esos grabados cuya estructura emerge tan sólo desde un determinado ángulo de visión y en los que descubrimos una "escena" o "cuadro" allí donde a primera vista no había sino un amasijo de líneas. Teniendo en cuenta los límites de brevedad del presente ensayo, centraré principalmente mi atención en el elemento primordial de la novela, esto es, el lenguaje, sin descuidar del todo la existencia de un sistema distinto del de la lengua, situado en el nivel del relato —me refiero al discurso narrativo.

A dicho nivel, *Paradiso* se presenta, en apariencia, como un híbrido de *histoire* y *discours,* donde el autor, como típico novelista del XIX, pasa con la mayor naturalidad del mundo de un sistema a otro, intercalando comentarios, juicios, digresiones que revelan a cada paso su presencia omnisciente hasta el extremo de que, si bien en la novela se emplea la tercera persona gramatical, Lezama infringe despreocupadamente la regla de mantenerse fiel al enfoque elegido y asoma la náriz o la cabeza entera mediante frecuentes incursiones en la primera persona del singular o plural. A menudo interrumpe el relato para comunicarnos alguna información sobre el procedimiento narrativo que sigue: "El hermano de la señora Rialta, que ya exigirá, de acuerdo con su peculiar modo, penetrar en la novela ... ; "Esa noche ... a la que vamos a aludir por merecer un acompañamiento especial ... "; "El padre de José Cemí, a quien vimos en capítulos anteriores dentro de las ordenanzas y ceremoniales de su jerarquía de coronel, lo vamos a ir descubriendo en su niñez, hasta su encuentro con la familia Rialta ... ". Estos "signos del autor" responden de modo obvio a una intención irónica: el empleo deliberado de un recurso viejo, gastado hasta la urdimbre, como si Lezama quisiera indicarnos que la trama novelesca es un simple pretexto y lo que interesa a él es otra cosa. Con todo, los numerosos elementos característicos de la novela del XIX se entreveran con otros de signo opuesto: así, en vez de buscar una motivación realista a los encuentros "casuales" de los personajes, sigue el procedimiento pre-cervantino del encuentro puramente funcional, de acuerdo con las exigencias de la intriga. En el capítulo XIII, por ejemplo, Martincillo Vivo, Adalberto Kuller, José Cemí y Oppiano Licario "coinciden" por vías diferentes en un ómnibus —aunque la funcionalidad aquí reviste un aspecto simbólico: el encuentro de Cemí con su propio destino. Por otra parte, Lezama presenta a los personajes desde un prisma resueltamente antirrealista. Todos los héroes de *Paradiso,* desde el cocinero Juan Izquierdo a

Oppiano Licario, parecen poseídos de la misma pasión metafórica, cultista y barroca que el autor. Reprochárselo a Lezama sería tan impertinente y ridículo como reconvenir a Melibea por su florida erudición grecolatina en la escena de su suicidio o echar en cara a los personajes de Shakespeare, Calderón o Racine el hecho de expresarse en verso.

Poeta metido a novelar, Lezama descubre sin cesar la existencia de vasos comunicantes entre los dos géneros. Tomemos, por ejemplo, la noción de "héroe novelesco": en vez de los personajes transitivos del común de las novelas, los protagonistas de *Paradiso* desempeñan casi siempre un papel pasivo, meramente receptor. Su destino se resuelve desde fuera, en virtud de fuerzas enigmáticas, que escapan a su control. Los acontecimientos que llueven sobre ellos tienen un doble sentido: a la vez literal y alegórico. La búsqueda de Cemí es la búsqueda del código secreto que orienta sus pasos hacia su nacimiento como escritor. Todos los hechos que acaecerán en su vida tendrán así indefectiblemente una dimensión suprarreal que él deberá interpretar. Si examinamos *Paradiso* con atención descubriremos que la actitud de sus héroes desconoce el tiempo verbal activo: Cemí, Fronesis, Oppiano Licario son impulsados por corrientes misteriosas que les llevan a cumplir un destino que ignoran. La causalidad dominante en la novela —esto es, la lógica de sus acciones— no es sicológica o factual, sino simbólica. Aunque Lezama emplee la tercera persona gramatical y el tiempo verbal pasado propios de la novela, el personaje de Cemí está mucho más cerca del "yo" del poeta que del "él" del narrador: "sintió que una imantación guiaba su mirada ... "; "la imagen, más que la marcha, lo iban guiando a la escuela ... "; "Una casa de tres pisos ... lo tironeó con su hechizo sibilino ... "; "Sentía que la fuerza impelente del patio de su casa se había extinguido en él, pero que al mismo tiempo había nacido, para reemplazar a la anterior, una fuerza de absorción, especialmente constituida para atraerlo a su centro absorbente o de imantación".

La comunicación fluida entre los dos géneros se advierte con mayor claridad aún en el uso lezamesco del lenguaje. En su novela, Lezama evita el malthusianismo verbal inherente a la comunicación ordinaria en nombre de la deliberada opacidad del lenguaje poético. Frente a la "transparencia" del lenguaje meramente denotativo, los tropos e imágenes del poeta reafirman la existencia de una expresión lingüística perceptible en sí misma y no como simple intermediario de su significación. El búho no será búho, sino "grave, de perezosas plumas globo"; el halcón, el "raudo torbellino de Noruega". Como el propio Lezama dice de Góngora, "tenía principalmente de los árabes el secreto deseo ... de sensualizar el verso, convirtiéndolo en corpúsculo". El poeta reemplaza así el lenguaje transparente con el lenguaje figurado para imponer la presencia de las palabras —el lenguaje común con el lenguaje literario para imponer la presencia de las cosas.[4] Como vamos a ver, la expansión del lenguaje de *Paradiso* emula con la realidad y la sustituye con un cuerpo verbal; es decir, se apropia del mundo exterior mediante el mecanismo proliferante de la metáfora. En un pasaje bellísimo de la novela, Lezama nos explica el origen de dicho mecanismo en la mente del niño Cemí, cuando su padre le muestra dos láminas que representan respectivamente un bachiller y un amolador:

La ávida curiosidad adelantaba el tiempo de precisión de los grabados, y José Cemí detuvo con su apresurada inquietud el índice en el grabado del amolador, al tiempo que oía a su padre decir: el bachiller. Así cuando días más tarde su padre le dijo: —¿Cuando tengas más años querrás ser bachiller? —¿Qué es un bachiller? —Contestaba con la seguridad de quien ha comprobado sus visiones—. Un bachiller es una rueda que lanza chispas, que a medida que la rueda va alcanzando más velocidad, las chispas se multiplican hasta aclarar la noche. —Como quiera en ese momento su padre no podía precisar el trueque de los grabados en relación con la voz que explicaba, se extrañó del raro don metafórico de su hijo. De su manera profética y simbólica de entender los oficios.

La obsesión analógica de Lezama procede de dos maneras: por lo general, parte de la desemejanza para reunir, gracias al poder vinculador de la palabra, dos series semánticas totalmente dispares, o bien, con menor frecuencia, recurre a la metonimia, mediante la asociación por contigüidad, anexionando en este caso el objeto más próximo:

> La brisa tenía algo de sombra, la sombra algo de hoja, la hoja mordida en sus bordes por la iguana columpiaba de nuevo a la noche. La noche agarraba por los brazos, sostenía en su caída al reloj de pared, dividía el cuerpo de la harina con su péndulo de obsidiana. Cemí sentía la claridad lunar delante que oscilaba como la silueta del pájaro Pong, desde el mar hasta la caparazón de la tortuga negra.

Metonimias y metáforas proliferan con espléndida suntuosidad barroca y adquieren en el curso de su acelerado progreso una existencia autónoma. El propio Lezama ha descrito agudamente este avance irresistible de los símiles cuando examina el mecanismo cognoscitivo de Oppiano Licario:

> Partía de la cartesiana progresión matemática. La analogía de dos términos de la progresión desarrollaba una tercera progresión o marcha hasta abarcar el tercer punto de desconocimiento. En los dos primeros términos pervivía aún mucha nostalgia de la sustancia extensible. Era el hallazgo del tercer punto desconocido, al tiempo de recobrar, el que visualizaba y extraía lentamente de la extensión la analogía de los dos primeros móviles.

En *Paradiso* una palabra convoca a otra y la reunión de ambas origina una tercera. Como ha captado muy bien Julio Ortega, este proceso metafórico resume y ejemplariza el método de composición: "un personaje supone a otro y ambos a un tercero. La mirada aproxima un objeto a otro y entre ellos imponen una nueva figura, ... un episodio suscita otro episodio en una sucesiva transformación hiperbólica". Todo acontecimiento, decíamos, tiene para José Cemí un sentido literal y otro alegórico. Lezama no suprime uno de los términos de la oposición, antes bien los mantiene en una perfecta simultaneidad que contradice las reglas del pensamiento lógico. La mente de Cemí abarca los dos términos y tiende un puente metafórico entre ellos. Como don Quijote, vive la metáfora desde dentro —esto es, se metaforiza él mismo.

La utilización del excedente significativo de las palabras —de su plusvalía verbal— permite a Lezama establecer una compatibilidad semántica de signos no relacionados anteriormente entre sí: las palabras muertas del diccionario cobran vida, se agrupan sensualmente delante de nosotros, dibujan figuras exquisitas en el blanco de la página, se transmutan en "cuerpo" como en la poesía árabe.[5] Gracias a este mecanismo extensivo cualquier frase anodina se ramifica de modo infinito. El índice trastocador de Lezama es realmente prodigioso: mezcla las relaciones temporales con las espaciales; suprime o modifica la distancia que separa a un objeto de otro haciendo que se fundan en deslumbradora metonimia o se descompongan en brillante sinécdoque; trastorna la sucesión temporal y proyecta lo pasado hacia lo futuro y lo futuro hacia lo pasado. El orden de prioridades del novelista sufre igualmente una alteración profunda: mientras la muerte de tío Aberto es descrita en tres líneas las décimas del guitarrista que la preceden ocupan varias páginas. Dicha subversión es un ingrediente composicional de primer orden en la estructura total de *Paradiso* y se manifiesta inclusive en una nueva configuración de los personajes:

La vieja Mela extendía una gorgona sobre los nódulos del tiempo ... Sus noventa y cuatro años parecían bastoncillos en manos de gnomos criados por el Conde de Cagliostro.

Como en algunos pintores los objetos adelantándose a su espacial adecuación, el tiempo se había escapado de su sucesión para situarse en planos favoritos, tiránicos, como si Proserpina y la *polis* actual se prestaran figuras con tan doméstica cordialidad que no presentasen las asimetrías de su extracción, los lamentos de su errancia evaporada.

En Lezama, todo símil engendra una serie causal en la que el vínculo importa más que los objetos que relaciona, hasta el extremo de borrarlos. *Paradiso* crea un sistema de afinidades electivas que abraza a un tiempo el mundo de la naturaleza y el de la cultura. El registro de sus figuras de lenguaje es amplísimo por cuanto el novelista singulariza casi siempre los objetos al arrancarlos de su propia serie semántica proyectándolos a una serie heterogénea. Tal mecanismo le conduce a apropiarse de elementos de todas las culturas —a saquear, por así decirlo, hechos, datos, realidades de la geografía y pintura, historia y ciencias naturales. No existe aún, que yo sepa, un repertorio detallado de los símiles y tropos de *Paradiso*. En el único que conozco,[6] su autora distingue: las metáforas e imágenes relacionadas con el mundo clásico; las que enlazan con lo que denomina un "cosmopolitismo histórico"; las que hacen referencia a una "geografía exótica"; las que encadenan con el mundo animal y componen el magnífico bestiario de la novela. En general, la clasificación me parece acertada, si bien cabe incluir los dos primeros grupos en un único y vasto repertorio histórico-cultural. Por mi parte, yo añadiría una nueva serie: la de las asociaciones estrictamente insólitas, peculiares de la poesía surrealista, aunque, en este caso, se remonten, con mayor exactitud, al universo de Góngora.

En los tres primeros grupos de la nueva clasificación, los símiles del novelista descubren que su imaginación poética parece haberse alimentado en gran parte de grabados de manuales de historia y "geografía pintoresca", libros de arte ilustrados, dibujos de enciclopedias. Dichas obras, leídas en los años del colegio, despertaron sin duda la sensualidad y apetito cognoscitivo del joven Lezama como despertaron más tarde los míos —aunque en mi caso la impresión erótica causada por las láminas de Ciencias Naturales y sus referencias al bestiario fue mucho mayor que la de los, para mí, fríos, insípidos desnudos del arte griego. Láminas, probablemente en color, ya de libros de historia o pintura:

Alzada su mano derecha, como en una alegoría del siglo XVIII ... como si en una de esas sociedades secretas de la época del iluminismo, se diese la consigna al recibir la visita de incógnito de Benjamín Franklin ...

Resoplaba como un fuelle de mano de un alquimista de la escuela de Nicolás Flamel.

El tiempo [agrandaba] la figura hasta darle la contextura de un Desmoulinns, de un Marat con los puños cerrados, golpeando las variantes, los ecos, o el tedio de una asamblea termidoriana.

Bajó la escalera con la mayestática decisión de quien tiene que cumplir una fatal obligación, muy digna, con su nieto un poco delante, y los dos nietos a su lado. Pura composición velazqueña.

En algunas mesas muchachas de pronunciado pecho potente intercambiaban sonrisas y melindres con jóvenes que parecían en acecho para la caza del unicornio, entre la fuente y las enaguas de una princesita de Westfalia.

El inviernillo caracoleaba como un alazán cabalgado por el niño infante Baltasar.

Impensadas bagatelas, abiertas de pronto como un quitasol en un desembarco imperial en Túnez;

ya de manuales de geografía humana:

parecía uno de esos gigantes del oeste de Europa, que con mallas de decapitador, alzan en los circos rieles de ferrocarril y colocan sobre uno de sus brazos extendidos un matrimonio obrero con su hija tomándose un mantecado.

... hierático como un vendedor de cazuelas en el Irán.

... toda la ropa sobre el brazo derecho parecía convertirlo en un ladronzuelo de un mercado de Esmirna.

... metamorfosear el alacrán en palomo comiendo maíz en la palma de la mano de un veneciano.

... para librarse de una rastra agrandada como un cortejo de consagración en Bombay;

ya de animales representados en un texto escolar de zoología:

... su acecho era el de un félida separando con lentitud asombrosa los yerbazales para caer sobre la presa.

... misteriosos y raros como el zorro azul corriendo por las estepas siberianas.

... en una modorra semejante a la de un osillo perezoso en un parque londinense.

Este influjo visual no es una simple impresión personal mía, y a él parece aludir el propio Lezama Lima cuando, al comentar en uno de sus ensayos la obra pictórica de Van Eyck y Simone Martini, escribe estas líneas: "en todas estas láminas hemos extraído presencias naturales y datos de cultura —que actúan como personajes, que participan como metáforas".[7]

Un cuarto grupo de símiles —insisto en que no se trata de una clasificación exhaustiva sino de una ordenación orientadora— comprende todos aquellos que se fundan en una asociación extraña, deliberadamente paradójica: en el chispazo creador ocasionado por el contacto de dos elementos pertenecientes a series totalmente heterogéneas. "La metáfora lezamesca —dice Severo Sarduy en su magnífico "Homenaje" al autor—[8] llega a un alejamiento tal de sus términos, a una libertad hiperbólica que no alcanza en español más que Góngora. Aquí el distanciamiento entre significante y significado, la falla que se abre entre las faces de la metáfora, la amplitud del *como* es máxima:

> ... sentía como si por su región cerebelosa pasase un cometa gobernado por el vozarrón de un enano borgoñón.

> ... bigotillos de foca que sobre una mesa otomana retoca con su nariz pitagórica de andrógino, las bolas suecas, los gorros del ladrón de la mezquita.

> ... empuñando una polvera en donde parecía que hervía un periquito.

> ... la noche caía incesante como si se hubiera apeado de un normando caballo de granja.

> ... el gato moviendo sus bigotes como si fuera a unir dos palabras.

El mecanismo extensivo opera igualmente en el caso de estas asociaciones insólitas, incluso en el discurso de alguno de los personajes de la novela:

> El escolta daba unos pasos rastrillados, polvo escupitajo sus vaquetas rotando, apuntaba al centro de astucia y hundimiento y fijaba la fresa como con la muleta de una momentánea sierpe umbilical. Se impulsaba uno de los presos, daban gritos como pescadores japoneses que rechazaran una escuadra de nobles, y las fresas reventadas, con su linfa sagrada penetrando en la Tebas de sus semillas, se desconchaban a través del paredón, donde muy pronto la llegada del rayo solar ordenaba sus transmigraciones misteriosas, ya de pavo en Ceylan, ya de perezoso en un bosque londinense.

La abundancia de imágenes, símiles, circunloquios, figuras, es esencialmente gongorina. Cuando Lezama describe la manifestación universitaria contra la dictadura lo hace en términos de una lucha entre aqueos y troyanos y el dirigente estudiantil es nombrado, indirectamente, mediante una sucesión de perífrasis. El criado chino de Michelena es "Buñuelo de Oro", "Doradillo Rápida", "Pasa Fuente Veloz", "Bandeja Saltamontes"; el cochero de tío Alberto, "el malicioso auriga criollo"; Oppiano Licario, "el mediador, el que le sale al paso a la ananké"; los divulgadores de la infamia del atleta Baena Albornoz, "los glosadores de Ulpiano, Gallo y Modestino".

"Góngora —escribe Sarduy— es la presencia absoluta de *Paradiso*: todo el aparato discursivo de la novela, tan complejo, no es más que una parábola cuyo centro —elíptico— es el culteranismo español." Su observación no puede ser más exacta: el poeta cordobés es, efectivamente, el referente de *Paradiso* y la novela entera ilustra el mecanismo verbal del máximo creador del Barroco. Unos años antes que Lezama, el novelista español Luis Martín-Santos había entablado el mismo diálogo intertextual con la obra de Góngora en algunos pasajes de *Tiempo de silencio*. Pero en Lezama este diálogo adquiere carácter sistemático. La alusión al cordobés es en algunos casos literal o casi literal: " ... este si aborto de ovas y lamas"; " ... cuyo diente no perdonó a racimo, aún en la frente de Baco, cuanto más en su sarmiento".

Gongorizando todavía, el novelista describe los objetos no con los nombres habituales de los elementos que los componen "sino con palabras tomadas a la descripción de las partes correspondientes en otros objetos".[9] Cuanto más remotas sean las afinidades entre las dos series, más inusitado será el denominador común que inventa el poeta, y tanto más se dislocarán y ramificarán las imágenes o series de imágenes que utiliza. En otras ocasiones, la metáfora gongorina crea felizmente ese "poliedro verbal", ese "cuerpo verbal nadador" que permitirá a José Cemí la reconciliación con el mundo a través del lenguaje:

El ejercicio de la poesía, la búsqueda verbal de finalidad desconocida, le iba desarrollando una extraña percepción por las
palabras que adquieren un relieve animista en los agrupa-
mientos espaciales, sentadas como sibilas en una asamblea de
espíritus.

Para la mejor comprensión del arte poético-narrativo de
Lezama imitaremos a sus apresurados lectores habaneros del
año 66 centrando nuestra atención en su empleo peculiar del
lenguaje erótico y contraponiéndolo al de un ingenioso autor
de novelas verdes de comienzos de siglo, el español Joaquín
Belda.

II

La literatura erótica de todos los tiempos y latitudes conoce
un abundante repertorio de fórmulas eufemísticas destinadas
a eludir el nombre común de las partes sexuales o el acto de la
cópula, ya por la referencia indirecta y oblicua, ya mediante
el recurso a alguna figura de lenguaje. Muy a menudo el
escritor procede a una singularización del objeto, separándolo
de la propia serie y proyectándolo a una estructura heterogénea, o bien lo describe con fingida inocencia, como si ignora-
ra de qué se trata y lo estuviese viendo por primera vez. En el
Cancionero de burlas provocantes a risa y, sobre todo, en *La
Lozana andaluza* encontramos numerosas imágenes de este
tipo: el miembro viril es "lanza", "garrocha", "unicornio",
"mano de mortero", "cirio pascual", "pedazo de caramillo";
el órgano femenino, "pantano", "aduana"; y el semen, "suero", "engrudo"; los testículos, "compañones"; el acto sexual,
"entrar en coso", etc. Con estas figuras eufemísticas, Delicado traza metáforas como "el hurón" que "caza" en la "flores-
ta" o "decir dos palabras con el dinguilindón". En otros
pasajes, los protagonistas del "retrato" aluden al sexo de forma tangencial recurriendo al empleo de perífrasis, pronom-

269

bres demostrativos o adverbios de lugar.

En un ensayo célebre,[10] Roman Jakobson observaba con agudeza que la aplicación del eufemismo varía según el contexto: mientras en un medio habituado a la obscenidad el uso de tropos desempeña una función claramente singularizadora y actúa con mayor fuerza impresiva sobre el auditorio, en un medio cultural "elevado" —el de los lectores de un texto literario— la irrupción de la palabra cruda posee mucho mayor impacto. Si, por un lado, el repertorio del vodevil popular impone la regla de no mencionar jamás las cosas por su nombre, el bardo puede violar aposta la armonía del lenguaje poético y escribir, como Miguel Hernández, "en los cojones del alma". En ambos casos epíteto crudo y eufemismo trasladan al lector o espectador a otra serie semántica y revisten el término desplazado de una envoltura nueva, obligándoles a detener la mirada en él. Un examen comparativo de los símiles y perífrasis eróticas de *Paradiso* y los de la novela de Belda nos ayudará a comprender el papel estrictamente regulador del contexto.[11]

La boscosa frondosidad del lenguaje de Góngora —su violenta distorsión sintáctica aunada a una fulgurante capacidad metafórica— es el eje vector del proceso de singularización erótica en *Paradiso*. El índice trastocador del poeta cordobés, su verso escurridizo, serpentino, permiten al novelista del siglo XX adueñarse del mundo complejo en que vive mediante la creación de un cuerpo verbal vivo y, por consiguiente, sensual. Del mismo modo que el juego erótico aplaza en la medida de lo posible el momento del orgasmo, el juego literario prolongará como un fin en sí la voluptuosidad de nuestra lectura. Erotismo y escritura barroca coinciden así, como ha observado Sarduy, en virtud de una común disposición lúdica: el humor, el cubanísimo "choteo" se infiltran en la metáfora lezamesca y tienden un puente de comicidad entre dos series dispares, organizan insólitas afinidades electivas. Los símiles eróticos de *Paradiso* abrazan en general el mismo radio de acción que sus restantes figuras —el de los manuales ilustrados de historia, geografía, pintura o ciencias naturales que marcaron con su impronta la imaginación omnívora del joven Lezama, con un neto predominio de las metáforas relacionadas con el mundo vegetal y animal. Pero el carácter furiosamente "retórico" del texto impone un cambio sutil en el uso del procedimiento: Lezama no se dirige a un público popular, habituado a llamar a las cosas por su nombre y para quien la ingeniosidad del autor se mide por su mejor o peor manejo de la perífrasis o el eufemismo; el lector de *Paradiso* se mueve en un universo estrictamente cultural, en los antípodas del "realismo" y precisamente por ello la introducción del término sexual común ocasiona una quiebra abrupta, semejante a un cortocircuito:

> ... cuidaba el patio un alumno de la clase de preparatoria que entonces era el final de la primera enseñanza, un tal Farraluque, cruzado de vasco semititánico y de habanera lánguida, que generalmente engendra un leptosomático adolescentario, con una cara tristona y ojerosa, pero dotado de una enorme verga.

A lo largo de la novela, en medio de una estructura suprarretórica, puramente literaria, Lezama siembra maliciosamente vocablos como falo, verga, balano, glande, frenillo, vulva, canal o bolsa testicular. Con mayor frecuencia, cuando recurre a un tropo, no elimina del todo el sujeto referencial por cuanto éste mantiene su presencia en forma de adjetivo: "vela fálica", "espiral ascendente de la columna fálica", "cornalina fálica", "rabo fálico", "serpiente fálica", "bastón fálico", "coloso fálico", "dolmen fálico", etc. Otras veces, la metáfora lezamesca parte del nombre común para trazar una parábola imprevisible, que catapulta el sujeto de la frase a un predicado propio, ora del mundo natural o de los objetos creados por el hombre:

... el balano del Fronesis estaba fláccido como una vaina secada por el sol. .

... el falo de Vivo, como un enrollado parasol.

... el glande retraído esbozaba un diminuto cimborio;

ora, como ocurre más a menudo, a una perspectiva cultural-artística, histórica o mitopoética:

... la potencia fálica del guajiro Leregas reinaba como una vara de Arón.

... Leregas extraía su verga —con la misma indiferencia majestuosa del cuadro velazqueño donde se entregaba la llave sobre un cojín— breve como un dedal al principio, pero después como impulsado por un viento titánico, cobraba la longura de una antebrazo de trabajador manual.

... colocando sobre la verga tres libros en octavo mayor, que se movían como tortugas presionadas por la fuerza expansiva de una fumarola. Remedaba la fábula hindú sobre el origen de los mundos".

En alguna oportunidad, Lezama invierte los términos de la ecuación poética y, en vez de trazar el arco comparativo a partir del vocablo sexual se sirve de éste como predicado de la metáfora: " ... la espada encajada en la tierra como un *phallus*"; " ... honguillos, venenosos tan sólo para el hombre, semejantes a falos de glande albino". Pero, como Góngora, Lezama favorece mayormente la aplicación de la imagen sustitutiva. El eufemismo sexual, especialmente fálico, recurre a veces al arsenal retórico de los autores de novelas verdes: cirio, espolón, lombriz ("el escándalo de las progresiones elásticas de su lombriz sonrosada"), colmillo, aguijón ("la rolliza longura de sus aguijones"), pico de gallo, fruta ("Lupita no vaciló en esconder en su cuerpo la fruta que había hecho suya"), lanza, columna; otras, a la perífrasis: "el instrumento penetrante", "espíritu germinador", "dotación germinativa", "atributos germinativos", etc. La imagen nos vincula a trechos al mundo histórico o mitólogico (" ... aquel improvisado Trajano columnario", " ... el encandilamiento del faro alejandrino del guajiro", " ... la columna Luxor", " ... lanza pompeyana en acecho", " ... la agustiniana razón seminal", " ... la arrebatada gorgona chorreante del sudor ocasionado en las profundidades"); otras, el circunloquio serpentea con anillada lubricidad gongorina, (" ... el vuelco del líquido feliz", " ... el llanto que le rodaba por el colmillo", " ... la otra extensa teoría fláccida", " ... las dos ovas enmarañadas en un nido de tucanes", " ... el casquete cónico de la cornalina", " ... la fuerza muscular somnífera de la serpiente", " ... el salto de la energía suprema", " ... la transfiguración interrumpida").

La elisión, característica del cordobés, florece en la selvática vegetación de *Paradiso* con riqueza y prodigalidad desconocidas por nuestra lengua desde hace más de tres siglos: las camas donde eslabona la divertida "cadeneta sexual" de Farraluque serán sucesivamente "cuadrado espumoso", "cuadrado gozoso"; los homosexuales pasivos, "cinedos con megacolon congénito"; las caricias de Roxana, "su incesante quehacer artesanal"; Lucía y Fronesis besándose, "dos orugas que se interrogaban con sus cuernecillos"; el ano es, "círculo de cobre", "cráter de Yoculo", "cráter de Sneffels"; el escroto, "sombra anillada por Scartaris";[12] el señor del antifaz sodomizado por Farraluque, "su sumado contrario", "poderoso incorporador del mundo exterior", "sujeto recipendiario"; el coito, "suspensión donde los contrarios se anegan en el uno único", "toque central ígnito". El sexo femenino nos es descrito ya mediante imágenes del mundo animal: "araña gorda", "araña abultada"; ya del mundo vegetal o inorgánico: "crinaje o yerbazal picoteado por una siguapa", "gruta barbada", "ondulaciones de un terreno carbonífero", "yerbecilla del monte", "subterráneo al lado de la pradera oscura", etc.

273

La extensión del lenguaje de Lezama, esta encarnizada búsqueda suya de "una sustancia resistente enclavada entre una metáfora que avanza" y "una imagen final (que asegure) la pervivencia de esta sustancia",[13] prolonga elásticamente el mecanismo comparativo a partir del término sustitutivo inicial, izándolo a un nivel suprarretórico —retórica al cuadrado— en el que, como siempre, se cuela un deje de risa, de burla discreta: " ... cuando precisó que el agujero de la lona cubría el círculo por el que se entraba al río de la fémina, el gallo de Eros anunció el alba de su aguijón posesivo"; "los yerbazales, las escoriaciones, los brotes musgosos donde el nuevo serpentín del octavo día se trocaba en un honguillo con una pequeña corona planetaria en torno al glande de un marfil coloidal"; " ... en el mesón de Tablas podridas, en la fiestera, gaveta cilíndrica, cochinilla, gruta manadora, estalactita de alcanfor, piedra pómez para el pico tenso del gallo dormido"; " ... la energía, rastrillada por el rencor, se volcó varias veces en las bahías, muy al descubierto, de la deseosa enigmática".

Contemplaremos ahora, para concluir, un ejemplo del *ars combinatoria* lezamesca que nos ayudará a descifrar, como en una pictografía del barroco, el signo distintivo de su procedimiento de singularización respecto al gongorismo inconsciente del novelista español:

> ... Ese encuentro amoroso recordaba la incorporación de una serpiente muerta por la vencedora silbante. Anillo tras anillo, la otra extensa teoría fláccida iba penetrando en el cuerpo de la serpiente vencedora, en aquellos monstruosos organismos que aún recordaban la indistinción de los comienzos del terciario donde la digestión y la reproducción formaban una sola función. La relajación del túnel a recorrer, demostraba en la españolita que eran frecuentes en su gruta las llegadas de la serpiente marina. La configuración fálica de Farraluque era en extremo propicia a esa penetración retrospectiva, pues su aguijón tenía un exagerado predominio

de la longura sobre la raíz barbada. Con la astucia propia de una garduña pirenaica, la españolita dividió el tamaño incorporativo en tres zonas, que motivaban, más que pausas en el sueño, verdaderos resuellos de orgullosa victoria. El primer segmento aditivo correspondía al endurecido casquete del glande, unido a un fragmento rugoso, extremadamente tenso, que se extiende desde el contorno inferior del glande y el balano estirado como una cuerda para la resonancia. La segunda adición traía el sustentáculo de la resistencia, o el tallo propiamente dicho, que era la parte que más comprometía, pues daba el signo de si se abandonaría la incorporación o con denuedo se llegaría hasta el fin. Pero la españolita, con una tenacidad de ceramista clásico, que con sólo dos dedos le abre toda la boca a la jarra, llegó a unir las dos fibrillas de los contrarios, reconciliados en aquellas oscuridades.

III

Entre las novelas de Joaquín Belda escogeremos la que describe la vida y milagros de "la célebre e inconmensurable Coquito, reina de la rumba y emperatriz del cuplé".[14]

Su autor pertenece a aquel grupo de escritores de comienzos de siglo que, aprovechándose del relativo liberalismo de la censura alfonsina en lo que concierne al sexo, cultivaron asiduamente, a veces con gran ingenio, la llamada novela verde, alcanzando algunos de ellos enorme popularidad. En mi opinión Belda sobresale entre todos por su sátira discreta de la sociedad hispana y, como vamos a ver, por la índole señaladamente barroca de sus imágenes y eufemismos. Aunque la intención social de *La Coquito* sea menos obvia que la de otras obras de su autor,[15] el lector puede espigar en ella una serie de observaciones que, con fino sentido del humor y sin el énfasis teatral del 98, entroncan no obstante con la problemática de éste y su crítica general del país.[16]

El argumento de la novela es muy simple: la Coquito,

vedette del Salón Nuevo madrileño —teatro especializado en un repertorio de astracanadas y números bailables de título ambiguo—, vende su cuerpo al mejor postor después de la función, gracias a los celestinescos servicios de su propia madre, la pragmática y galdosiana doña Micaela. Entre los suspirantes se halla Julio González, llamado Julito, estudiante pobre que durante meses, a costa de grandes sacrificios, reúne peseta a peseta y duro a duro la cantidad, entonces astronómica, que fija la alcahueta. El mancebo, en el ínterin, alimenta la llama de su pasión con esporádicas visitas al Coliseo donde la bella cierra el espectáculo con un número de baile con primicias de estriptís. "Yo afirmo con toda solemnidad —escribe Belda—, y si me equivoco que la Historia arroje sobre mis hombros toda la responsabilidad de la afirmación, que estamos asistiendo, en esto de la rumba, a un acontecimiento de igual importancia y de mucha mayor trascendencia que la batalla de las Pirámides." Ante esta visión gloriosa, el "río vital" del mozo rompe los cauces y se desborda por "las campiñas" de los muslos con "riadas petroleras". Al fin la noche anhelada llega y la rumbera y el estudiante se entregan al arduo, casi litúrgico ejercicio de una pasión que ocupa aproximadamente un tercio de la novela, en un *in crescendo* que, aunque sin el cambio de *partenaire,* evoca las hazañas de Farraluque en el capítulo VIII de *Paradiso.* La progresión dramática culmina en el momento en que la Coquito, armada de "un objeto extraño" de fabricación tudesca, acomete a la "fortaleza virgen" del mozo, y mientras éste experimenta "una impresión de divorcio en sus carnes, como si un paraguas automático se hubiese abierto en el interior de su organismo y se empeñase en salir al exterior sin cerrarse", Belda se limita a comentar: "Una nueva vía de comunicación acababa de abrirse a viajeros posteriores en España, país, según dicen, tan falto de ellos".

El lenguaje de Belda es sumamente inventivo y brillante: como los autores del repertorio teatral del Salón Nuevo, se dirige a un público cuyo apetito inextinguible de situaciones escabrosas se compensa con un ansia no menos voraz de perífrasis y eufemismos basados en una regla única: no llamar jamás al pan pan y al vino vino. Dicho principio impone al autor de obras verdes el uso continuo de símiles y tropos, destinados a atraer la atención del lector o espectador sobre el arte exquisito con que el escritor sortea el obstáculo de la expresión común y cruda. Como en las obras teatrales tipo el "Tenorio", en que el inconveniente de la falta de tensión dramática, dado que el argumento es conocido de antemano, se contrapesa con una mayor atención del espectador en el montaje escénico y juego de los actores, el verosímil artístico de un género tan consabido y preciso como el que cultiva Belda le consiente lucirse, en cambio, en el ejercicio de una retórica que se convierte así en el factor dinámico de la obra, esto es, en su "signo diferencial". La rigidez y esquematismo del código implican por consecuencia un margen muy amplio de improvisación en el que importa mucho menos el "que" que el "como". Aunque el almacén de tropos de Belda se aplica preferentemente al cuerpo humano y al acto sexual, es interesante observar que su afición metafórica se contagia a las demás descripciones de la novela y, a menudo, el puente de sus símiles, tendido sobre el abismo que separa a dos términos pertenecientes a series heterogéneas, es inmenso: " ... parecía [la negra] como un gigantesco mueble de ébano ... algo así como si la Cibeles tomase un baño de tinta"; " ... fea como un paraguas sin varillaje completo"; " ... el sudor de ella, espeso y oliente a chirimoya soltera, me corría por el cuerpo como el óleo de una consagración"; " ... dos sonoros besos, uno en cada zapato, cayeron a los pies de la artista como dos rosas blancas arrojadas desde un palco proscenio".

Por haber sido escrita durante la primera guerra mundial, la obra abunda en símiles e imágenes militares o alusiones a la marcha de los acontecimientos bélicos: "El, invadido por la espalda, como el Tirol y el Trentino"; "Clausewits decía que una de las maniobras más difíciles de la guerra era picar la retaguardia al enemigo"; "comparado con lo que el cuerpo de la chica tendría que aguantar ... la toma de Lieja por el ejército de Von Kluck sería un almuerzo en la Bombilla", etcétera; el temible "objeto" con que la Coquito sodomiza a su galán es evocado asimismo en términos militares: "mientras el pueblo del Kaiser tuviese en su arsenal armas como aquélla, podría hipotecar a cañonazos el porvenir del mundo".

A diferencia de Lezama, Belda sortea cuidadosamente la mención directa del acto o partes sexuales por cuanto dichos elementos se hallan siempre presentes en la mente de los lectores y son, a decir verdad, los auténticos protagonistas de la obra. Sus eufemismos adoptan de ordinario la forma de perífrasis: "los hemisferios de la fachada"; "el nutritivo botoncito", "la cordillera que rodeaba su vértice sexual", "ciertos recodos genésicos propiedad de la huésped", "el botón floreal que se alzaba en el centro de la roca", etc.; transformados en imagen pasan a ser a menudo, como en Lezama, sujeto de una metáfora cuyo predicado parece extenderse elásticamente —simple pretexto del novelista para ampliar la materia verbal: los pechos de una cupletista serán "dos ciruelas vaciadas por el picotazo de los pájaros", y los de la Coquito, "dos divinos limoncillos, blancos como el nardo [que] se elevaban al cielo endurecidos y con el botón del vértice lleno de amenazas, como el pitón de un toro Miura", o, aun, "dos meloncillos a medio crecer, iguales, prietos, y con un ligero vaivén al andar, que hacía temblar los botoncillos del vértice, rosados como la calva de un senador limpio".

Los diversos aspectos y elementos del acto sexual son descritos en forma metafórica, a veces mediante sinuosos circunloquios de torcida sintaxis gongorina:

> ... un ratón que se había metido —oliendo a queso Roquefort— por el pasadizo sexual de la costurera.

... el surco violeta de sus ojeras ... denotaba que el mancebo había intentado consolarse de los desdenes del ser amado perturbando al silencio de su yo nocturno con manipulaciones indostánicas.

... el pararrayos acaba también en punta y con una calvicie que parece el pavimento de un salón de baile, en cuyo centro hubiera un montículo puntiagudo.

... esperó a que él ... como práctico que conduce la nave entre los escollos de la entrada del puerto, sacase a luz su imperativo categórico,[17] que parecía un faro vigilante entre las borrascas del océano.

... su imperativo categórico ... obedeciendo a la ley de la gravedad rindióse al suelo como el penacho de un jinete herido.

... la viuda encendió la luz y vio que por el techo, haciendo un taladro, penetraba un objeto extraño, terminado en punta, aunque algo roma, y que ella recordaba haber visto alguna vez antes de quedarse viuda. El objeto subía y bajaba en movimientos peristálticos, hasta que acabó por desaparecer.

En este último caso, Belda finge desconocer la realidad del pene, describiéndolo como algo insólito, que viese por primera vez e imponiéndonos así, conforme al precepto de Shklovski, una "visión" del mismo, no un "reconocimiento".

Para una mejor comprensión del procedimiento escogido por Belda entresacaremos algunos párrafos y pasajes de las "variaciones sobre el tema" que, a lo largo de más de sesenta páginas de la obra, protagonizan el estudiante y la cupletista.

... ¿Podría ella guardar en el divino estuche de su cuerpo aquella joya, que parecía fabricada en el país de los gigantes? ¿No tendría un límite la elasticidad de su criterio? ... Como el indio se arrodilla ante un ídolo de la orilla del Ganges, así estaba ella postrada ante Julio ... Coquito extendió las manos lentamente, y fue a coger con suavidad aquel cetro del imperio del mundo.

Concluido el acto, Julio, escribe Belda:

... se echó a sus pies, como uno de esos galgos de los cuadros ingleses ... y allí por encima del charol de los zapatos, fue dejando sus besos como una ofrenda; algunas veces subía con ellos hasta la altura de la rodilla, pero bien pronto bajaba, como pajecillo humilde que en un momento de audacia se internase por las habitaciones reservadas de su reina, y saliese corriendo como un gamo al sentir el menor ruido ... con timidez, como quien teme profanar el santuario de una imagen, alzó la bata con ambas manos y contempló el panorama interior ... Avizorando el ojo y dirigiendo la visual hacia abajo, era un canalillo sutil lo que se veía, como un arroyo que corre entre montañas, y cuyo final, aunque no se veía, se presentía en un divino remanso de esplendor ... fue una labor de ingeniero zapador la de limpiar de obstáculos el camino; no eran éstos muchos: los pantalones y la bata únicamente; pero para la labor de miniaturista que él se proponía ejecutar, un papel de fumar sería manta de Palencia.

A continuación Belda se entrega a una elíptica descripción del *cunnilingus* atestada de imágenes, figuras y símiles de todas clases, con un alarde de riqueza imaginativa y poética que no encontramos en ninguno de los escritores españoles de su tiempo, con excepción, claro está, de Valle-Inclán:

Con unción de peregrino que tras largo viaje llega al ara santa, Julio se arrodilló ante el cuerpo de *Coquito*. ... Fue primero un paseo reposado por las dos carreteras que desde las rodillas conducían al palacio central de los placeres; ese paseo era así como una fricción de vaselina que suavizase el camino, o como esos riegos que se hacen dos veces al día en las carreteras de las provincias vascongadas por medio de un carrito que lleva en su trasera un salto de agua.

Pero en este paseo, dondequiera que el paseante encontraba lugar ameno y propicio a detenerse, lo hacía con suma complacencia, y eran esos lugares aquellos en que el terreno se quebraba, doblándose sobre sí mismo, como en los vallecitos de las ingles, o en aquellas otras planicies donde la piel, por estar menos expuesta al sol y al aire, se suaviza, se sensibiliza hasta el infinito. Allí el arma renovaba sus ataques, aumentaba su velocidad, y su brío, para volver luego en un pianísimo, que era como una tregua, a su paso habitual por el resto del camino ... Hay un bosque a la entrada de ciertos desfiladeros de la mujer, donde la sombra es grata y el descanso es orgía; en él, ¿cómo no?, se detuvo el estudiante, después de haber inspeccionado convenientemente todos los alrededores.

A la sombra de sus arbolillos, unos castaños de ramaje rojizo y sedoso, riñó el artista una batalla que recordaba aquella o aquellas interminables de la Argona, en las que los guerreros no hacen más que tejer y destejer pasando varias veces por el mismo sitio.

A lo mejor el explorador, audaz en sus avances, se asomaba al valle profundo que dividía el bosque por el centro de sus laderas; pero no hacía más que asomarse, pues se retiraba al punto ... Por la parte norte del bosque avanzaba la vanguardia del ejército invasor; parecía que por allí, sitio el más peligroso, como saben los inteligentes, iba a tener lugar el ataque a fondo; pero aquello no era más que una falsa alarma, pues bien pronto el enemigo se retiraba para volver a sus paseos de exploración. ... Aquel chico era un maestro: la experiencia, profesora eterna del amor y de la vida, había en él sido suplantada por un fino instinto que hacía dar a su apéndice bucal vibraciones de arpa eólica. El invasor penetraba en aquella cavidad con timideces de educando, al principio; con audacias de piloto noruego después.

Se encontraba allí con uno de esos parajes que la Naturaleza se ha complacido en instalar en ciertos terrenos cercanos al mar o a tierras húmedas, una verdadera cueva de estalactitas, en que el agua cansada de gotear durante siglos, marcando el paso monótono de vida, se ha detenido en cristalizaciones poliédricas que por acabar en puntos recuerdan mucho a

281

la mayoría de los dramas de Bernstein. La poesía ha hecho de estos lugares capillas de sus cultos idolátricos, ... Aquella gruta, propiedad de *La Coquito* por la que, sin hipérbole, podía asegurarse que habían pasado más de mil turistas, parecía un lugar recién descubierto, un misterio cuyo velo acabase de rasgarse al conjuro de un aria de tenor, como en las óperas mitológicas. La frescura interior, la misma estrechez del lugar hablaban de algo virginal, de una primicia de fontana, oculta entre el ramaje de un bosque —del bosque por donde había merodeado poco antes el peregrino—, y que es para el viajero sorpresa y bendición. Y es que la imaginación y el agua de vegeto obran a las veces estos milagros.

Nueva o vieja, primicia o antigüedad, estreno o *reprise*, el viajero comenzó una detenida inspección de los parajes más recónditos de la cueva milagrosa, que bien pronto surtió su efecto. No hubo recoveco, no hubo alicatado de aquella maravilla del arte moro por donde no pasase con insistencia el estilete que Julio guardaba para estos casos y para humedecer el borde del papel Jean en que liaba los pitillos.

Había un sitio, allá en lo más alto del techo y ya donde éste empezaba a curvarse para formar la pared del fondo, que salía y brillaba más que el resto, algo así como esas pepitas de oro por encontrar una de las cuales pasan una vida de esclavitud los mineros de California, y por la que luego, ya fuera de la mina, se matan los hombres, como por una hembra que no se entrega más que al amante de manos ensangrentadas. Julito, o mejor dicho su apéndice, fijóse en ella, y comprendiendo que aquel era el punto flaco del enemigo, donde se ganan o se pierden las batallas, fuese a ella derecho como una bala y empezó una lucha en que todas las probabilidades de victoria estaban de su parte.

La "sorpresa" final de la temible rumbera nos vale igualmente un *morceau de bravoure* en el que la pirotecnia verbal y este humor del que tan cruelmente adolecen los mascarones de proa del 98 se combinan de modo delicioso al relatar la apertura de un nuevo túnel "a la civilización del mundo":

... el producto de los talleres alemanes inició un avance por entre dos promontorios ... Perderse por un atajo, por el que nadie ha pasado nunca, tiene sus inconvenientes ... pero tiene también sus encantos, y entre ellos no es el mejor el de abarcar con la vista panoramas que nadie ha contemplado y que se ofrecen a nosotros con todo el encanto de lo virginal ... El chico ... sentía en su interior una cosa muy extraña, ... una impresión así como si, tomando un baño, por un fenómeno de física empezase a internarse en su organismo toda el agua del mar ... Era una introspección: la piel recogiéndose para adentro, cual un paraguas que se cierra y ya nunca más va a abrirse ... Oyóse el único grito de queja; los demás fueron ya francas voces de delicia, como un coro angélico ... ; el producto de la fabricación alemana había desaparecido todo él —no medía más que 26 centímetros— de la vista de los mortales y hubiera sido inútil buscarlo por el suelo, ni debajo de los muebles. ¿Dónde estaba? Adivinanza ... Lo cierto era que, como el cuerpo humano no se dilatase de pronto, creando órganos nuevos, allí no podía hacerse más de lo que se había hecho.

IV

Concluiremos el díptico contrastado entre el librillo de Belda y la extraordinaria creación de Lezama precisando que no se trata de un caso de influencia, como la polilla erudita, en su afanosa búsqueda de fuentes, se precipitaría a afirmar, sino de una coincidencia originada por el proceso interno de la escritura. Por prurito de conciencia consulté no obstante con Lezama y recibí una respuesta escrita de la que reproduciré estas breves, significativas líneas: "En relación con el otro extremo de su carta, nunca he leído esa obra que usted me cita, ni creo que sea necesario más para la lectura de ese capítulo VIII, que lo que allí se muestra. Algunos versículos de Las Leyes del Manú y sobre todo el Kamasutra (capítulo dedicado al Opoparika o unión bucal) leídos en la niñez y mantenidos con sensual relieve por la memoria. Los únicos libros de pornografía que he leído son la Biblia (Génesis) y Platón. En realidad las influencias literarias no son lo fundamental en mi obra, sino la aparición del súbito, un súbito de apoderamiento y realización".[18]

Resumiendo: mientras el gran escritor cubano se sirve de Góngora como el referente que debe permitirle la apropiación de la realidad —de la que el erotismo es parte— por medio del lenguaje, el ingenioso novelista español gongoriza *malgré lui* a partir del momento en que se ve obligado a recurrir al uso de elipsis y eufemismos para imponer en sus lectores "su marca particular". La distinta calidad de los públicos a quienes se dirigen explica el empleo o rechazo del vocablo crudo según la lógica peculiar —y en apariencia paradójica— del contexto. Por encima de todo nos revela que el encuentro con Góngora —ya sea voluntario o inconsciente— puede desempeñar en la narrativa hispana del siglo XX un papel similar al influjo de Joyce en el mundo de habla inglesa. Unido al redescubrimiento por Borges del prodigioso juego literario cervantino, es la demostración válida de que, tras un eclipse de más de tres siglos, la novela en lengua castellana ha hallado la encrucijada perdida, la conjunción imprevista de su resurrección: la que a su manera ejemplarizan Góngora y Cervantes —audaz incursión en la realidad del mundo que misteriosamente se transmuta en aventura del proceso creativo del escritor.

NOTAS

1. *Relato de la utopía. Notas sobre la narrativa cubana de la Revolución,* La Gaya Ciencia, Barcelona, 1973.
2. "Sierpe de don Luis de Góngora", en *Orbita de Lezama Lima,* UNEAC, La Habana, 1966.
3. *Cartas filológicas.* Inútil decir que la referencia al profeta del Islam es el máximo insulto en el pervertido contexto español de la época.
4. Cf. Tzvetan Todorov, *Théorie de la littérature,* Editions du Seuil, París, 1966, trad. castellana: Signos, Buenos Aires, 1971.

5. Sobre las metáforas de "segundo grado" en la poesía andalusí, véase Ibn az-Zaqqaq, *Poesías*, ed. y trad. de Emilio García Gómez, Madrid, 1954. Igualmente, las páginas esclarecedoras de James T. Monroe respecto a las *qasidas* de Ibn Zamrak en *Hispano-Arabic poetry*, University of California Press, 1974, pp. 65-67.

6. Esperanza Figueroa Amaral, "Forma y estilo en *Paradiso*", *Revista Iberoamericana*, XXXVI, n.º 72 (julio-septiembre 1970), pp. 425-435.

7. "Mitos y cansancio clásico", en *La expresión americana*, Alianza Editorial, Madrid, 1969.

8. *Escrito sobre un cuerpo*, Sudamericana, Buenos Aires, 1969.

9. Victor Shklovski, *Teoría de la prosa*, Planeta, Barcelona, 1976.

10. "Sobre el realismo artístico", en *Théorie de la littérature*, ed. cit. en n. 4.

11. En *La Coquito* de Joaquín Belda encontramos numerosos ejemplos de este tipo de vodevil o astracanada tan popular en los teatros del Paralelo barcelonés o en el célebre Blanquita de México: "El repertorio del Salón Nuevo lo formaban obras de títulos ambiguos, que se prestaban a una interpretación maliciosa, por parte de algún malpensado: *El hijo de Pura, Tres noches sin sacarla, Tomar por el atajo*, y el gran éxito de la temporada, la obra cumbre del género, la genial *Tortilla de almejas*, pieza en seis cuadros que se decía escrita por un oficial del Consejo de Estado, y en la cual había un personaje, banquero arruinado él, que en una escena de marcado sabor trágico, decía a gritos, parándose en el centro de la escena:

> Me persigue la justicia.
> Todas las gentes me escupen.
> ¿Quieren chuparme la sangre?
> Pues bueno, ¡Que me la chupen!"

Véanse igualmente las escenas de las pp. 86-87, 90-92 y 94-95 de la misma obra.

12. Julio Cortázar ha analizado estas referencias crípticas a Julio Verne en el ensayo que consagra a Lezama en *La vuelta al día en ochenta mundos*, Siglo XXI, México, 1967.

13. Entrevista con Armando Alvarez Bravo en *Orbita de Lezama Lima*.

14. *La Coquito, novela picaresca*, Ediciones Alegría, s. f. La novela de Belda está prohibida en España, y adquirí un ejemplar de la edición que cito en una porno-shop de la calle 42 de Nueva York frecuentada al parecer por un público hispanohablante.

15. La anciana peripatética de *Las noches del botánico* es una especie de Benina de Galdós, testigo de las estrecheces y ahogo de la pequeña burguesía madrileña. El discurso final del cura párroco ensalzando sus "virtudes" es una pieza de antología.

16. *La Coquito*, pp. 77-78 y 146.

17. En *Juan sin Tierra* me he servido de esta imagen en homenaje a Belda.

18. El original de la carta de Lezama figura en mi archivo de Boston University.

con su patria se ha consumado ya. Sansueña o la Madrastra —así denominaba Cernuda a su país— está vista desde fuera: la herida moral ha cedido el paso a una imprecación vengadora. Como ha visto muy bien Vicente Llorens —el crítico español que ha contribuido más eficazmente a resucitar la obra de Blanco—, el expatriado vive por lo general en un estado de aislamiento angustioso; pero esta misma situación marginal suele ser favorable a la afirmación de ideas propias, liberadas de las hipnosis, tabús y chantajes de la sociedad intelectual en que anteriormente vivía. Un país no es sólo un pedazo de tierra: es, en primer término, un conjunto de factores socioculturales e históricos que cobran sentido y se ordenan a través de la escritura. El narrador de *Don Julián* ha renunciado al espacio material de su patria (paisaje, suelo) pero no al discurso (literario, ideológico, etc.) en el que se compendia su identidad actual, su evolución histórica. Con la libertad omnímoda de quien no posee nada y no tiene, por tanto, nada que perder vaga, como un nómada, por ocho siglos de cultura española, deteniéndose al azar de su propia inspiración y escogiendo su alimento intelectual donde le place: los hechos, frases, palabras así extraídos al discurso colectivo hispano revisten una función activa, dinámica, se integran en un nuevo discurso libre e independiente. Su agresión a la sociedad en que le ha tocado vivir comienza con una agresión a su historia y a su lenguaje. Todo ello es posible en razón de su extrañamiento, porque se trata de una visión tangerina o africana, una visión desde fuera. Naturalmente, debe ser tentador para el crítico establecer una relación entre mi persona y las otras "personas" que amplían mi propio discurso en la ficción o la crítica. No es una simple casualidad si los dos escritores españoles que más me han interesado, y cuya obra ha influido más profundamente en mí durante los últimos tiempos son dos escritores exiliados, dos parias, dos malditos: Blanco White y Cernuda. Mientras vivía en España y en mis primeros años de exilio mis guías eran los mismos de la mayor parte de los hombres de mi generación: Larra, Machado. Cuando a comienzos de la pasada década comencé a desprenderme de los tabús y mitos que siguen moldeando en España la llamada *intelligentzia* de izquierda, mi aislamiento devino angustioso: no sólo vivía alejado físicamente del país nativo, sino que los criterios, valores y juicios de la gente más próxima a mí me resultaban cada vez más extraños. A medida que entraba en posesión de mi verdad y me esforzaba en cernerla, me sentía más ajeno a la que profesaban o decían profesar mis compañeros. Mi exilio no era sólo físico, y motivado exclusivamente por razones políticas: era un exilio moral, social, ideológico, sexual. Y cada día transcurrido abría más la brecha, acentuaba mi aislamiento. En tal situación, el descubrimiento de que mi experiencia no era única, de que otros intelectuales habían pasado por un proceso idéntico era muy importante para mí. Cuando comencé a penetrar en la obra de Blanco White tuve la impresión de releer algo que había escrito yo mismo —mi familiaridad con ella fue instantánea. También en él la fuerza centrífuga había vencido la ley de la gravedad nacional. Sus palabras ampliaban, como tú dices, mi propio discurso —el registro era distinto, pero la voz se relacionaba tan íntimamente con la mía como la del ficticio don Julián. Y es que una serie de elementos de la vida española operan hoy del mismo modo que en tiempos de Blanco White: mi parentesco con éste es posible porque nuestra relación con España es idéntica.

J. O.: *Lo más notable en* Don Julián *me parece la voluntad formal y expresiva que cuestiona por cierto la noción del género y también el lenguaje hablado en España. Hay una pluralidad crítica (desde una persuasión poética), en la novela, mucho más radical que en* Señas de identidad. *Esta invención de un lenguaje plural me parece que parte precisamente de la unidad de crítica y ficción en el texto, desde el apasionamiento de una escritura obsesiva. Me gustaría que cuentes cómo escribiste esta novela, cómo se te impuso, cómo se hizo a sí misma.*

J. G.: En mi opinión, las obras literarias más significativas del siglo XX son las que se sustraen a la tiranía conceptual de los géneros: son a la vez poesía, crítica, narrativa, teatro, etc. El propósito fundamental de una novela como *Don Julián* es lograr la unidad del objeto y el medio de representación, la fusión de la traición-tema y la traición-lenguaje. *Don Julián* es a un tiempo obra de crítica y ficción o, si prefieres, praxis crítica. La utilización libre de diferentes formas expresivas y estilos literarios como elementos constructivos al servicio de una nueva arquitectura es un reflejo de la aspiración actual a un arte totalizador, a un arte que refleje la situación del hombre del siglo XX enfrentado a una herencia cultural de decenas de siglos, obligado a tener en cuenta la existencia e influjo de ese *musée imaginaire* de que habla Malraux.

La interpretación mítica, justificativa de la historia de España me obsesionaba desde hacía años. Es difícil vivir en una ciudad como Tánger, enfrentado a la presencia cercana de la costa española, sin evocar la figura legendaria de don Julián y soñar en una "traición" grandiosa como la suya. Mi despego de los valores oficiales del país había llegado a tal extremo que la idea de su profanación, de su destrucción simbólica me acompañaba día y noche. El único problema que se me planteaba era el del lenguaje mediante el cual debía llevar a cabo mi "traición". Para violar la leyenda, y los mitos y valores hispánicos tenía que violar asimismo el lenguaje, disolver uno y otros en una misma agresión violenta. Cuando llegué a esta conclusión todo fue relativamente fácil: el texto comenzó a proliferar por sí solo.

J. O.: *Me interesa mucho otro plano de* Don Julián: *su parentesco cercano con la nueva narrativa hispanoamericana. Diría que es la novela más española que has escrito pero que también es la más latinoamericana, por su libertad formal y su diversidad expresiva que te permite, incluso la franca glosa del habla oral hispanoamericana a través de algunas de estas novelas. ¿Qué importancia ha tenido para ti esa narrativa?*

J. G.: Desde luego, *Don Julián* es la obra más española que he escrito, y ello por una razón muy simple: porque su materia misma, a un nivel puramente verbal, es el discurso literario hispano, desde su origen hasta la fecha. Reivindicar la traición de don Julián es impugnar varios siglos de historia hostil mediante una agresión vandálica a la palabra escrita de nuestros cronistas, poetas y narradores. La lista de "plagios" que figura al final del libro puede resolver para el erudito el problema de las "fuentes"; pero el problema real no es un problema de fuentes sino el de las funciones que les atribuyo, del empleo libérrimo que hago de ellas. Mi enfoque me permite entablar un diálogo intertextual con autores que admiro o parodiar e infectar el estilo de quienes me parecen poco respetables, etc. Todo lo cual nos lleva a la segunda parte de lo que tú dices: este nomadismo intelectual o trashumancia de ideas me emparenta sin duda con la nueva narrativa hispanoamericana, mucho más libre que la española en sus relaciones con el pasado —no sólo con el pasado español sino con el de otras culturas y lenguas. En mi opinión, el gran pionero de dicha actitud es Borges. Sin él, ni la nueva novela hispanoamericana ni una obra como *Don Julián* habrían sido posibles.

J. O.: *En alguna parte has declarado que en España incluso los choferes de taxi hablan como Unamuno. Hay como una zona sobrenominativa en esa lengua oral, que parecería un derroche expresivo pero que quizá podría operar como un encubrimiento. Evidentemente tú escribes en contra de esa norma, y una actitud crítica similar es visible en algunos otros autores españoles de hoy. En esto, por cierto, tus libros suponen una fundación y una exploración decisivas. ¿Cómo has enfrentado tú mismo esta situación verbal de España?*

J. G.: Al explicar las razones que le condujeron a escribir en inglés, Blanco White señala una que me parece fundamental: el obstáculo que representa el expresar un pensamiento libre en un idioma que, por su textura misma, se adapta difí-

cilmente al ejercicio de dicha libertad. Durante siglos, todo
español se ha visto obligado a pensar o cuanto menos a
hablar y escribir conforme a ciertas fórmulas y estereotipos, y
la consecuencia de dicho sistema, dice Blanco, se traduce en
un entorpecimiento de las facultades mentales y un miedo
continuo a ejercerlas. De ahí la zona sobrenominativa de que
tú hablas y su función real de encubrimiento. Pues los esquemas mentales, elipsis y clisés son comunes al señor rector y al
chófer de taxi de Salamanca: ambos emplean, a distintos
niveles, claro está, un mismo idioma codificado por varios
siglos de estática social y monolitismo ideológico. Por eso, en
Don Julián y en mi ensayo sobre Blanco White he denuncia-
do un fenómeno que este último había advertido con gran
agudeza: la inercia de un lenguaje estancado, lleno de clisés
inhibidores —un lenguaje ocupado por una casta omnímoda
que ha frustrado siglo tras siglo sus posibilidades creadoras
ejerciendo una violencia solapada sobre sus significaciones
virtuales. Existen idiomas ocupados como existen países ocupados, y la ocupación del nuestro en nombre de la pureza de
la fe y el monolitismo ideológico es directamente responsable
de su escasa aptitud para servir de vehículo transmisor del
pensamiento, de la sensibilidad modernas. En Hispanoamérica, como en España, la labor de nuestros mejores escritores
ha de ser, ante todo, liberadora y destructiva: una labor
transgresora y crítica con respecto a los estereotipos y esquemas que paralizan aún nuestro idioma.

J. O.: *Aunque las relaciones de la literatura latinoamericana
y la española han sido muy pobres en los últimos años, yo diría
que empieza a percibirse una nueva relación coincidente. ¿Crees
que una tradición más moderna estaría ahora modificando la
nueva literatura española? ¿O tú ves un momento de ruptura
anterior, más decisivo?*

J. G.: Esta pobreza de relaciones no existe tan sólo entre
la literatura peninsular y la hispanoamericana: si el Atlántico
separa a los escritores y lectores de Barcelona y Madrid de

los de México, Buenos Aires o Lima, entre estos últimos see
alza todavía una serie de Andes políticos, sicológicos, patrióticos, etc., que favorecen la actual compartimentación y hacen
el juego al imperialismo. Levantar los bloqueos culturales,
fomentar un intercambio libre de ideas, combatir todo tipo de
monolitismo puede contribuir decisivamente a la creación de
una literatura en lengua castellana sin aduanas ni fronteras.

Dicho esto, creo que la relación coincidente que tú señalas
es un hecho irreversible, cuyas consecuencias serán favorables
para ambas partes: una característica de la literatura española
ha sido su ensimismamiento y escasa permeabilidad a las
ideas y corrientes ajenas —defecto exactamente contrario al
de las letras hispanoamericanas, que tan a menudo incurren
en el extremo opuesto. Hoy día estas dos tendencias comienzan a corregirse y compensarse, y resulta interesante observar
que el más europeo de nuestros poetas —me refiero a Cernuda— es quien más influencia ejerce sobre las nuevas generaciones peninsulares. El culto asfixiante a los autores del 98 y sus
epígonos no estorba ya el paso de éstas, como estorbó el
nuestro. El "castellanismo" paralizante, de vía estrecha, ha
perdido su anterior prestigio, y los jóvenes se sienten más
internacionalistas. Al fin y al cabo el mundo no se detiene en
el Guadarrama, la sierra de Gredos o las murallas de Avila.
El *generational gap* y las nuevas formas de vida han abolido
muchas fronteras.

J. O.: *En tu propia obra es fundamental ese momento de ruptura que supondría una reformulación esencial de tu trabajo creativo. ¿Qué importancia tienen en ese proceso las nuevas corrientes
de la crítica? ¿A qué niveles crees tú que puede actuar un pensamiento crítico dentro de la ruptura formal de la ficción?*

J. G.: Toda exploración creadora va indisolublemente
ligada al ejercicio de un pensamiento crítico. *Don Julián* es,
simultáneamente, una obra de ficción y una obra crítica, que
escapa de modo deliberado a la tiranía conceptual de los
géneros. La novela-novela (con personajes de "espesor" sico-

295

lógico, acciones verosímiles, motivación "realista", etc.) ha dejado de interesarme y no creo que en lo futuro vuelva a escribir ninguna (lo cual no quiere decir que reniegue de las que publiqué antes). La única literatura que me interesa actualmente es la que se sitúa fuera de las etiquetas de "novela", "ensayo", "poema", etc.: al redactar mi trabajo sobre Blanco White he trazado, por ejemplo, una especie de autobiografía, me he apropiado de él, lo he fundido en mi propio mito. En *Don Julián* me propuse hacer simplemente un texto que me permitiera diversos niveles de lectura. Mi enfoque es el resultado natural de una serie de reflexiones críticas alimentadas en parte por la lectura de los formalistas rusos, Benveniste, Jakobson, el Círculo de Praga, etc. Un escritor ajeno al desenvolvimiento de la poética y la lingüística es un anacronismo en el mundo de hoy: el escritor no puede abandonarse a la inspiración y fingir inocencia frente al lenguaje, porque el lenguaje no es jamás inocente.

II

J. O.: *Como es notorio, tu persona literaria está hecha también por un discurso político, de cuya valencia crítica todos somos testigos. Ese discurso ha ido de la denuncia y el documento a la reflexión cultural, mostrando —en el contexto ideológico de una generación internacional, por lo demás— la raíz "comprometida" de tu trabajo literario. Pero ¿no tiene el compromiso su propio registro y evolución? ¿Qué balance puedes establecer ahora de esa fase de tu trabajo?*

J. G.: Si analizamos la historia literaria, advertiremos una alternancia de los períodos en que predomina la expresión individual del artista o poeta con la de aquellos en que las obras de los escritores reflejan de modo unánime lo que Lukács ha denominado con gran acierto el "encargo social" de la época. En las etapas de fe y esperanza —religiosa o política— el escritor, el artista vibra al unísono con la colectividad y expresa los sentimientos, creencias y anhelos de ésta, plenamente integrado en ella. Así sucedió durante toda la Edad Media, cuando nadie ponía en duda la fe cristiana o, para tomar ejemplos más próximos, en los grandes momentos de lucha revolucionaria, ya sea 1789, 1848, 1871, 1917, etc. Al estallar la guerra civil española, casi todos los intelectuales y escritores más valiosos arrinconaron sus obsesiones y problemas personales y pusieron espontáneamente su pluma al servicio de la causa republicana. Lo mismo ocurrió en Cuba, recuerdo, durante las horas dramáticas de Playa Girón y la crisis de los cohetes. Pero cuando esa fe y esperanza colectivas se debilitan o desaparecen —por haber cambiado las circunstancias, por falta de perspectivas o, pura y simplemente, por cansancio— y el escritor no experimenta ya la urgencia y sinceridad del encargo social, la expresión de los problemas de dimensión social, colectiva, tiende a ceder el paso a la problemática individual del artista (combatiendo este fenómeno, los regímenes socialistas suelen imponer por decreto a los escritores una temática social adaptada a las conveniencias del día, pero el mecanismo de tal expediente explica el fracaso del llamado realismo socialista, la extrema pobreza de sus resultados. La fe y entusiasmo del poeta no pueden ser dictados desde arriba. Cuando la cristianidad no era una palabra vacía, los maestros de obras y arquitectos alzaban esas maravillosas catedrales románicas o góticas que nos llenan de admiración; en el universo sin Dios de hoy, un arte religioso de tal calidad es absolutamente impensable).

En la Europa creada por la segunda guerra mundial, dividida en dos bloques tan necesitados uno como otro de una revolución que acabe con los abusos e injusticias del capital y los privilegios de la casta burocrática, la fe colectiva no existe y ante la dificultad de captar y manifestar el descontento, a menudo informe, y las aspiraciones, a menudo confusas, de las masas, los escritores y arliuñaiimás valiosos optan por la

297

expresión de su propia sique: la rebeldía, a veces alienada, a veces esquizofrénica, contra una época que les repugna en su totalidad.

Esta oscilación entre encargo social y expresión individual actúa igualmente en el interior de la obra del pintor, novelista o poeta, según los accidentes del momento histórico que le ha tocado vivir (Picasso y Alberti nos ofrecen buenos ejemplos de ello). En lo que a mi trabajo literario se refiere, la alternancia es clara. Después de una etapa inicial (la de *Juegos de manos*, *Duelo en el Paraíso* y *Fiestas*) en que de un modo bastante oscuro, incluso para mí, intenté exponer mis obsesiones y angustias personales, mi propia visión del mundo (oprimido, como me sentía, por una educación rígida y unos valores tradicionales caducos), mi toma de conciencia política, el descubrimiento de las injusticias brutales de la sociedad en que me había criado, me condujo durante unos años a expresar, como muchos otros escritores de mi generación, el apremio y necesidad del cambio político-social del país y a adoptar la forma literaria adecuada a los propósitos revolucionario-didácticos que guiaban mi pluma (novela de tesis social: *La resaca*; reportajes: *Campos de Níjar*, *La Chanca*, *Pueblo en marcha*; relato destinado al cine de masas: *La isla*; artículos políticos, etc.). Esta etapa "comprometida" duró tanto cuanto la realidad pareció plegarse a la medida de nuestros deseos y creímos la revolución al alcance de la mano; pero cuando resultó evidente para mí que España se modernizaba y americanizaba bajo el régimen actual y éste amenazaba prolongarse y sobrevivir incluso a la muerte del dictador, mi entusiasmo se enfrió y el "encargo social" que por espacio de unos años había sentido dejó de operar gradualmente. A partir de entonces, no he cesado de experimentar la necesidad de despejar la atmósfera que me rodea, de aclarar mi modo de ser real ante los demás y ante mí mismo, sin tener en cuenta ninguna clase de inconvenientes u obstáculos. *Señas de identidad*, *Don Julián*, mi ensayo y traducción de Blanco White forman parte de esta tentativa de expresión individual, indispensable para vivir en paz conmigo mismo. El libro que estoy escribiendo debe completar, de modo definitivo, espero, esta etapa. Durante varios años me he abstenido, haciéndome a veces violencia, de participar de modo activo en una serie de causas políticas que personalmente me afectan. Quería, quiero aún despejar mi posición artística y humana del todo, para que mi compromiso no se funde como antes sobre equívocos, inhibiciones, censuras. Siendo quien soy, y reconocido de todos por tal, podré intervenir sin reservas en favor de toda causa que me conmueva y estime justa. Confío en que entonces podré entregarme de nuevo a una actividad que no será forzosamente "literaria". En los últimos tiempos el deseo de hacer algo por los palestinos y, en general, por la independencia política y económica de los pueblos árabes, me acomete con una fuerza y apremio que no había experimentado desde hace más de diez años.

J. O.: *Mucho se ha especulado —y a veces con no oculto entusiasmo— sobre la carta de los 62 intelectuales a Fidel Castro, carta que incluye tu nombre. Es claro que esta ruptura —que no podemos sino lamentar por ambas partes— debería posibilitar una discusión seria sobre la incidencia del intelectual en los procesos revolucionarios, incluso a partir de su posición privilegiada y más allá de su destino, al parecer, burocrático autojustificativo. ¿Cuáles son tus conclusiones sobre este punto?*

J. G.: En efecto, fui uno de los promotores de la famosa carta de los 62 a Fidel Castro, pero, sinceramente, no creo que mi firma obedeciera a un reflejo de defensa, de solidaridad de casta. En los últimos tiempos he oído atacar a menudo la situación privilegiada de los intelectuales, y los argumentos empleados por algunos críticos me parecen (es lo menos que se puede decir) bastante discutibles. No cabe duda de que en la mayoría de los países, los escritores e intelectuales ocupan una situación privilegiada, bajo el concepto de que pueden permitirse decir y hacer una serie de cosas que no están al alcance de la totalidad del pueblo (los ejemplos de Sartre, encabezando la agitación maoísta en Francia, y Sajarov, defendiendo la libertad de crítica y creación en la URSS están en la mente de todos). Pero la forma razonable y justa de eliminar dicho privilegio consiste en extenderlo al pueblo entero, no en retirarlo de las manos de los pocos que lo poseen y se sirven de él para sacudir las aguas quietas en las que todo poder, por legítimo y recto que sea en sus comienzos, acaba por degenerar y corromperse. Pues en verdad (y con profunda tristeza debemos reconocerlo) Cuba no es una excepción a la regla y sufre de la misma enfermedad que la URSS y los países del Este europeo. Allí también ha operado el fatídico círculo de sustituciones mágicas que transforma la dictadura del proletariado (y no olvidemos que ésta, según Lenin, debía ser temporal) en dictadura del Partido, la dictadura del Partido en dictadura del comité central, y ésta en la de su secretario general (casi siempre vitalicio); esto es, en el gobierno absoluto de un solo hombre, síntesis y encarnación prodigiosas del pueblo entero. Todas las personas interesadas en la supresión de los regímenes capitalistas y el establecimiento de sociedades más justas, deberían tener en cuenta las palabras clarividentes de Rosa Luxemburgo a Lenin, anticipando lo que iba suceder en la URSS: "La libertad para los que apoyan al gobierno, sólo para los miembros de un partido —por más numerosos que sean—, no es libertad ... Sin elecciones generales, sin libertad ilimitada de prensa y de reunión, sin una lucha libre de opiniones, la vida se muere en toda institución pública, se convierte en una mera semblanza de vida, en la cual sólo permanece la burocracia como elemento activo. La vida pública se adormece gradualmente ... una docena de jefes sobresalientes se encargan de la dirección y una élite de la clase trabajadora es invitada de vez en cuando a reuniones en las cuales deben aplaudir los discursos de los jefes y aprobar por unanimidad las resoluciones propuestas —en el fondo, pues, un asunto de camarillas, una dictadura, en efecto, pero no la dictadura del proletariado, sino sólo de un puñado de políticos".

El resultado de la eliminación del derecho de crítica en la URSS lo medimos ahora: junto al imperialismo americano que bombardea salvajemente el Vietnam, bloquea Cuba, interviene militarmente en Santo Domingo, etc., ha surgido un "social-imperialismo" tan injusto y opresor como él (las áreas geográficas en que opera son distintas, pero en ellas su brutalidad es idéntica). Cuando los chinos denuncian la colusión de ambos, los hechos, desgraciadamente, les dan razón. Como dijo Sartre, cuando le entrevistaba para *Libre*, los intelectuales revolucionarios deben combatir simultáneamente a los dos sistemas.

J. O.: *En efecto. Pero este combate, esta perspectiva moral ¿se consume acaso en el positivismo de la crítica? ¿No habría otras respuestas a otros niveles? A un orden de la crítica pertenece el pensamiento de Sartre, y probablemente a otro orden la reflexión desmitificante de Bataille. ¿Cómo se sitúa tu propio pensamiento crítico?*

J. G.: Confieso que el papel del intelectual desfacedor de entuertos frente a todas las injusticias del mundo me seduce cada vez menos. Me parece un residuo laico de la religión cristiana, una especie de ejercicio de "santidad cívica" tan autosatisfecho como ineficaz. A la verdad, toda mi actual experimentación literaria va acompañada de un deseo o propósito de descalificación moral: de decir lo "indecible", de desautorizarme a ojos del intelectual humanista clásico. De exponerme, como se expone, por ejemplo, Estebanillo González en su extraordinaria autobiografía picaresca. Claro está que esta antimoral constituye una forma de moral a la inversa, con lo que no puedo escapar del círculo vicioso. Pero, moral por moral, prefiero esta última. Tal vez Genet sea a fin de cuentas el único moralista serio de nuestros días. Su reivindicación de la "traición" ha influido mucho sin duda en el proyecto y realización de mi empresa julianesca. Volviendo al tema: la función crítico-moral del intelectual humanista me parece no sólo útil, sino necesaria. Lo único que pongo en duda es el hecho de poseer yo las cualidades de respetabilidad requeridas para ejercitarla.

J. O.: *Y en este deslinde, ¿cómo situarías ahora tu enfrentamiento crítico al tema de España? No cabe reseñarlo ahora, pero me consta que tu disidencia es un sentimiento agudo en la vida intelectual española, precisamente porque provoca diversas reacciones: desde el intento de asimilar tu crítica tratándola de "obsesiva", hasta la necesidad más genuina de asumirla como una identidad problemática y marginal en la que el lector se reconoce. Creo que sería interesante conocer tu propio recuento de estas relaciones.*

J. G.: La tragedia española —esa conciencia de desdicha nacional que tan agudamente han experimentado nuestros mejores intelectuales desde mediados del siglo XVIII— alcanzó su paroxismo durante la guerra civil de 1936-1939, en unos términos que conmovieron y movilizaron a toda la *intelligentzia* liberal y progresista del mundo entero. Cuando leo o medito sobre lo ocurrido aquellos años, me es difícil retener la emoción al pensar en lo que España significó para tantos y tantos escritores e intelectuales admirables (y para millares y millares de personas de diferentes medios, ideología, raza, religión y lengua) que abandonaron patria, trabajo, familia, amigos para luchar y morir por nuestro pueblo. Pues es evidente que la causa española sacudió la conciencia universal —y la abrupta claridad del dilema que entonces se ventilaba explica tal pasión y el sacrificio generoso de tantas vidas.

Pero la España que emerge a partir de 1960 a raíz del despegue económico ocasionado sobre todo por la invasión turística no puede suscitar ya, y suscitará cada vez menos, la pasión amorosa de sus intelectuales, por no hablar de los intelectuales extranjeros. Ello no quiere decir en absoluto que aquéllos dejen de interesarse, de un modo razonable y práctico, en el destino de su país: lo que digo es que su pasión, cuando exista, se proyectará hacia otros ámbitos. Tomemos el ejemplo de Inglaterra a principios del siglo XIX: obtenidas las libertades políticas, resueltos los conflictos religiosos, lanzado el país por las vías de la revolución industrial (llena de horribles injusticias, sí, pero cuya necesidad nadie ponía en duda), el problema nacional dejó de apasionar a sus intelectuales y artistas. Estos intervenían, naturalmente, en la vida política inglesa, pero su corazón estaba en Grecia, en Italia o España. Todo el mundo recuerda la muerte de lord Byron defendiendo la libertad helénica; pues bien, aunque el episodio sea menos conocido, la causa liberal española tuvo también sus mártires. Vicente Llorens ha descrito muy bien la participación, tan abnegada como ilusa, de jóvenes como Robert Boyd y el poeta Richard Trench en la malhadada expedición de Torrijos. En las páginas finales de *The face of Spain*, Brenan ha pintado también, con gran fidelidad y precisión, ese nomadismo sentimental que aqueja con tanta frecuencia a sus compatriotas, acampados desde hace más de un siglo en un paisaje progresivamente devastado por la revolución industrial.

Lo que sucedió en el XIX en Inglaterra está acaeciendo en la actualidad en España, aunque muchos intelectuales de mi generación y, en especial, de las generaciones anteriores se obstinan en no darse cuenta (quienes sí lo han visto muy claro son los modernos caballeros de la industria, esos tecnócratas del Opus Dei que han desculpabilizado del todo al catolicismo hispano en sus relaciones, un tanto vergonzantes hasta ahora, con los valores mercantiles y el dinero. En cierto modo, puede decirse que son nuestros calvinistas, y ello explica la buena acogida que obtienen en los países protestantes). Como observaba en un artículo de 1964, España ha perdido los caracteres dramáticos y el "atractivo" de los países subdesarrollados (rasgos que encontramos aún hoy, por ejemplo, en México o Marruecos), sin adquirir por eso las ventajas materiales y morales de las naciones más ricas. La lucha por aquéllas debe continuar: por las libertades políticas y sindicales, la abolición de la censura, la eliminación de las injusticias sociales, etc.; pero este combate puede suscitar difícilmente una pasión y entrega ilimitados como promueven hoy, digamos, la causa vietnamita o palestina. La imagen actual de España se aproxima cada vez más a la de los restantes países europeos, y del mismo modo que ningún intelectual de izquierda francés puede apasionarse por Francia, un inglés por Inglaterra o un holandés por Holanda, la pasión amorosa por España resulta a mis ojos totalmente anacrónica. En mi ensayo sobre Blanco White he procurado puntualizar mis ideas al respecto: el patriotismo de izquierda, decía, va ligado al subdesarrollo y a la necesidad (y posibilidad) de un cambio violento. A todas luces, éste no es el caso de España. Hasta cierto punto puedo decir que he sido uno de los primeros en ver el problema con una sensibilidad moderna. Como los escritores ingleses desde hace siglo y medio, me sigo interesando en la causa de la libertad y democracia de mi país (como me intereso en la de cualquier otro país europeo); pero mi pasión (no sólo intelectual sino "física, fisiológica, anatómica, funcional, circulatoria, respiratoria, etc.", como la concebía Artaud) va a la lucha nacional de los pueblos árabes. La exaltación española que sentí durante la década de los cincuenta, en función de mis recuerdos infantiles de 1936-1939 y el asfixiante clima represivo de la postguerra, no creo que actúe ya sobre las nuevas generaciones peninsulares, para quienes la guerra civil no evoca ningún recuerdo y se han educado en un país convertido en el paraíso turístico anual de veinte millones de europeos.

J. O.: *Lo que dices no deja de ser otra forma de la crítica en tu enfrentamiento del tema español: y no sería nada inoportuno empezar ya entre nosotros una reflexión cultural que contradiga la apuesta dichosa por el desarrollismo. Al parecer, el exilio es en tu perspectiva no sólo una separación física sino sobre todo la búsqueda de otras aprehensiones. Cuando parecía que representabas la*

conciencia de exilio de una España negada, ahora revocas toda
identidad representativa.

J. G.: Como es obvio, el exilio ha desempeñado un papel
importante en este proceso de des-identificación, y ello por
una razón muy simple: si uno vive en el extranjero, tiende a
ser identificado por la gente con el país de origen y recíproca-
mente, a veces de manera inconsciente, asume ante los demás
el absurdo papel de portavoz de los suyos. Cuando el país es
España, dicha identificación resulta no sólo dolorosa, sino
ofensiva. Como Blanco White, he conocido el temor y vergüenza de ser confundido con la España oficial —y de ahí la
necesidad casi enfermiza que siempre he sentido de justificar-
me, de exponer mi disidencia. Desde que mis ideas y sentimientos con respecto al país evolucionaron y he empezado a
preocuparme intelectual y afectivamente por causas ajenas, he
dejado paulatinamente de sentirme español y de reaccionar
como tal. Lo único que me sigue uniendo visceralmente a
España es mi instrumento de trabajo, la lengua. En cierto
modo podría decir que mi única patria es ésta.

J. O.: *Señas de identidad* y Don Julián *son (naturalmente)*
obras independientes de ficción, pero al mismo tiempo (y también
por ello) deducen un proceso que no sólo supone una ''destrucción''
de tu narrativa anterior, sino que desencadena su propio sistema,
en este caso un sistema disolutivo del género. ¿Adónde te lleva
ahora mismo ese proceso?

J. G.: Desde hace algún tiempo estoy trabajando en una
obra que será a su manera una continuación de *Don Julián* y
cerrará el ciclo que inicié con *Señas*. No se trata, desde luego,
de la prolongación de un mundo novelesco con personajes,
sucesos, acciones, ambientes, etc., sino de un discurso que en
cada uno de los tres libros opera sobre estratos lingüísticos
diferentes. Si en *Señas de identidad* buscaba una integración
de distintos procedimientos narrativos en el molde de una
concepción artística ecléctica (en el sentido que da Broch a
este término), y en *Don Julián* la consecución de una obra cir-

cular, unitaria y hermética (que no dejara ningún cabo suelto), el libro en el que ahora me ocupo aspira a ser una obra abierta, desplegada en múltiples direcciones como las varillas de un abanico, y cuya fuerza centrípeta, el vértice de las diversas líneas narrativas, será simplemente, la unidad del murmullo discursivo que empleo. El Alvaro que se expresaba en *Señas de identidad* se metamorfoseó luego en el mítico don Julián, y ahora vabagundea por el tiempo y espacio igual que un alma en pena, como el Judío Errante de la leyenda. España no desempeña ya un papel capital como en *Don Julián*. El discurso fantasmal que produce el texto no tiene "patria" en el sentido material ni espiritual (en la *Reivindicación*, el narrador había renunciado a la tierra hispana, pero no a su historia y cultura). Su proceso de desposesión continúa: unas veces se expresa en nombre del personaje que quiso ser y no fue, otras adopta la voz de un cura esclavista o se transforma en King-Kong o Lawrence de Arabia. La trashumancia de significaciones actúa sin tener en cuenta barrera alguna: brinca de Cuba a Istanbul, de Nueva York al Sáhara; salta del pasado al presente y de éste al futuro, a la utopía. Todo lo expuesto es inverosímil y aberrante pero, como Shklovski vio muy bien, cuanto más remota es la posibilidad de justificar una posición moral o artística, "con tanto más placer desarrolla el escritor las demostraciones". El productor del discurso muda de voz, y con ello muda de piel, con el desparpajo de un Frégoli: es un mero "personaje lingüístico", un auténtico Juan sin Tierra —y por esta razón he puesto este título a la novela (entre paréntesis, cuando Blanco White se refugia en Londres y publica sus crónicas políticas en *El Español* lo hace con el seudónimo de "Juan sin Tierra").

Como puedes suponer, utilizo la etiqueta de "novela" por razones de comodidad ya que, como he dicho antes, la única escritura que me interesa es la que se sitúa fuera de las formas literarias canonizadas. Mi propia praxis (y no sólo la reflexión crítica) me ha mostrado la exactitud de aquella célebre observación de Barthes en *Le degré zéro de l'écriture*: todo escritor que nace abre en sí el proceso a la literatura. Mi verdadero nacimiento de escritor coincide, en efecto, con la destrucción de mi literatura, de los moldes novelescos que, rutinariamente, tomaba a la tradición de prestado.

J. O.: *Todo indicaría, así, que el desencadenamiento que este ciclo desarrolla posee su propio código en el texto que ahora escribes: una construcción que se destruye a sí misma, al parecer. Pero antes de aproximarnos a ese "grado cero" del proceso narrativo debo preguntarte todavía por el "correlato objetivo" como ingrediente (¿generador?) en las dos novelas de este ciclo.*

J. G.: Cuando escribo, no invento situaciones, personajes o acciones, sino estructuras y formas discursivas, agrupaciones textuales que se combinan conforme a afinidades electivas secretas, como en la arquitectura y las artes plásticas. De hecho, las únicas obras "novelescas" que me seducen son las que obedecen a una elaboración nueva y audaz: aquellas en que la imaginación creadora del escritor no se manifiesta solamente si se toma como punto de referencia la realidad exterior, sino, sobre todo, el lenguaje.

Mirándolo bien, no hay contradicción entre el afán de expresión personal que he mencionado antes y el propósito de construir una textura discursiva que aspire a ser juzgada por sí misma. Como sabes, toda obra literaria propone gran variedad de lecturas: es, a la vez, ilustración de ciertas ideas (políticas, artísticas, filosóficas, etc.), imagen o reflejo de la sociedad en que se produce, expresión del autor que la crea. Los críticos tradicionales suelen poner el acento sobre uno de estos tres factores (a veces sobre los tres), pero la obra es algo más que esto. El deseo de expresión personal es también manifiesto en *Don Julián*; no obstante, la lectura que favorezco a un nivel crítico es la del texto en sí y sus relaciones con el *corpus* literario de la lengua. Sólo un análisis de esta índole puede revelar su peso específico y originalidad, sus innovaciones y vínculos, su arquitectura secreta.

J. O.: *En efecto, tanto* Señas *como* Don Julián *implican los planos, y otros seguramente, que señalas.* Don Julián *puede ser leído incluso como una respuesta al tratamiento romántico del tema (en la perspectiva de la España legendaria y suntuosa de los románticos ingleses que también escribieron uno o dos* Don Julián*). Pero esta desintegración de formas y temas que parece culminar en* Juan sin Tierra *¿no implicaría en su propio "grado cero" un espacio en blanco, un silencio?: ¿hasta qué punto has avanzado?*

J. G.: No sé cuándo lo tendré listo: en cualquier caso no antes de dos o tres años. A diferencia de la época en que sacaba a la calle casi un libro por año, ahora escribo con gran lentitud y no tengo ninguna prisa en publicar. En estos últimos tiempos he conseguido lo que me proponía (y que por razones de todo tipo es bastante difícil): desaparecer poco a poco del mundo de la edición, dejar de ser una mercancía rentable en el interior del circuito. Antes, cuando escribía novelas que me costaban unos pocos meses de trabajo, éstas eran traducidas inmediatamente a más de diez idiomas y podía vivir exclusivamente de mis derechos de autor. Era muy fácil caer en la tentación de seguir produciendo a tal ritmo y asegurarme así el pequeño lugar que ocupaba en el mercado editorial. Pero me daba perfectamente cuenta del peligro que ello entraña para quien aspira a penetrar en algo más que en el mundo de la edición. Ahora paso unos cuantos meses al año en universidades de los USA o Canadá, y puedo trabajar sin prisas, a mi propio ritmo. Cuando el texto cese de proliferar y su arquitectura me satisfaga, lo sacaré a la calle. Pero no puedo ni quiero prever la fecha.

Si los escritores que ahora comienzan me pidieran un consejo, el primero que les daría sería que renunciaran desde el principio a vivir de la pluma, que buscaran y ejercieran actividades paralelas. Las razones económicas explican en gran parte todo ese magma monstruoso de obras reiterativas, de escritura irresponsable, que inunda el mercado editorial, convirtiendo de paso a los novelistas en gallinas ponedoras (algunos incuban con una rapidez pasmosa). El escritor debe tener también el derecho de callarse y no producir. Bajo este concepto, el silencio de Sánchez Ferlosio después de una obra extraordinaria como *El Jarama* debería servir de lección a todos. Es, en verdad, mucho más significativo que toda la garrulería "realista objetiva" de los novelistas que, durante un tiempo, seguimos sus huellas. Confío en que el día en que no tenga nada por decir, o no desee decir nada, tendré el valor y buen sentido de callarme igualmente.

J. O.: *Lo que dices indica hasta qué punto tu nueva relación con el instrumento expresivo ha deducido también un cuestionamiento del contexto literario y de la persona literaria en el mismo. Sobre esto: ¿en qué tipo de reflexión crítica se está desarrollando* Juan sin Tierra? *¿Qué escribes paralelamente?*

J. G.: Paralelamente al desarrollo textual de *Juan sin Tierra* preparo una serie de ensayos que se relacionan de algún modo con mi propio discurso: sobre Genet, Joaquín Belda, Rojas y Sade, sobre Ibn Turmeda, sobre *Tristram Shandy*. Los cursillos que doy en universidades norteamericanas me resultan muy útiles en la medida en que me permiten ocuparme en temas que, de otro modo, tal vez nunca habría tenido el ocio y ocasión de abordar. Por otra parte, el contacto con el mundo estadounidense, y los nuevos fenómenos y formas de vida que está segregando (absolutamente fascinantes en su horror y ferocidad), me ha abierto los ojos respecto a la situación estancada, casi de museo de figuras de cera, en que vegetan la vida y cultura europeas. A decir verdad, Francia está hoy tan deslumbrada como España por el modelo del *American way of life* y lo copia con la misma desvergüenza: si una diferencia hay entre los dos países es en el adelanto y profundidad de la copia, y nada más. Tal vez Europa entera ha perdido para siempre su estímulo y atractivo. No es vanguardia, ni sirve ya de refugio a las aberraciones, cada vez más suicidas, del "progreso" (a lo menos, de lo que en los

USA se entiende por tal). Por eso, el salto de Nueva York al Sáhara vuelve anodino y quita todo sabor al viejo encanto de Venecia, París o Roma. Mi sensibilidad se orienta en cualquier caso hacia los dos polos. Como decía una vez André Gide, "los extremos *me* tocan".

III

J. O.: *Lezama Lima explica agudamente en* La expresión americana *que nuestra visión del pasado cultural no es ya historicista sino mitopoética. Desde la ruptura del naturalismo en los años 20 parece claro que el "desgarramiento de la escritura" implica también una lectura crítica y creativa de la tradición. Me gustaría que habláramos ahora un poco sobre estas relaciones de cambio y tradición. Creería que en la literatura española actual la poca valencia de la noción de cambio tiene que ver también con la pérdida de los clásicos, convertidos en ediciones de lujo o en retórica profesional. En Borges, en Lezama, en Paz, es visible una lectura creativa de la tradición; y, evidentemente, es visible también en tu actual proceso literario. ¿Cómo lees tú a nuestros clásicos mayores y menores? Tus nuevos ensayos, ¿siguen las perspectivas planteadas en tus trabajos de* El furgón de cola?

J. G.: La visión del pasado cultural de Borges, Paz, Lezama Lima ha contribuido decisivamente a ese "desgarramiento de la escritura" que caracteriza la vanguardia literaria latinoamericana de los últimos años. A diferencia de los escritores españoles, estos tres autores se han enfrentado a los clásicos de una manera libre y creadora, sin ese falso "respeto" que ha paralizado casi siempre la crítica peninsular, y por ello mismo los han desenterrado del sepulcro historicista de los eruditos y han actualizado su verdadera lección. Tomemos el caso de *Don Quijote*. Desde el comienzo mismo de la obra, Cervantes nos invita a que la contemplemos no como un "trozo de vida o realidad", sino ante todo como un objeto literario. La lectura de *Don Quijote* nos introduce en una auténtica galería de espejos, en una complejísima relación de signos que corresponden a realidades literarias y extraliterarias extremadamente diversas. Pues, como vio muy bien Américo Castro (uno de los rarísimos españoles capaces de una lectura activa de los clásicos), la novela cervantina no responde tan sólo a las exageraciones y extravagancias del género caballeresco: enlaza, en realidad, con la totalidad del *corpus* literario de la época (novela pastoril, novela italianizante, relato morisco, comedia lopesca, etc.). En el *Quijote* Cervantes nos presenta un catálogo completo de los diferentes códigos literarios de su tiempo, con todo el arsenal de recursos propio de cada uno de ellos, y a continuación, con el mayor desparpajo y frescura del mundo, se entrega al divertidísimo juego de mezclarlos, barajarlos y destruirlos en nombre de la nueva realidad literaria que crea. Por ejemplo, la famosa discusión sobre lo verosímil entre el cura y el ventero que figura en la primera parte se desenvuelve en presencia de Cardenio y Dorotea (protagonistas o más bien "agentes" de un género novelesco distinto), y más tarde, Don Quijote y Sancho (hidalgo y escudero manchegos, pero también personajes de novela de caballerías), Cardenio y Dorotea (simples actores del relato de tipo italianizante) y el cura y el ventero (personajes del nivel "realista" de la obra) asisten juntos a la lectura de *El curioso impertinente* (manuscrito, dicho sea de paso, "hallado" en una maleta e inserto a su vez en el texto de una obra traducida de unos cartapacios en lengua arábiga y que el segundo autor compró por medio real, según la técnica especular, infinitamente inclusiva de las muñecas rusas o cajitas japonesas). Para calibrar la audacia libérrima del juego cervantino de mezclar en una misma escena personajes que corresponden a verosímiles opuestos, habría que imaginar —como sugerí recientemente a mis estudiantes en un cursillo que di en New York University— una película en la que un héroe típico del Far-West (John Wayne) tropezara, digamos, con Dillinger o Al Capone (James Cagney) y fueran a ver juntos un film de Frankenstein protagonizado por Boris Karloff.

La lectura creativa de la tradición literaria a que nos convida Cervantes no despertó ningún eco en su propio país —la meseta peninsular resultó una vez más un amazacotado ladrillo en el que la semilla de la libre invención quijotesca no pudo arraigar— pero sí lo halló, en cambio, en Francia e Inglaterra, permitiendo la creación de obras tan dispares como *Le neveu de Rameau, Jacques le Fataliste, Tristram Shandy, Pickwick papers* o *Bouvard et Pécuchet*, novelas cuyo único común denominador es su deuda manifiesta con Cervantes. Durante tres siglos el *Quijote* permaneció, entre nosotros, en manos de los necrófagos de la erudición a lo Rodríguez Marín o de los lectores involuntariamente esperpénticos del tipo de Unamuno. Borges fue el primero en abandonar, como tú dices, la visión historicista del pasado, común a la mayoría de los escritores del 98, en favor de una visión infinitamente más nueva y sugerente. Para Borges, como para el autor del *Quijote*, la literatura es un juego de espejos, una sucesión dialéctica de formas, una creación ininterrumpida: en nuestro museo imaginario, nos dice, no hay obras-fetiche, sacralizadas de una vez para siempre; el tiempo y las obras posteriores las modifican. Dicha hipótesis resulta en la práctica extraordinariamente fecunda. Siguiendo las huellas de Cervantes, Borges nos enseña que el influjo y relación entre obras pertenecientes a épocas distintas no operan de modo unilateral sino que son recíprocos en la medida en que la obra posterior puede inyectar a su vez nueva savia en las obras que la preceden, entablar diálogo con ellas y enlazar así, más allá de los límites de una y otra, con un nuevo texto general, común y más vasto: el de la totalidad del museo imaginario. Las magníficas páginas de Lezama sobre Góngora y de Octavio Paz sobre este último y Quevedo nos llevan asimismo por esta dirección.

En lo que a mí respecta, estimo que los planteamientos de *El furgón de cola* adolecen aún, a pesar (o en virtud) de su carácter polémico con la visión cultural del 98, de algunos resabios historicistas. Hoy día, mi lectura de Rojas, Cervantes o Góngora se aproxima mucho más a la de los tres autores que has citado (y a la de Fuentes y Sarduy): en mi cursillo sobre el análisis estructural del relato de que te he hablado, enfoqué así la obra cervantina. Pero el mejor ejemplo de mi posición lo hallarás fácilmente a lo largo y a lo ancho de *Don Julián.*

J. O.: *Con el* Quijote Borges *escribió su memorable "Pierre Menard"; Lezama, como dice Vitier, le ha desfruncido el ceño a don Luis de Góngora. En* Don Julián *hay amplias referencias y parodias al museo de la lengua. ¿Es la parodia el mecanismo más inmediato de tu tratamiento de los clásicos?*

J. G.: Yo diría más bien que las numerosas parodias insertas en el texto del discurso juliano se dirigen menos a los clásicos que a la perspectiva de los mismos a través del prisma mezquino y reductor del 98. Era, entre otras cosas, un modo de protestar contra un curioso fenómeno de apropiación que en el caso de Unamuno, respecto a Cervantes, lleva la deformación a límites increíbles; toda esta visión del Siglo de Oro está embebida, además, de los mitos cristianoviejos que ocasionaron el derrumbe del país, es como un eco desvaído y un tanto grotesco de unos valores retrógrados que el mundo burgués barrió ya del resto de Europa hace más de tres siglos... Aun en el caso de autores por quienes tengo escasa admiración, como Lope, el blanco de la burla, como ha advertido Gonzalo Sobejano en su estudio sobre el tema, apunta no tanto a ellos como a su utilización interesada y reaccionaria por parte de Unamuno, Ganivet o Azorín.

Dicho esto, la relación paródica con los clásicos cuenta con precedentes tan ilustres como Cervantes o Valle-Inclán, y no agota ni mucho menos la visión del pasado cultural que aparece a lo largo de la novela. En realidad, el diálogo intertextual no paródico desempeña un papel predominante, por cuanto actúa a niveles muy distintos. Los cuatro autores cuya sombra planea constantemente sobre el libro —Rojas, Cervantes, Fray Luis, Góngora— corresponden a diferentes propósitos y estratos de la estructura novelesca: la relación con Fray Luis es, por ejemplo, temática, a través de la *Profecía del Tajo* y la leyenda de la destrucción de España; con Rojas, moral, por el mismo ánimo subversivo con que don Julián arremete contra los valores de su tiempo; con Cervantes, de estructura, fundada en el propósito de forjar como él una obra que sea a la vez crítica y creación, literatura y discurso sobre literatura (el episodio de las moscas ejerce, *toutes proportions gardées*, una función similar a la del examen de la biblioteca de don Quijote por el cura y el barbero: la de introducir la discusión literaria en el cuerpo mismo de la novela); con Góngora, lingüística, mediante el empleo de una terminología y sintaxis barrocas que eligen siempre el discurso contra el referente y centra la atención en el signo de preferencia a la cosa designada...

En *Juan sin Tierra* la relación intertextual no se limita a la literatura y a los autores de nuestra lengua, y se extiende a otros idiomas y universos culturales, desde los escritos del renegado mallorquín Ibn Turmeda a las obras del Père de Foucauld o Lawrence de Arabia. Esto es, las referencias son mucho más amplias: el mundo de los clásicos es sustituido por el del cine, la literatura de masas y algunas obras marginales de escritores-aventureros fascinados como yo por el mundo musulmán.

J. O.: *Si te parece, me gustaría que sigamos con el tema del cambio en el discurso narrativo nuestro. Junto a las novelas totalizantes (*Rayuela, El Jarama, Paradiso, La Casa Verde, Cien años...*) contamos con otra familia de textos, a los que cabría llamar "disolutivos" por su libre apertura expresiva (*Tres tristes tigres, Cambio de piel, Siberia blues, Cobra...*), y que me parece que una parte de nuestras letras explora esta dirección. Todo indica que* Don Julián *es una novela totalizadora y que* Juan sin Tierra *se orienta en otra dirección. ¿Querrías comentar tu propio* *diálogo con este proceso?*

J. G.: *Don Julián* es una obra cerrada, circular, totalizante, que no deja, o aspira a no dejar, ningún cabo suelto y obliga al lector a volver a cada paso sobre una serie de elementos que aparentemente habían cumplido ya su misión de información. Este tipo de construcción lo hallamos en una serie de novelas por las que siento gran admiración, como *La Casa Verde* o *Bajo el volcán*. En ellas, el juego constante del enlace entre las partes y el todo, entre el lenguaje y la estructura de la obra adopta, como dice Iuri Lotman, la forma de una espiral, "en la que el número de espiras es proporcional a la complejidad del sistema". Por ello, los críticos que analizan estas novelas emplean a menudo una terminología musical y nos hablan, por ejemplo, de una orquestación temática que adopta a veces las formas o movimientos canónicos de las obras clásicas. La gran variedad de elementos que el novelista baraja conforme a las reglas de un *ars combinatoria* propia, desconocida por el lector, no impide el hecho de que exista un núcleo unificador —unidad de lugar, de tiempo, etc.— en torno al cual el novelista teje y desteje laboriosamente los hilos de la trama. Ese núcleo central (aun en los casos en que adopte la forma de un vacío) ejerce un poder de atracción superior a lo que podríamos denominar fuerza centrífuga de los elementos. En *Don Julián* tienes, por ejemplo, una unidad de lugar (Tánger), de tiempo (toda la acción transcurre entre el momento en que el protagonista se despierta y el momento en que vuelve a la habitación para acostarse) y hasta de personaje (pese a sus continuas metamorfosis), y el enlace entre los diferentes temas, si nos atenemos a un símil musical, obedece a una estructura que Manuel Durán ha calificado con acierto de "sinfónica".

En *Juan sin Tierra* el problema es distinto. No hay unidad de tiempo, ni de lugar, ni de personaje (aunque al principio del texto pueda parecer lo contrario). No hay un centro fijo, bien que oculto, como en *Don Julián*: el centro es nómada, varía en cada secuencia. En lugar de afán totalizador, juego libre de los elementos. El lector deberá internarse en la novela como quien se adentra en un sueño, enfrentado a un universo móvil y escurridizo, que se forma y deshace sin cesar ante sus propios ojos. Los pronombres personales del discurso narrativo no expresan una voz individual, sino todas las voces o ninguna. Como señaló Benveniste, los yo, tú, nosotros, no se refieren a una realidad objetiva, como la mayoría de los signos nominales, sino a una realidad de discurso, a un mero proceso de enunciación. Ni el tú interpelado ni el yo interpelador poseen una identidad precisa y concreta, y el lector no sabe a ciencia cierta quién es el sujeto emisor y quién el receptor. Las agrupaciones textuales distribuidas en los diferentes capítulos del libro obedecen a una única fuerza centrípeta, distinta de las unidades de la perspectiva clásica: al núcleo organizador de la propia escritura, a la fuente de producción textual. Ello no quiere decir que haya un lenguaje único en todo el libro ni mucho menos. El centro lingüístico a que me refiero debe crear la unidad de la novela en la medida en que no se sitúa en ninguno de los estratos lingüísticos sino en el punto en donde convergen sus diferentes intersecciones. Todo esto puede parecer bastante abstracto, pues estoy pasando de la música a la geometría. Pero sólo el orden espacial expresa con fidelidad lo que quiero decir y, bajo este concepto, la construcción de *Juan sin Tierra* se acerca mucho a la de la poesía. Pues mientras la novela (aun las del tipo de obras como *La Casa Verde, Bajo el volcán* o *Don Julián*) se funda sobre un conjunto de relaciones de orden lógico (causalidad) y temporal (sucesión), la poesía se basa predominantemente en un orden espacial, en virtud de una combinación de repeticiones y juegos simétricos que se llevan a cabo sobre el blanco de la página. En *Juan sin Tierra* el orden lógico y el temporal son sistemáticamente destruidos y la estructura de la obra, como la de un poema, se desarrolla en el plano espacial. El lector deberá "leerla" como un móvil de Calder.

J. O.: *A propósito del "grado cero" de la escritura, que antes mencionamos, me pregunto si* Juan sin Tierra *no sólo te plantea las dos situaciones que precisas: la descodificación de la literatura (la tuya incluida) y la posibilidad del silencio al final de un ciclo. Me pregunto si, más bien, en ese "vaciado" de la tradición y en ese final del ciclo, el "grado cero" disolutivo no será al mismo tiempo un nuevo centro generador, cuyas posibilidades sean imprevisibles y, otra vez, proliferantes. ¿O es que, al contrario, tú encuentras ya que al suscitar la disolución del género el texto lo consume todo, como una apuesta final que no tiene otro desenlace que su propia formulación?*

J. G.: La respuesta es difícil y, ahora mismo, no sabría contestarte con una seguridad total. Pero mi impresión actual es ésta: concibo *Juan sin Tierra* como una obra última, el *finis terrae* de mi propia escritura en términos de comunicación, de coloquio. O, si prefieres, de "discurso" tal y como lo concibe Benveniste. En cualquier caso, trabajo en ella como si en adelante no hubiera de volver a escribir más, dinamitando detrás todos los puentes y cortándome todos los caminos de retirada. Cuando publiqué *Don Julián* varios críticos opinaron que había llegado al final del trayecto, a un punto a partir del cual no me sería posible avanzar; pero yo sabía que sí, que a pesar de las dificultades que implicaba el hecho de comenzar a escribir después de un libro como *Don Julián*, podía llevar aún más lejos mi proceso personal a la literatura, la disolución del lenguaje y de las formas narrativas tradicionales. En el período de tiempo entre el que terminé *Don Julián* y comencé *Juan sin Tierra* (mientras traducía y prologaba la obra inglesa de Blanco White) redacté una serie de textos que son en cierto modo el germen de mi trabajo actual y ello me convenció de que tenía todavía por delante un margen de maniobra experimental bastante amplio sobre el que fundar la arquitectura del libro. Ahora me propongo ocupar la totalidad de ese "campo de maniobras" y por eso creo que *Juan sin Tierra* cerrará el ciclo que inicié con *Señas de identidad*, sin abrir nuevos centros generadores de posibilidades imprevisibles o, como tú dices, "proliferantes". Esta actitud es sin duda suicida; pero todos los caminos de la vanguardia de hoy abocan fatalmente a una especie de suicidio ejemplar, a un harakiri de las posibilidades expresivas. El escritor se encuentra en un callejón sin salida y no puede hacer otra cosa que darse de cabeza contra el muro o bien saltar por encima de él con el riesgo de romperse igualmente la crisma. En este aspecto, vivimos una época literaria bastante parecida a la que conocieron autores españoles de la primera mitad del siglo XVII como Quevedo y, sobre todo, Góngora. Los grandes poemas de éste, como ha observado Octavio Paz, son suntuosos monumentos fúnebres, ceremonias destructivas que clausuran definitivamente un ciclo poético de nuestra lengua y que de hecho sirvieron de mausoleo al propio Góngora, puesto que lo enterraron durante tres siglos hasta su resurrección de 1927. La poesía de Mallarmé y Pound, la novelística de Joyce, convergen hacia un grado cero disolutivo, hacia una reabsorción final en el silencio, y, puestos a buscar modelos más próximos y menos elevados, la crisis actual de la vanguardia francesa refleja también claramente el mismo proceso. Piensa, por ejemplo, en la evolución disgregadora de Beckett o de Michel Butor, o en la novelística y obra dramática de Genet. El *Journal du voleur, Le balcon, Les nègres* no son más que ceremonias mortuorias, verdaderos mausoleos de un fausto verbal totalmente fúnebre. Si el erotismo llevado hasta el límite conduce a la destrucción del cuerpo amado y la aniquilación de uno mismo, la escritura lúdica y experimental, voluntariamente despojada de toda coartada ideológica y finalidad productiva, desemboca también en otra muerte: el silencio, el homicidio deliberado de la literatura. Ejecución que en algunos casos implica una resurrección: ave fénix genial de Picasso en pintura, de Stravinski en música. Pero en términos generales Roland Barthes tiene razón cuando señala que el escritor europeo de hoy se halla enfrentado a una alternativa excesiva: la de refugiarse en un mandarinato, producto de la extenuación de la cultura burguesa, o en la idea utópica de una cultura surgida de una Revolución radicalmente distinta de las que hasta hoy conocemos. Es decir, el dilema que se plantea al escritor de hoy puede resumirse en estos términos: garrulería o silencio. Avanzar, llevar a cabo el proceso personal a la literatura conduce a una apuesta final que cierra todas las salidas; no avanzar, repetirse, a la garrulería en la que caen el 99 por ciento de los escritores y de la que no se salvan muchos que, en un momento dado, pusieron en tela de juicio su propia praxis, pero que se detuvieron, asustados, a mitad de camino, al advertir que su trayecto desembocaba en el cero, en la nada. Probablemente en Latinoamérica las cosas se presenten de modo distinto.

J. O.: *Al parecer, las rupturas de los narradores del* boom *hispanoamericano se han constituido también como un repertorio técnico cuya probada eficacia expresiva permite, justamente, que no se consuman en sí mismas, que posibiliten nuevas y válidas novelas. Pero todo indica que en el cuestionamiento de la escritura las técnicas dejan de ser mediaciones y se disuelven en un texto irrepetible y suficiente. Las técnicas de García Márquez pueden producir excelentemente una nueva novela, pero es difícil imaginar una nueva novela de Cabrera Infante con las mismas técnicas de* Tres tristes tigres; *no es casual, por eso, que los textos de Severo Sarduy y Néstor Sánchez tengan, cada texto, formulaciones distintas.*

J. G.: *Tres tristes tigres*, como *Tristram Shandy*, es, desde luego, un texto irrepetible, que lleva la lógica de su proceso, a la vez disolutivo y creador, hasta las últimas consecuencias. Pero tampoco creo que la obra de García Márquez pueda repetirse con éxito: prueba de ello es esa monstruosa proliferación de manuscritos con coroneles chiflados, alquimistas, personajes que vuelan, etc., que desde hace cuatro o cinco años aflige a los desdichados jurados de los concursos de novela: La antinomia dialéctica fundamental de una obra es la que opone la subjetividad del escritor a la objetividad de la

319

estructura literaria, y por ello mismo, aunque la obra individual se limite a actualizar una serie de posibilidades latentes en el discurso narrativo, la combinación que nos propone es, a fin de cuentas, única e irrepetible. No obstante, concuerdo contigo en que la experiencia de *Tres tristes tigres* y la de *Cien años de soledad* son de orden distinto. Después de tres siglos y pico de esa "apatía imaginativa" de que se lamentaba Blanco White en su estupenda defensa de las "imaginaciones inverosímiles", García Márquez ha dado al mundo de habla castellana una obra maestra que entronca directamente con el universo creador de Cervantes. Esto es, *Cien años de soledad* ha venido a colmar un vacío imaginativo de más de tres siglos, y esta función histórica clave explica a mi entender su reconocimiento universal e inmediato, pues es a la vez una obra clásica y revolucionaria: revolucionaria, si tomamos como punto de referencia el mundo real, en la medida en que nos presenta hechos y situaciones totalmente inverosímiles; clásica, en relación a lo que podríamos denominar gramática del relato y a las estructuras narrativas. En el caso de *Tres tristes tigres*, como en *Aura* y *Cambio de piel*, de Fuentes, o en las dos últimas novelas de Sarduy, la subversión que descubrimos no es la del orden real sino la del lenguaje narrativo. Pese a su diversidad aparente, todas estas obras han sido creadas a partir de un proceso disolutivo irreversible, como ceremonias destructivas autosuficientes. Lo que sus autores nos están diciendo es que el novelista no forja este objeto literario que conocemos con el nombre de novela escuchando tan sólo sus voces interiores o reproduciendo las cosas reales, sino trabajando sobre un lenguaje y una estructura narrativa que poseen sus propias leyes, una complejísima red de convergencias, armonías y exclusiones. Esto, claro está, es bastante aproximativo, pues todas las novelas son simultáneamente expresión de sus autores, reflejo (no necesariamente realista) del mundo y combinación de elementos en el marco de un código narrativo autónomo. Pero el grado de la expresión personal, la representación del mundo y de la atención centrada en la propia estructura y sus reglas de cons(des)trucción no es el mismo, por ejemplo, en Vargas Llosa, García Márquez, Donoso o Cabrera Infante. Todo ello no implica en absoluto un juicio de valor, ya que es obvio que la importancia de obras tan dispares como *Cien años de soledad*, *La Casa Verde*, *Paradiso*, *El obsceno pájaro de la noche* o *Tres tristes tigres* no puede medirse con el mismo rasero.

J. O.: *También en algunos novelistas españoles se observa esta crítica radical al género. En las novelas de Juan Benet creo ver previamente una interesante versión de las relaciones de cambio y tradición, una escritura autónoma que convierte al mundo en rumor, a la secuencia narrativa en un lenguaje neutro. Y ya sabemos que* Recuento, *la nueva novela de Luis Goytisolo, a punto de aparecer, propone y consume una diversidad de normas expresivas en una estructura discontinua y circular. Tu trabajo coincide con estas experiencias, así como se relaciona con la última novela hispanoamericana. A distintos grados, este movimiento prolonga, por cierto, una ruptura más amplia, y no en vano nuestras letras deducen un debate estético en un marco literario internacional. Por eso, quiero preguntarte ahora por esas relaciones. ¿Qué autores, qué textos te han resultado más decisivos en esta evolución del cambio? Aparte de la nueva crítica francesa, ¿cómo ves las experiencias de Roche, Ricardou, Sollers?*

J. G.: Vayamos por partes. Por lo que toca a España no puedo hablar con gran autoridad, ya que vivo alejado física, moral e intelectualmente del país y no estoy muy al tanto de lo que allí sucede. Con todo, mi impresión es que, salvo contadas excepciones, los escritores españoles no han salido aún del marasmo creador que cundió entre nosotros hace diez o doce años, a raíz del agotamiento de las posibilidades expresivas del objetivismo y la novela testimonial. *Tiempo de silencio* fue un primer y muy afortunado intento de ruptura con ese estado de cosas que, en razón de la muerte de Martín-Santos, no tuvo el impacto y desarrollo que cabía esperar. De Benet aprecio sobre todo *Volverás a Región*, una obra realmente insólita en el campo de nuestras letras. *Recuento*, de mi hermano Luis, es una de las novelas capitales de la postguerra y espero poder ocuparme algún día en ella con la seriedad que merece: en cualquier caso, la lectura de *Ojos, círculos, búhos* me convence de que Luis ha roto definitivamente los grillos y trabas que paralizaban aún la narrativa española y está creando un orden expresivo nuevo, absolutamente descondicionado. (Entre paréntesis, este libro, al salir, topó con el silencio unánime de la mal llamada crítica española, probando una vez más la verdad de lo que dijo en una ocasión José Angel Valente: en España sólo el silencio es significativo, puesto que la locuacidad de la "crítica" carece de todo significado.) De los escritores más jóvenes no puedo opinar: la reciente operación "nueva novela" me parece más editorial que literaria y cualquier juicio sería hoy por hoy prematuro. Con todo, te citaré dos nombres: Joaquín Leyva, autor de *La circuncisión del señor solo*, y, sobre todo, Julián Ríos, por el fragmento de *Larva* que apareció en *Plural*.

Respecto a Francia, estimo que la crítica actual es mucho más interesante que la creación. O, si lo prefieres, que la creatividad de lo que tradicionalmente llamamos "críticos" es mucho más convincente que el autoproceso crítico de los "creadores". La convergencia de Benveniste y el formalismo y estruturalismo eslavos que se manifiesta en autores como Barthes, Genette, Todorov y, en general, en el grupo *Tel Quel* ha influido igualmente en el camino de ruptura que inicié con *Señas*, aunque creo que mi proceso personal a la literatura no encaja en ninguna de las escuelas que actualmente se disputan la escena parisiense. *Grosso modo*, creo que algunas obras de creación que he leído recientemente sacrifican una serie de niveles de percepción textual en beneficio de una lectura unilateral, conforme a ciertos principios clave de la poética (en el sentido que da Jakobson a este término) y sin conseguir evitar del todo las trampas de lo que podríamos llamar una "estética estructuralista". La única obra (entre las que he leído) que me satisface del todo es *Lois*, de Philippe Sollers, pues contiene una gran variedad de elementos y matices rabe-lesianos —directamente opuestos a la tradición tan francesa del Buen Decir— que convierten la operación de leer la obra en una aventura incitante y, a menudo, extraordinariamente cómica. En otros autores, el murmullo discursivo se expresa mediante un lenguaje reiterativo y neutro que personalmente me aburre: cuando leo un texto, no quiero limitarme a una lectura "poética" o "lingüística"; mi placer de lector aspira a ser ubicuo, total.

J. O.: *Me gustaría que conversáramos sobre el papel de la poe-sía en este proceso expresivo. Blanchot parte de Mallarmé al hablar del nuevo espacio literario y del relato abolido por un len-guaje que no narra sino que se muestra. Pound y Breton habían coincidido reveladoramente al criticar el lenguaje descriptivo en nombre de una autonomía de la expresión poética. El fragmenta-rismo espacial, ideogramático de Pound y el habla abismada y neutral de René Char parecen otras aperturas en aquel espacio literario de un libro impersonal que remite a sí mismo. No hay distancia interna entre los géneros, como has dicho, pero quizá haya una correlación técnica y expresiva en la que algunos poetas te importen especialmente.*

J. G.: Lo que ocurre es que los poetas descubrieron antes que los novelistas que el texto literario no se escribe con ideas, sentimientos o emociones sino con palabras, y obraron en consecuencia. A lo largo del siglo XIX, mientras la descripción desertaba del campo de la mejor poesía cediendo el paso a una exploración cada vez más intensa de los diferen-tes campos de la expresión poética, la novela seguía aferrada a la reproducción ilusoria del mundo exterior, a su encarniza-da "concurrencia al estado civil". Hoy, por el contrario, el proceso emancipador de una y otra corren paralelos, con lo que la diferencia de géneros tiende a borrarse y desaparecer. En realidad yo no veo gran distancia entre la metapoesía de

Pound y la metanovela de Joyce. Los *Cantos Pisanos* o *Finnegan's wake* carecen igualmente de argumento, no pueden resumirse: su formulación se agota en el espacio textual. Es el mismo proceso desintegrador de la pintura, de la música, que marca con su sello todo el arte de nuestra época. Todo eso no quiere decir, claro está, que la relación entre el signo y la cosa no exista. La función referencial del lenguaje opera siempre. Lo que el arte de vanguardia subraya es la existencia de niveles semánticos diferentes.

J. O.: *Para terminar (¿para empezar?) quiero todavía preguntarte por tu experiencia del cine. He visto hace poco El discreto encanto de la burguesía, y esta pregunta tendría que ser un homenaje a Buñuel, uno de nuestros grandes creadores modernos, como bien dice Carlos Fuentes; ¿te gustó esa película?*

J. G.: Como Fuentes y Max Aub, soy un gran admirador de Buñuel e incluso sus películas menos logradas me suelen interesar más que la mayoría de filmes conseguidos de otros directores. *El discreto encanto de la burguesía* me sedujo por muchas razones; pero la que me impresionó quizá más fue su utilización habilísima de esa técnica del engaste, tan común en la narrativa precervantina, que suspende el desarrollo de la acción del modo más arbitrario e inmoviliza a los personajes como estatuas de sal, convirtiéndoles en simples receptores de la palabra del "hombre-relato". El episodio de los militares que irrumpen en la cena y aplazan su retorno a las maniobras a fin de oír referir el sueño de uno de sus camaradas reúne todas las características de lo que la poética denomina hoy "relato inmotivado": inverosimilitud, personajes "intransitivos", carentes de espesor sicológico, etc. Es muy interesante ver cómo Buñuel incorpora a su obra una gran variedad de técnicas narrativas (piensa, por ejemplo, en el ritmo acelerado del duelo ideológico, a punta de espada, entre el jesuita y el jansenista en *La Vía Láctea*) en el momento mismo en que varios novelistas jóvenes, como Manuel Puig, aplican a sus novelas todo un conjunto de recursos y procedimientos cinematográficos. Recuerdo que cuando leí el manuscrito de *La traición de Rita Hayworth* (creo que fui su primer o segundo lector, y el título lo escogí yo entre la lista de los que proponía el autor) lo que me llamó más la atención fue el hecho de hallarme ante una obra novelesca cuyo *background* era casi exclusivamente cinematográfico. Desde entonces, el fenómeno se ha divulgado mucho y se ha convertido en una moda que muchos novelistas y poetas jóvenes cultivan con muy poco discernimiento; pero la existencia de generaciones, cuya única experiencia vital y cultural se relaciona con el cine o la televisión, es una realidad universal que hay que tener en cuenta. Yo mismo, aunque mi formación sea mucho más literaria que cinematográfica, he incluido en el repertorio de referencias culturales de mis últimos libros algunas películas: cuando don Julián prepara cuidadosamente su traición y la destrucción de la España Sagrada se identifica con el invulnerable James Bond de *Operación Trueno*; en *Juan sin Tierra*, las referencias cinematográficas desempeñan, como te dije, un papel muy importante en la medida en que el tú interpelado se confunde sucesivamente con los protagonistas de *King-Kong*, *Locura de amor* y *Lawrence de Arabia*. Y, por cierto, al atravesar el territorio sirio, Lawrence sueña en el personaje del Estilita que Buñuel retrató en *Simón del desierto*.

CRONOLOGÍA

*(Escrita por el propio autor en tercera persona, de lo que humilde-
mente se excusa con los lectores, rogándoles que no tomen por vanidad personal lo que no es más que un común recurso estilístico.)*

1931

5 de enero: Nace en una "torre" del barrio residencial barcelonés de la Bonanova, junto a la actual Vía Augusta. Hijo
tercero de José María Goytisolo, licenciado en Ciencias Quí-
micas y gerente de una pequeña industria —Anónima Barcelonesa de Colas y Abonos— y de Julia Gay, sin profesión.

Familia paterna de origen vasco, de Arteaga, cerca de
Lequeitio. El bisabuelo Agustín emigró a Cuba a mediados
del siglo XIX y amasó allí, en pocos años, una enorme
fortuna. Dueño de un central azucarero en Cruces, provincia
de Cienfuegos, bautizado con el nombre de su santo patrón,
dio su apellido a numerosos esclavos africanos cuando el
gobierno de la Colonia se vio obligado a promulgar el edicto
de emancipación. A su muerte, sus hijos vendieron el ingenio,
y el mayor de ellos, Antonio, se instaló en Barcelona, en donde se dedicó a vivir cómodamente de sus rentas. Hombre de
profundas convicciones católicas, contribuyó con largueza al
sostenimiento de diversas instituciones religiosas y obras pías,
obteniendo del pontífice León XIII, en pago de sus servicios,
una indulgencia plenaria *in articulo mortis* para sí y sus descendientes hasta la tercera generación, que, modestamente
enmarcada, cuelga aún en el salón de la propiedad familiar de
Torrentbó. (Este grandioso beneficio espiritual debería contribuir mucho más tarde a endulzar los temores del jovencísimo nieto de incurrir en las penas eternas del infierno, al des-

cubrir, a los trece o catorce años de edad, el placer solitario y los libros prohibidos. La seguridad de ser salvado *in extremis* le alentó sin duda a proseguir su camino —con inquietud y cautela, es cierto— por los tenebrosos senderos del pecado y el vicio.)

En Barcelona, el abuelo Antonio había contraído matrimonio con Catalina Taltevull, hija de una familia menorquina igualmente enriquecida en Cuba, la cual le dio cinco herederos varones y cinco hembras, entre los cuales se dividió, a su muerte, su aún cuantiosa hacienda. José María, el mayor, fue hombre emprendedor e inquieto —aunque de escasa aptitud para los negocios—, apasionado de la botánica y la agricultura. Escribió numerosos artículos sobre estos temas en una revista científica de los padres jesuitas e inventó, entre otras cosas, procedimientos de fabricación de yogurt, pintura nogalina, fijapelo de chumbera —que ensayó en el autor de estas líneas hasta que su cabeza empezó a verdear y fue objeto de burlas crueles por parte de sus compañeros—, llegando a crear incluso su extraño laboratorio de bacteriología radicícola en el que invirtió y perdió una buena suma de dinero. Católico, germanófilo, spengleriano, asiduo lector de la prensa, predijo desde 1950, adelantándose a todos los especialistas en la materia, la querella chino-soviética (recién iniciados en los arcanos del marxismo leninismo, los hijos le dejaban discurrir, con altiva condescendencia, sobre el peligro amarillo y el hecho que "al fin y al cabo los rusos son blancos como nosotros". Cuando se produjo la crisis de 1962, la quiebra de los grandiosos esquemas racionales de la Iglesia política oficial les llenó de consternada sorpresa y tuvieron que admitir que, como en muchos otros asuntos —el vínculo entre sol, tabaco y cáncer, etc.—, el ingenuo, despistado y un tanto estrambótico padre había tenido razón).

Familia materna perteneciente a la burguesía liberal ilustrada: una bisabuela andaluza, María Mendoza, fue autora de una novela titulada *Las barras de plata*; un tío abuelo, Ramón

Vives, poeta y escritor catalán, tradujo a este idioma los *Rub-bayat* de Omar Khayyam. La única hermana de su madre, Consuelo Gay, había seguido estudios de violín y publicó, en la revista barcelonesa *Mirador,* un delicado soneto sobre Maurice Ravel. Julia Gay compartía con ella las aficiones musicales y el gusto por la lectura, dedicando al piano y los libros todo el tiempo que le permitían los poco amenos deberes de ama de casa y madre de familia. Cuando, mucho después de su muerte, sus hijos comenzaron a interesarse en la lectura descubrieron en su biblioteca obras de Gide, Giraudoux, Sacha Guitry, etc.

Casados desde 1918, José María Goytisolo y Julia Gay tenían en 1931 dos hijos: Marta, nacida en 1925, y José Agustín, el futuro poeta, nacido en 1928. Un hijo mayor, Antonio, había fallecido a los siete años de edad de meningitis tuberculosa.

1935

Uno de sus primeros recuerdos infantiles: nacimiento de su hermano Luis. La familia se ha mudado a otra villa, en el barrio residencial de Tres Torres. Los tres hermanos mayores van al colegio de las monjas teresianas. Visitas a casa de los abuelos maternos y a la torre de Pedralbes, en donde vive la bisabuela. Veraneos en Llansà y la propiedad familiar de Torrentbó.

1936

Febrero: A la salida de misa, en la iglesia de las josefinas de la calle Ganduxer, acompaña a votar a sus padres al colegio electoral del barrio: Dos boletines de voto por el candidato de las derechas que no impedirán el triunfo del Frente Popular. (Esta fue la primera y única ocasión en su vida que ha podido presenciar unas elecciones libres en su país. A partir de entonces vivirá, como el resto de sus compatriotas, en un perpetuo estado de minoría legal.)

Se trasladan con el recién adquirido DKW al chalet que sus padres han construido en el barrio del Golf, de Puigcerdà. Regreso precipitado a Barcelona. Por primera vez oye hablar de *rabassaires,* pistoleros, controles: su padre ha mostrado la documentación a un miliciano y la familia comenta burlonamente que no sabe leer.

Agosto (?): Se reúnen en Torrentbó con tío Ignacio y los primos. El último ejemplar de *Mickey,* el tebeo favorito de sus hermanos, aparece con los colores rojo y negro de la FAI. El capellán del vecindario, Mossèn Joaquim, se presenta un día en casa vestido de paisano. Julia Gay le socorre con algún dinero y, antes de despedirse de la familia, aquél les da la bendición. (Según se enterarán más tarde, detenido poco después camino de la frontera francesa, fue ejecutado sin juicio por un grupo de incontrolados.)

Arde la iglesia del vecindario. Tío Ignacio oculta el cáliz del oratorio familiar entre la yedra del jardín y se eclipsa con la mujer y los hijos. Unos milicianos irrumpen en la capilla, derriban la estatua en mármol de la Virgen, le parten la cabeza con un mazo. La señorita de compañía llora. Los massoveros presencian la escena con manifiesta complacencia. Al parecer, uno de los anarquistas ha amenazado a su madre con un revólver.

Reaparece su padre con dos guardias de corps de la FAI: el Jaume y el Clariana. El primero les acompaña a pasear por el bosque y es objeto de vivísima admiración por parte de quien esto escribe: lleva siempre una pistola al cinto y a veces le autoriza a tocarla.

Se trasladan al pueblo vecino de Caldetes. Su padre recibe la visita de la comisión sindical de la fábrica: uno de los miembros está borracho y vomita en el lavabo. La señorita de compañía desaparece.

1937

De nuevo en Barcelona. El piso superior de la villa ha sido requisado y sirve de hogar a una colonia de niños refugiados procedentes del País Vasco.

Su padre se ausenta brevemente (ha sido detenido por los anarquistas y es puesto en libertad por la UGT). Poco después cae gravemente enfermo y es hospitalizado en una clínica de Sarrià. Visitas diarias a ésta con su madre y hermanos. Para atajar la pleuresía doble del padre ha sido preciso abrirle un costado y drenar el pus con un tubo de goma (la supuración durará cuatro o cinco años, durante los cuales permanecerá casi siempre en cama y se moverá con dificultad, grabando en la mente de su tercer hijo la imagen de un hombre débil, achacoso, prematuramente envejecido).

Va con toda la familia a Viladrau, en las estribaciones del Montseny, primero a una villa triste, con un vasto y melancólico jardín inglés, y luego a una casa de dimensiones mucho más modestas. Comienzan las dificultades alimenticias. Aprende a leer con ayuda de su madre.

1938

17 de marzo: Su madre va a Barcelona a visitar a los abuelos. Debe volver la misma noche, pero no regresará jamás. Después de dos días de creciente ansiedad, tía Rosario —refugiada igualmente en Viladrau con tío Ramón y los hijos— les explica primero que ha sido gravemente herida por una bomba antes de confesarles, al fin, que ha muerto en el centro de Barcelona —en el cruce de Granvía y Paseo de Gracia—, mientras efectuaba unas compras. Unos días más tarde recibirán el bolso que llevaba al caer con los regalos que destinaba para ellos: una novela rosa para Marta; novelas de Doc Savage y la Sombra para José Agustín; un libro de cuen-

tos ilustrado (*Pollito Pito, Gallina Fina, Gallo Caballo, Oca Bicoca, Pavo Centavo* y *Vulpeja Vieja*) para él; unos juguetes para Luis.

(Veinte y pico años después, mientras "visionaba" con un grupo de cineastas y técnicos franceses los documentales sobre la guerra civil que debían servir de material para la película de Frédéric Rossif *Mourir à Madrid,* asistió a la proyección de una banda de actualidades del Gobierno republicano español consagrada al bombardeo de la población civil de Barcelona del 17 de marzo de 1938 por la aviación mussoliniana que operaba en Mallorca. Planos intolerables de mujeres, viejos, niños alineados en el depósito de cadáveres. La cámara enfoca, uno tras otro, los rostros de las víctimas, y un sudor frío embebió todo su cuerpo mientras, aferrado a la butaca, evocó la horrible posibilidad de...

La vida, por fortuna, es menos hilvanada y coherente que los argumentos teatrales o novelescos y el rostro temido no apareció. Pero le fue preciso abandonar la sala, aguardar a que el corazón sosegara sus palpitaciones y beber un cordial antes de poder enfrentarse de nuevo a las imágenes de aquel pasado siniestro, resucitado de pronto con tranquila brutalidad. Sus amigos franceses estaban absortos en los problemas de selección y montaje, y no se dieron felizmente cuenta de nada.)

La familia se adapta como puede a la nueva situación. Marta actúa de enfermera y madre de familia. Un día descubre a su padre llorando delante de una foto de la madre y sin saber por qué huye, avergonzado, al jardín. La situación alimenticia es cada vez más crítica: dieta de castañas y tortilla con calabacera silvestre, interrumpida a veces por los paquetes de comida que envía la familia residente en la Argentina y en Francia. Expediciones con sus hermanos, a los castañares y huertos vecinos: los payeses les persiguen a pedradas y se ven obligados a huir precipitadamente. Entra con José Agustín en las villas deshabitadas y, al salir, ocultan el botín bajo sus camisas. Aprende con los niños de la calle la letra de varias canciones obscenas cuyo contenido no comprende.

Una tarde reciben la visita de los tíos y de un hombre que resulta ser sacerdote y celebra la misa, de paisano, en el comedor. Antes, tío Ramón le ha pedido que se confiese y, aunque no tiene nada que confesar, se arrodilla ante el desconocido y recibe su absolución.

Ha aprendido a escribir y redacta dos poemas en un cuaderno, ilustrándolos con dibujos.

1939

Corren rumores de que la guerra se aproxima y oye hablar a una vecina, aterrorizada, de la llegada inminente de los moros.

Delante de casa desfilan columnas interminables de soldados y prisioneros que siguen, a la fuerza, al ejército republicano en retirada. Un oficial dispara con su revólver a un avión de reconocimiento de los nacionales. Dos capitanes se presentan en casa y se "invitan" a cenar al descubrir la existencia de un gallinero en la buhardilla. Cuando se van, envían a un asistente a buscar el violín de tía Consuelo, pero aquél, en lugar de cumplir con el encargo, pide a la familia que le oculte y le ayude a pasarse a los nacionales. Se llama Beremundo Salazar y es natural de la Rioja.

Primeros días de febrero: Ven a un soldado muerto junto a la carretera. Una tarde oyen repicar las campanas y se enteran de que los nacionales han entrado en el pueblo. Las familias barcelonesas refugiadas celebran ruidosamente la victoria de su bando. Llegan falangistas y requetés y distribuyen camisas y boinas. Hace cola con sus hermanos ante el edificio de Auxilio Social y reciben al cabo de varias horas de espera una tortilla con dos rebanadas de pan. Aprende a cantar el

"Cara al sol", el "Oriamendi" y el "Novio de la muerte". Roba azúcar en la intendencia instalada provisionalmente en los Archivos de la Corona de Aragón. La situación alimenticia de la familia mejora. Su padre le envía al catecismo y, poco después, recibe la primera comunión.

Septiembre: La familia se traslada a Barcelona con Eulalia, la asistenta que permanecerá con ellos hasta su muerte, y cuidará de los cuatro hermanos con el amor y solicitud de una madre. Su padre ha recuperado la gerencia de la ABDECA y les envía a José Agustín y a él al colegio de jesuitas de Sarrià.

1940-1942

Pasa el ingreso al bachillerato y los dos primeros cursos del mismo. Los buenos padres se encargan también de su formación política y le enseñan a cantar un himno del que recuerda solamente una estrofa:

> Guerra a la hoz fatal
> y al destructor martillo.
> Viva nuestro Caudillo
> y la España imperial.

Va con toda la clase a recibir al conde Ciano durante su visita a Barcelona. Se aficiona a leer los periódicos y sigue con vivo interés las peripecias de la guerra. La caída de París le llena de consternación. Sin saber bien por qué no tiene simpatía por los alemanes. Entre tío Leopoldo —que es anglófilo— y tío Ignacio —germanófilo— prefiere siempre al primero.

Sisa regularmente en el bolso de la abuela y compra caramelos que distribuye graciosamente entre sus condiscípulos. Va a ver películas de aventuras. Aborrece los juegos y deportes y, en el patio de recreo, permanece siempre solo, absorto en la lectura de algún tebeo o libro de la colección Marujita. Su obra favorita: una *Geografía pintoresca* con ilustraciones en color.

Veraneos en Torrentbó, con paseos en tartana por los pueblos vecinos. Tía Consuelo muere en un sanatorio.

1943

La abuela pierde poco a poco sus facultades mentales: hurga a escondidas los cubos de la basura del barrio y oculta huesos y mondas de fruta en el monedero. Un día se extravía y no sabe volver a casa.

José Agustín es expulsado del colegio de los jesuitas, y su padre envía a los tres hijos al colegio de la Bonanova de los hermanos de la Doctrina Cristiana.

1944

La abuela ha sido internada en un sanatorio de las afueras y, cuando va a visitarla con Eulalia, no les reconoce. Al fallecer, meses después, se ve obligado a guardar el luto, lo que lleva consigo la prohibición expresa de ir al cine durante medio año. Pero desobedece, va a escondidas con Luis a las salas del barrio y ve numerosas películas, entre las que recuerda con especial agrado *Tres lanceros bengalís*.

Masturbaciones. Crisis de arrepentimiento. Recaídas. Golpes de pecho. Propósitos de enmienda. Confesiones. Nuevos pecados.

1945-1946

Durante las estancias veraniegas en Torrentbó escribe una buena docena de novelas que lee inmediatamente a sus desdichadas primas. La temática es muy variada: expediciones a la selva amazónica, westerns, la resistencia francesa durante la ocupación hitleriana, obras históricas. Aunque los rehenes se adormecen a menudo o arriesgan tímidamente algunas observaciones (vgr.: Juana de Arco no conoció a Robespierre; la ginebra no es de color verde, como él pretende, sino incolora, etc.), su actitud no enfría en modo alguno el entusiasmo del prolífico autor. Al mismo tiempo escribe y "edita" periódicos y revistas y pega fotografías —recortadas de *Semana* o *Primer Plano*— en las páginas manuscritas de sus novelas para evitarse la molestia de describir a sus personajes —una idea que no se le ocurrió jamás, por ejemplo, a Honoré de Balzac.

1947

Lecturas de Oscar Wilde y Unamuno. Primeras dudas religiosas y confesiones sacrílegas. Escribe varios cuentos y obras de teatro.

1948

Concluye el bachillerato, pasa el examen de estado y entra en la Universidad de Barcelona, matriculándose en la facultad de Derecho con el propósito de hacer oposiciones para la carrera diplomática. (La idea era completamente inepta, pues su carácter y temperamento se sitúan en los antípodas del temple y maleabilidad requeridos para semejante oficio. Pero el anhelo subyacente que dictaba su elección le parece hoy bastante claro: la posibilidad —conseguida luego por otros medios— de vivir fuera de España.) Descubre la literatura contemporánea: Gide, Sartre, Camus. Pierde definitivamente la fe. Se relaciona con otros estudiantes incrédulos.

1949-1950

Devora centenares, tal vez millares de libros. Aprende el francés por su cuenta. Manifiesta agresivamente su ateísmo. Juega al *dandy*.

1951

Huelga de Barcelona. Funda con un grupo de amigos una tertulia literaria en el café Turia a la que asisten Ana María Matute, Carlos Barral, Mario Lacruz, etc., y en donde lee dos cuentos breves: "El perro asirio" y "El ladrón". Este último es publicado en una revista literaria efímera subvencionada por una especie de Eric Tabarly cincuentón y calvo, que escribe quejumbrosos poemas sobre la condición humana en el refugio y soledad de su barco.

1952

Escribe —o malescribe— una novela adolescente, totalmente inmadura, y obtiene por ella, gracias a la generosa amistad del poeta y crítico Fernando Gutiérrez, el Premio Joven Literatura del editor Janés. Afortunadamente para él, la obra no será editada jamás.

Otoño: Va a Madrid y se hospeda en diversas pensiones del barrio de Argüelles. Se relaciona con estudiantes latinoamericanos del Colegio Mayor en que había residido su hermano José Agustín y se inicia con ellos en los encantos de la vida nocturna. Descubre el alcohol, los prostíbulos, los bares de Echegaray y los cafetines que abren de madrugada. También la aspirina y el café amargo para combatir la resaca.

1953

Regresa a Barcelona. Escribe *Juegos de manos*. Abandona los estudios de Derecho. Se dedica a recorrer los tugurios del puerto y el Barrio Chino. Verifica de una vez para siempre que el subproletariado es mucho más interesante para él que el mundo insípido de la burguesía. Fuma grifa. Viaja por primera vez a París.

1954

Su novela se clasifica finalista en el Premio Eugenio Nadal, otorgado este año a un autor y una obra de importancia trascendental en el futuro de las letras hispanas: *Siempre en capilla*, de Luisa Forrellad. Los editores deciden no obstante publicar su libro, siempre y cuando pase por censura, y *Juegos de manos* aparecerá, con algunos cortes, a finales de año.

Escribe *Duelo en el Paraíso*. Frecuenta con su hermano Luis el seminario de literatura dirigido por José María Castellet y la tertulia izquierdista de Bar Club. Comienza a interesarse por el marxismo. Lee números atrasados de *Europe* y *La Nouvelle Critique*. Escucha con fervor los discos de Yves Montand, Léo Ferré, Atahualpa Yupanqui. Conoce a Rafael Sánchez Ferlosio y Carmen Martín Gaite.

1955

Nuevo viaje a París. Publicación de *Duelo en el Paraíso* (Planeta, Barcelona). Vuelve a España. Comienza la primera versión de *Fiestas*, que luego será publicada —por error—, en lugar de la versión corregida, por una editorial de Buenos Aires.

Un hispanista estadounidense, John B. Rust, ha pasado

sus dos primeras novelas al traductor francés Maurice E. Coindreau —conocido sobre todo por sus magníficas versiones de autores norteamericanos como Faulkner, Hemingway, Dos Passos, Truman Capote, etc., pero que posee igualmente el español, idioma del que tradujo, en su juventud, *Divinas palabras* de Valle-Inclán— y recibe una carta del mismo en la que le manifiesta su propósito de traducir ambas obras para la editorial Gallimard. Coindreau debe ir a París en septiembre y, de común acuerdo, deciden encontrarse a primeros de mes en la editorial. A raíz de esta visita a la para él, entonces, mítica NRF, es invitado a una cena en la que conocerá a dos personas que, por vías y medios diferentes, influirán profunda y perdurablemente en su vida: Monique Lange, que trabaja entonces en el servicio de traducciones de Gallimard, y Jean Genet, el escritor y dramaturgo. (Monique es una mujer de treinta años, llena de vitalidad, generosidad, calor y simpatía, con la que podrá vencer su natural reserva por el otro sexo; Genet le ayudará más tarde a desprenderse sucesivamente de sus tabús políticos, patrióticos, sociales, sexuales. El encuentro con una y otro desempeñará en su existencia futura un papel comparable, en importancia, a la guerra civil o a la muerte de su madre.)

A su regreso a Barcelona es interrogado sobre sus relaciones con los exiliados políticos republicanos. Participa con un grupo de amigos en el pateo de una obra teatral anticomunista de Joaquín Luca de Tena (o Torcuato Calvo Sotelo) a consecuencia del cual es detenido por unas horas su hermano Luis. Su primera (y única) tentativa de compromiso político fracasa lamentablemente: la persona encargada de su adoctrinamiento resulta tener un ladrillo en el lugar del cerebro. (Les ha entregado, a Castellet y a él, como tema de reflexión un discurso del mariscal Bulganin y les cita unos días después para discutir con él de su "contenido político-filosófico". Consternados, los dos catecúmenos arrojaron la prosa amazacotada del enmedallado mariscal a la boca de alcantarilla más

339

concepción del arte como instrumento de propaganda, aparece a fines de año *La resaca*, editada, en español, en París.

1959

Asiste con Monique, Coindreau, Florence Malraux, Elio Vittorini a las conversaciones literarias de Formentor, en las que intervendrán igualmente Luis —que ha publicado entretanto *Las afueras*— y sus amigos barceloneses. Escribe para *L'Express* un reportaje sobre la frustrada huelga nacional pacífica patrocinada por los partidos políticos clandestinos. Su labor de divulgación de la novela española en Francia recibe como recompensa (*O mores Hispaniae!*) un artículo de *Pueblo* en el que se le califica de "aduanero" y se le acusa veladamente de sabotaje.

1960

Febrero: Detención de Luis a su regreso de una reunión comunista en Praga. Organiza una campaña de protesta de intelectuales europeos y latinoamericanos. Responde a nuevos ataques personales del periódico *Pueblo*. Asiste a las reuniones literarias de Formentor. Viaja por Andalucía con Simone de Beauvoir y Nelson Algren. En Madrid, visita a Luis en la cárcel de Carabanchel y tiene la inmensa alegría de ser el primero en abrazarle el día de su liberación.

Publicaciones: *Campos de Níjar* (Seix Barral, Barcelona) y *Para vivir aquí* (Sur, Buenos Aires).

1961

Milán, mes de febrero: Durante la proyección de un documental de Paolo Brunatto y Jacinto Esteba Grewe que servía de ilustración a la edición italiana de *Campos de Níjar*, un grupo de fascistas arroja una bomba de humo y, aprovechando la confusión reinante en la sala en donde tiene lugar el acto, se adueña de la única copia de la película, la cual es presentada días después, en una versión adulterada, con añadidos, cortes y diferente banda sonora en un programa de la televisión española en el que se le atribuye la paternidad del film. Dicha proyección —que señala claramente a los verdaderos inspiradores de la proeza— da la luz verde a una salva de improperios de toda la prensa del país. *Arriba* titula a cinco columnas su primera página: "CNT-FAI, Alvarez del Vayo, Feltrinelli, Goytisolo, Nueva Fórmula del Cóctel Molotov contra España". Otros periódicos le motejan de "traidor", "gángster de la pluma", "gigoló internacional", "aventurero sin escrúpulos", etc. (En el archivo de Boston University consagrado a su trabajo figura una colección de los artículos aparecidos en tal ocasión que, si bien incompleta, basta para aclarar la índole de las relaciones existentes entre España y sus escritores, cuando menos de aquéllos que incurren en el imperdonable delito de pensar por su cuenta.)

Se querella por injurias contra varios periódicos. Resuelve presentarse en Madrid y es recibido inmediatamente por el Director General de Prensa. El profesor Muñoz Alonso acepta la publicación de una breve carta de rectificación y, en un rasgo de bondad realmente sorprendente en quien ejerce tal cargo, asegura al boquiabierto escritor que le tiene muy presente en sus oraciones.

Otoño: Presencia, con indignación e impotencia, el toque de queda impuesto por la policía francesa a la población norteafricana de París.

Diciembre: Viaja a Cuba invitado por Casa de las Américas y el diario *Revolución*, dirigido entonces por Carlos Franqui. Publicación de *La isla* (Seix Barral, México), relato destinado en sus orígenes a servir de base al futuro guión de una película protagonizada por Lucía Bosé y que por diversas razones no llegó a realizarse.

1962

Recorre la isla de un extremo a otro y es testigo del extraordinario entusiasmo popular suscitado por la revolución. Sus parientes cubanos han huido a Miami, pero conoce a varios mulatos y negros con su mismo apellido que le interesan muchísimo más: son los descendientes de los esclavos del bisabuelo, identificados todos con los ideales revolucionarios del movimiento del 26 de julio. Asiste a algunos plantes ñáñigos y graba varias discusiones políticas en el parque de Manzanillo. Regresa a Europa. Publicación de *Fin de fiesta* (Seix Barral, Barcelona) y *La Chanca* (Librairie des Editions Espagnoles, París).

Septiembre: Sigue los encierros taurinos en la provincia de Albacete. La crisis de los cohetes le pilla en Sicilia y vuela a Cuba en el primer avión que rompe el bloqueo estadounidense. Escribe un guión cinematográfico para el ICAIC. Publica en *Revolución* el reportaje *Pueblo en marcha*.

1963

Vuelve a Europa. Prosigue su labor periodística. Visita brevemente Argelia invitado por el gobierno de Ben Bella. Va a España, y la realidad del despegue económico del país le abre los ojos respecto al *wishful thinking* en que se adormece la izquierda. Su personalidad de representante oficial del progresismo hispano comienza a resultarle embarazosa e interponerse entre su yo real como un doble o, en expresión de Cavafis en uno de sus más bellos poemas, "un huésped importuno". Se entrega a una desgarradora labor de autocrítica —política, literaria, personal— que le aísla paulatinamente de sus amigos y le ayuda a cortar el cordón umbilical que todavía le une a España.

1964

Muerte del abuelo materno (marzo), y del padre (agosto).

Publica en *L'Express* un artículo sobre la situación política española que es objeto de críticas muy vivas por parte de varios sectores de la oposición y es utilizado por la dirección del PC en su campaña de exclusión de Fernando Claudín y Federico Sánchez. (Quien esto escribe tuvo ocasión de releerlo en fecha reciente y, sin la menor vanidad —muy al contrario—, puede decir que los hechos han dado, desgraciadamente, razón al punto de vista que allí exponía, pero que en aquella época fue tildado de negativo y derrotista. Estas reacciones de la izquierda, después de la violentísima campaña de denigración de la derecha oficial, influyeron sin duda en el alejamiento de la vida política española que desde entonces observa. Su intervención en ella nunca fue interesada: obedecía tan sólo a una pasión por su país que en los últimos años ha perdido del todo.)

Decide desaparecer no sólo del mundillo político sino también del editorial. Mientras es uno de los escritores más traducidos y prolíficos y la mayoría de sus compañeros le consideran afortunado, siente, con creciente apremio, la necesidad de sabotear su posición, de dejar de ser una mercancía rentable en el interior del circuito. Entre literatura y edición, escoge la literatura. Monique ha renunciado a su puesto en Gallimard al morir su madre y se instala con ella en Saint-Tropez a fines de año.

1965

Continúa la novela en la que trabaja desde hace dos años. Extiende el proceso de liberación a su vida privada. Visita la URSS invitado por la Unión de Escritores de este país. Pasa el otoño en Tánger. La desaparición de Eulalia le afecta mucho más que la muerte del padre. Vuelve a Saint-Tropez.

1966

Junio: Regresa a París con Monique. Diciembre: Publicación de *Señas de identidad* (Joaquín Mortiz, México).

1967

Viaje por el Sáhara. Comienza a escribir *Don Julián*. Publicación del volumen de ensayos *El furgón de cola* (Ruedo Ibérico, París). Breve recorrido por Cuba con el Salón de Mayo. Nueva estancia en Marruecos (Tánger, Fez, Marraquech).

1968

Mayo francés. Intervención soviética en Checoslovaquia. Viaja por Oriente Medio con el manuscrito de la novela (Turquía, Siria, Líbano, Jordania y Egipto). Entrevista a los guerrilleros de Al-Fatah.

1969

Otoño: Va a los USA como profesor visitante en la Universidad de California, La Jolla.

1970

Va a México con motivo de la publicación de *Don Julián* (Joaquín Mortiz). A su regreso a Europa trabaja en la traducción y selección de la obra de Blanco White. Profesor visitante en Boston durante el otoño.

1971

Interviene en la creación de la revista *Libre*, de la que dirige el primer número. Firma las dos cartas de protesta de los 62 intelectuales europeos y americanos a Fidel Castro con motivo del célebre, y lamentable, *affaire* Padilla. Viajes por el Sáhara, Marruecos y Siria. Otoño en Nueva York.

1972

Estancia en Canadá (McGill University). Comienza a escribir *Juan sin Tierra*. Marruecos. Publicación en Buenos Aires de la *Obra inglesa* de Blanco White.

1973

Enseña en New York University.

1974

New York University. Por primera vez en doce años aparece una obra suya en España: la censura autoriza su edición de Blanco White (Seix Barral, Barcelona). Concluye la redacción de *Juan sin Tierra*.

ÍNDICE

Impreso en el mes de marzo de 1978
en I. G. Seix y Barral Hnos., S. A.
Avda. J. Antonio, 134-138
Esplugues de Llobregat
(Barcelona)